왕초보
책과 글쓰기 도전

가재산
장동익
신광철

NODE MEDIA
노드미디어

CONTENTS

제2장 책은 어떻게 태어나는가?

제3장 글쓰기가 처음인 왕초보 글쓰기 도전

제4장 시니어들의 핸드폰 하나로 책과 글쓰기

프롤로그

우리나라는 2018년 65세 이상 인구가 드디어 14%를 초과하여 고령화 사회가 되었다. 바야흐로 100세 시대를 살아가야만 하기 때문에 퇴직 이후에 30년 이상 무언가를 하지 않으면 안 되는 시대를 맞고 있다. 그러다 보니 누구나 책 한 권쯤 내고 싶어 한다. 그러나 결코 쉬운 일이 아니다. 그래서 책을 쓴다는 것을 산모가 느끼는 산고에 비유하기도 한다. 산모가 되어보지 않으면 산고를 모르듯이 책을 써보지 않은 사람은 사실 고통을 알지 못하기 때문이다.

"내가 살아온 인생을 소설로 쓰면 몇 권이 나온다."

예전 어머니, 할머니들이 입버릇처럼 하시는 말씀을 들어본 적이 있다. 그만큼 모진 가난과 호된 시집살이로 어렵게 살아온 질곡 같은 삶이 한이 되어서 하신 말들이다. 그러나 그런 소설이 나온다는 것은 전문작가나 누가 대필을 해주지 않는 한 불가능했다. 이제 가능한 시대가 되었다. 핸드폰에 대고 줄줄이 이야기하면 글이 되기 때문에 설령 글을 써보지 않은 왕초보라도 마음만 먹으면 얼마든지 가능하다.

특히 처음 책을 내는 왕초보들은 학원에서 글을 쓰고 책 쓰는 기법을 배우고, 전문가로부터 개인 코치를 받거나 돈을 주고 작가에게 맡기기도 한다. 더구나 독서인구가 급격하게 감소하고 핸드폰으로 인해 책 판매량이 줄다 보니 출판사에서도 인세는커녕 웬만한 전문가 실력을 인정받지 못하면 비용을 자비로 지불해야만 책을 내준다. 이 경우 출간하는 데 소요되는 비용이 적게는 천만 원에서 많을 경우는 3천만 원 정도의 비용이 들어간다. 여기 소개되는 핸드폰 앱 기술을 활용하면 왕초보들도 이러한 경비 없이 가능하며, 걸리는 시간도 1/4 정도로 줄일 수 있다고 확신한다.

더구나 시니어들은 눈이 침침해지고 타이핑 속도는 점점 떨어진다. 게다가 기억력은 자꾸만 떨어지다 보니 메모를 하지 않으면 금방 잊어버리기도 한다. 전문작가와는 달리 일반인들은 책을 쓰기 위해서 자기가 하고 있는 무언가를 포기하는 용기와 도전정신이 없이는 불가능한 일인지도 모른다.

최근의 IT 기술은 사람이 핸드폰에 대고 말을 하거나 핸드폰으로 책자나 인쇄물의 필요한 부분을 사진 찍으면 타이핑 전혀 없이 문서로 작성해 주고, 그렇게 문서로 작성된 것을 예쁜 여성의 디지털 목소리로 읽어준다. 넘쳐나는 온갖 인터넷 자료들, 동영상 중 필요한 것을 핸드폰에 대고 찾으라고 지시하면 바로 찾아서 그중 내가 원하는 부분만 복사해서 재사용할 수 있다. 핸드폰은 화면이 작지만, 그 화면을 그대로 PC 모니터보다 훨씬 큰 TV로 시청하며 교정도 가능하다. 번역의 기능이 대폭 강화되어 이제 300쪽에 달하는 책 한 권의 번역 초벌도 몇 시간이면 끝난다. 그 번역 품질은 믿기 어려울 정도로 훌륭하며 구글 번역기는 104가지 종류의 언어로 통역은 물론 순식간에 번역을 해 준다.

이 책은 공저이지만 나의 23번째 책이다. 그러나 이러한 책을 쓸 자격을 갖고 있지 못했다. 학창 시절 흔한 백일장 한번 나가본 일이 없고, 책 한 페이지도 써본 일이 없는 왕초보였다. 더구나 문학적 소질은 고사하고 글쓰기와 거리가 먼 좌뇌를 주로 쓰는 경리부서에 근무한 데다가 대기업의 임원을 하다 보니 더욱 거리가 있었다. 게다가 나이가 60이 넘으면서부터 시력이 떨어지고 타이핑은 독수리타법이 되어가면서 책 쓰는 일은 정말 힘든 과정이었다. 핸드폰의 앱들은 나의 구세주였다. 장동익 고문으로부터 쓰는 법을 배우고 나서부터 책이나 글쓰기가 아주 수월해졌다.

왕초보들도 이 책 내용을 따라서 그대로 하기만 하면 전문가들의 간단한 코칭만 있어도 자신의 힘만으로 책과 글쓰기가 가능하게 된다. 만일 독자가 전문작가이거나 책 글쓰기의 유경험자라면 1~3장을 건너 뛰고 바로 4장으로 가도 된다. 4장에서 소개되는 핸드폰 앱 기술의 놀라운 효과를 보고 스스로 감탄하게 될 것이다.

요즘 시중에는 책을 쓰고 글쓰기 관련 책들이 줄잡아 100여 권 나와 있으나 시니어들만을 위한 책과 글쓰기 책은 이 책이 유일하다. 특히나 한 번도 책을 써보지 않은 왕초보 시니어들을 위한 책으로 구성했다. 젊은 사람들은 나이 든 사람들의 고통이나 애로를 잘 이해하지 못한다. 마침 공저자 세 사람 나이가 평균 65세가 넘었다. 고통을 알다 보니 자연스럽게 시니어들의 눈높이에 맞추려고 노력하게 되었다.

이 책은 2017년 8월 『핸드폰 하나로 책과 글쓰기 도전』이 나온 이후 1년여 만에 나오는 증보 개정판이다. 따라서 일부 내용은 그대로 인용되거나 옮겨진 내용이 포함되어있다. 1장과 2장에서는 시니어들이 책을 써야 하는 이유와 책을 출판하는 절차를 책 글쓰기 회장을 맡고 있으면서 지금까지 책 쓰기 강의를 해온 가재산 대표가 썼다. 3장은 글을 제대로 알고 잘 쓰기 위한 내용으로 책 글쓰기 학교에서 문학적 글쓰기를 강의와 회원들의 쓴 글을 지도한 내용을 중심으로 담당교수인 신광철 작가가, 4장은 이 분야 최고의 경험과 '핸드폰 활용 고수 되기' 인기 강사로 전국적으로 활동하고 있는 장동익 고문이 담당하게 되었다.

공저자들은 이 책자를 통해서 책 글쓰기 전문가나 책 글쓰기를 원하는 왕초보들에게 이제는 책을 낸다는 것이 예전보다 비교도 할 수 없을 만큼 쉬워졌다는 사실을 실제 체험을 통해 알려주려고 한다. 그리고 더 나아가 이제 꿈으로만 가지고 있었던 왕초보 당신도 책을 쓰는 일에 지체하지 말고 지금 당장 도전장을 과감히 던져보라고 강력하게 추천하고 싶다.

끝으로 이 책자가 이 세상에 나올 수 있도록 관심과 아낌없는 지원을 해 준 노드미디어 박승합 사장님과 스태프들에게 진심으로 감사를 드린다.

공저자 대표 가재산 씀

제 1 장

왕 초 보 **책** 글 쓰 기

이 렇 게 도 전 하 라

1

시니어들이 책 글쓰기
를 해야 하는 진짜 이유

파리의 미라보 다리에서 '저는 날 때부터 장님입니다'라는 팻말을 목에 걸고 구걸하는 걸인이 있었다. 그 걸인을 본 시인 '로제 카이유'는 팻말에 쓰여있는 글을 다른 글로 바꾸어 주었다. 그리고 얼마 후 다시 걸인을 만났다. 걸인은 반색하면서 이렇게 말했다.

"선생님이 글을 바꾸어 주신 후 하루 10프랑이던 수입이 50프랑이나 올랐습니다. 그 연유가 무엇이지요?"

카이유가 대답했다.

"예, 곧 봄이 온다고 해도 저는 그 봄을 볼 수가 없습니다. 라고 바꾸었을 뿐입니다."

이처럼 한 줄의 글이 자신의 행동을 변화시키고, 세상을 바꿀 수도 있다. 말과 글 중에 어느 쪽 힘이 더 셀까? 생각하기 나름이겠지만 분명 글보다 말이 더 많은 세상인 것 같다. 그래서 혹자는 '말세'라고 농담 삼아 이야기하기도 한다. 법정 스님은 평생 동안 무소유를 세상에 남기고 입적하셨는데, 종교와 사상을 초월하여 온 국민들이 스님의 정신과 사상을 계속 이어받을 수 있도록 하게 하는 것은 평생 말씀으로 남기신 어록이나 대화도 있지만, 무엇보다도 『무소유』를 비롯한 30여 권이 넘는 책의 힘이 아닌가 생각한다.

특히 『아름다운 마무리』라는 글을 통해 무소유를 남기고 가신 뒤에도 마음의 한 구석을 풍요롭게 해주고 있다. 설령 출판된 책들의 절판을 유언으로 남기셨다 하더라도 한번 글과 책으로 남겨진 스님의 사상과 가르침은 아무리 세월이 흐르더라도 영원하게 남게 된다. 더구나 요즘에는 인터넷 덕분에 한 번 올라온 글이나 책은 계속 볼 수 있다.

글은 종이 위의 잉크 자국이 아니다. 글은 생각이요, 사상이요, 영향력이요, 역사요, 힘이 된다. 말로도 자신의 생각과 사상을 전할 수 있지만, 지속적 영향력에서 글이나 책을 따를 수 없다. 이러한 예가 바로 이순신 장군의 『난중일기』다.

난중일기는 충무공 이순신이 임진왜란이 일어난 해부터 시작하여 전쟁이 끝나는 순간을 앞에 두고 노량해전에서 전사하기까지 7년간의 일을 기록한 일기이다. 전쟁 전의 상황과 임진왜란 당시의 전황을 알 수 있는 객관적 사료로서의 가치도 있지만, 국가의 제삿날에도 업무에 임하는 열정과 진지와 병영관리에 태만하거나 소홀한 부하 관리를 문책·처벌하는 엄중함은 물론, 개인적인 고뇌와 번민, 친지들과 관련한 내용까지도 상세히 기록되어 있다.

당대에는 이순신 장군 외에도 권율, 원균 같은 장수가 더 있었다. 그러나 기록을 남기지 않은 두 분은 그저 유명한 장수로만 남아 있을 뿐이다. 기록이 없다 보니 일부는 역사학자들에 의해 오해와 왜곡된 해석까지도 내놓게 되어 때로는 잘못된 평가를 받기도 한다.

이처럼 글과 책의 힘은 참으로 대단하다. 나의 경우도 대기업을 나와 컨설팅과 교육을 하고 있지만, 강의 전체의 70~80%가 과거 20여 권의 졸저나 신문, 잡지에 기고한 글을 보고 연락이 오는 경우다. 특히 컨설팅의 경우도 책을 읽어보고 오는 경우가 반 이상을 점하고 있다. 책이나 글을 통해 소통이 되다 보니 별다른 마케팅이 없이도 지금의 일을 해낼 수 있었다고 생각된다.

그 나라 문화 수준을 알아보려면 서점을 가보면 알 수 있다는 말이 있다. 선진국에는 책이나 글을 쓰는 사람이 많고, 책을 읽는 사람도 많은 게 사실이다. 백일장 한번 안 나가보고 연애 편지 정도 써본 게 글쓰기의 전부인 나의 경험을 비추어 볼 때 글을 쓰고 책을 쓴다는 것은 꼭 전문가의 영역만은 아닌 것 같다.

누구나 지속적인 노력과 열정만 있다면 가능한 일이다.

어느 누구든지 살아온 길을 되돌아보면 몇 권의 책을 쓸 수 있는 소재를 가지고 있다. 평생에 단 한 권의 책이라도 써서 세상에 기록으로 남긴다면, 먼 훗날까지 자신의 살아온 경험과 역사를 세상에 남길 수 있다. 글을 쓰고 책을 쓴다는 대단한 힘에 한번 도전장을 내보는 것은 어떨까?

100세 시대를 살아가는 지혜는 책 쓰기다

'나이가 든다는 것'은 나쁘기만 한 것일까? 독일의 유명한 대중 철학자 빌헬름 슈미트Wilhelm Schmidt는 '나이 듦'에 대한 이런 부정적이기만 한 해석에 이견을 제시하며 '나이 듦'의 진정한 의미에 주목한다.

그에 의하면, '늙는다는 것'은 각종 능력이 쇠하고 외형적으로도 볼품없어지는 것을 의미하지만, '나이 들어간다는 것'은 다른 생명의 성장을 돕고 경험을 이어 전달하며, 인생의 또 다른 시작과 가능성을 만들어가는 것을 의미한다고 강조한다.

나이가 들어 신체적 변화보다 오히려 마음이 아픈 건, 나 자신 스스로가 새로움과 변화에 대한 거부감이 점점 커져간다는 걸 느낄 때다. 그래서 시니어들이 세월이 가는 대로 시간을 보내서는 너무 아깝다. 아니 남은 세월이 너무 길다. 왕성한 에너지로 책을 쓰고 글을 쓴다면 얼마나 좋겠는가? 책과 글을 써서 젊음을 유지하고 이를 토대로 더욱 적극적인 경제활동을 할 수 있는 징검다리 역할을 얼마든지 할 수 있기 때문이다.

나는 대기업을 퇴직하고 나이 50에 창업을 하여 지금의 일을 시작한 지 20여 년

이 되었다. 10여 년 전 내가 맡고 있는 '한국형 인사조직 연구회'에서 잘 알고 지내던 교수 한 분이 직접 쓴 『경제수명 2050 시대』라는 책을 보내왔다. 50대에 창업하여 과거의 경험과 전문성을 살려 새로운 제2 인생의 길을 선택한 나의 이야기가 그 책에 소개되어 있으니 한번 읽어보라는 뜻으로 보내온 것이었다.

5권 세트로 나온 이 책은 어떻게 하면 '경제수명'을 늘릴 수 있을까에 대한 이 분야 전문가들의 체험적 연구서였는데 '2050'은 20대부터 50년을 일해야 한다는 의미도 되고, 50대도 추가로 20년을 더 일해야 한다는 의미도 있었다. 즉 경제수명을 50년은 유지해야만 고령화 시대에 제대로 대응할 수 있다는 것이 책의 요지였다.

10년이 지난 지금, 이제는 '경제수명 2060' 시대가 절실하게 되었다. '20살에서 70세까지만 일한다가 아니라, 80세까지 60년 동안 일하지 않으면 안 된다.'는 의미다. 여기에 굳이 하나 더 붙인다면 '20대도 80까지 60년 일할 준비를 젊어서부터 해야 한다.'는 강력한 메시지도 들어 있다.

나이 들어서도 직업이 있거나 안정적인 수입원을 가질 수 있다면 고령화 사회를 겁낼 필요가 없다. 겁을 먹게 되는 것은 고령화가 진행되는 한편으로, 평균적 퇴직 연령의 급격한 감소가 이뤄지고 있지만, 은퇴 후 30년이 기다리고 있기 때문이다. 90세, 100세를 사는데 50대 퇴직도 보장하기 어렵다면 남은 인생을 어떻게 살 수 있을까? 책 쓰기, 글쓰기가 답이 될 수 있다. 책과 글쓰기는 자기가 사표를 내지 않는 한평생 현역이기 때문이다.

후반전을 준비하고 고령화 사회를 준비하는 진정한 '노老테크Tech''는 개개인들이 전문성을 가지고 칠십을 넘어 팔십까지도 크든 작든 할 일이 있어야만 일하는 즐거움과 사람들과 만남을 통해서 건강하게 삶을 유지할 수 있는 필수조건이다.

100세 시대에는 'SKY 대학보다 평생 대학이 낫다.'고 한다. 누구나 나이에 관계없이 용기를 내어 평생 학교에 입학하라. 그것도 책 쓰기 학교, 글쓰기 학과라면 더욱 좋다. 시니어들의 나이는 본인이 생각하는 실제 나이보다 훨씬 젊다. 2015년 유엔이 평생 연령 기준을 정립하여 새로운 세대의 기준을 발표했는데 65세 이하는 청년이다. 게다가 UN에서 친절하게도 우리 실제 나이를 계산하는 방법을 알려줬

2050 시대
(경제수명 50년)

경제수명
60년 시대

2060 시대
(SKY 대학보다 평생대학이
더욱 중요함)

그림1-1 평생대학과 UN이 정립한 연령기준

는데 자신의 나이 ×0.7이라니 만약 주민등록상 나이가 만으로 60이라면 실제 나이는 42세다!

액티브 시니어 책 글쓰기로 제2 인생을

"이제 안돼!"

"이 나이에 내가 뭘?"

"나이가 들어 이제 할 수 있는 게 아무것도 없어...."

직장을 퇴직한 시니어들의 하소연이다. 내 주위를 봐도 70~80%가 하는 일이 없이 그저 하루하루를 소일하는 사람들이 대부분이다. 그런 가운데 남달리 살아가는 사람들도 의외로 많이 있다. 바로 액티브 시니어들이다. 액티브 시니어란? 은퇴 이후에도 하고 싶은 일을 능동적으로 찾아 도전하는 50~60대를 일컫는 말로, 적극적으로 소비하고 문화 활동에 나선다는 점에서 '실버 세대'와 구분된다. 이들은 외모와 건강관리에 관심이 많고 여가 및 사회 활동에도 적극적으로 참여한다. 액티브 시니어의 가장 큰 특징은 소비패턴이다. 이들은 넉넉한 자산과 소득을 바탕으로 이전 노년층과 달리 자신에 대한 투자를 아끼지 않는다. 이러한 시니어들이 왕성한 에너지로 책을 쓰고 글을 쓴다면 얼마나 좋겠는가? 책과 글을 써서 젊음을 유지하고 이를 토대로 더욱 적극적인 경제활동을 할 수 있는 징검다리 역할을 얼마든지 할 수 있기 때문이다.

책 글쓰기로 2060을 몸소 실천하는 분 중에 한 분이 이상헌 선생님이다. 올해 80세가 넘었는데도 열정적으로 일하시며 100살까지 일하시겠다고 늘 말한다. 지금까지 무려 150여 권의 책을 썼는데 지금도 일 년에 책을 서너 권을 쓰고 있고, 일주일에 2~3회 강연과 신문 잡지사에 칼럼 쓰기는 물론, 1주일에 한 번씩 행복에 대한 메시지를 지인들에게 직접 보낼 정도로 왕성하게 활동하시는 분이다.

한 번은 선생님을 찾아뵈었더니 『100살이다. 왜!』라는 책을 선물로 주셨다. 보통 회사원으로 근무하고 있는 후쿠이 후쿠타로福井福太郎씨가 쓴 자서전이다. 실제로 저자는 1912년생 106세다. 증권사 임원으로 은퇴했지만, 더 일하고 싶어서 70세에 직원 3명이 일하는 도쿄 복권 상회에 입사한 현역 회사원이다. 아침마다 전철로 1시간 거리에 있는 일터로 출근해 복권 분류와 배달, 회계 업무를 맡아 지금까지 30년째 일하고 있다.

근무 시간은 9시부터 2시. 96세 되던 해에 회사에 폐가 될까 우려해 회사에 사표를 냈지만 계속 남아서 일해 달라는 회사 경영진의 간곡한 만류로 지금까지 일하고 있다고 한다.

100세가 넘어서도 계속 일을 하는 이유는 딱히 없다. "건강에 이상이 없는 한 인간은 계속 일을 해야 한다."는 게 그의 주장이요. "그 일이 대단한 일이건 그렇지 않건 돈을 많이 벌건 적게 벌건 자기가 먹을 양식을 스스로 마련할 수 있다면 그 자체로 멋진 직업"이라는 것이다.

일본은 65세 이상 노인들이 이미 26.7%를 넘어 초고령사회가 되었고, 지금 100

세 이상의 고령자가 6만8천 명을 넘는 세계 최고령 국가다. 그래서 그런지 100세 이상 일하는 현역분들이 의외로 많다. 『나이를 거꾸로 먹는 건강법』의 저자 히노하라 시게아키日野原重明 박사는 생전에 107세(1911년생)까지 현역 명예병원장이었다. 그가 100살이 되던 7년 전의 일이다. 지금도 85세에도 불구하고 젊음을 유지하며 왕성한 사업을 키워나가고 있는 이길녀 가천대 총장의 초청으로 대학에서 강의하러 한국을 다녀갔다. 그는 "어떤 일도 생각하기 나름, 늙는다는 것은 쇠약해지는 것이 아니라 성숙해지는 것이다."라고 했다. 그는 "진정한 늙음과 젊음은 마음에 있다."라고 말한다.

고령화 사회에 접어든 우리나라에도 액티브 시니어들을 위한 잡지가 많이 생겨나고 있다. 그중 2년 전에 시작한 브라보 마이 라이프는 단연 앞서가는 잡지다. 이 회사는 전문가가 아닌 아마추어 기자단을 통해 차별화를 하고 있다. 1기는 2016년 4월 서류 심사를 거쳐 선발된 48명의 동년 기자가 선발되어 글쓰기로 활발한 활동을 펼쳤다. 2기 동년 기자들은 2017년 4월 출발하였는데 나도 여기에 선발되었다. 1942년생부터 1966년생까지, 평균 나이 61세로 1기 동년 기자단보다 연령대가 높았는데, 이들은 가정주부, 수필가, 사진작가, 대학교수, CEO 등 다양한 분야의 전문가로 구성되었다.

브라보 마이 라이프는 2060을 위한 시니어들의 글쓰기 등용문이자 액티브 시니어들의 행복한 노후를 응원하는 공감 매거진이다. 발행 부수 3만 권에 달하는 매력 덩어리 잡지로 업계 최고 수준의 자리를 매김 하면서 대한민국의 모든 시니어의 행복한 벗이 되고 있다.

돈이나 부富만을 가진 노테크는 자칫하면 '노No 테크'로 전락할 위험성이 존재한다. 노후준비의 골든 타임은 따로 없다. '바로 지금'이다.

액티브 시니어들 파이팅!

책을 쓰는데 저자의 자격은 없다

시인 김달진은 "인생 60대는 년年마다 늙고, 인생 70대는 달月마다 늙고, 인생 80대는 날日마다 늙고, 인생 90대는 분分마다 늙는다."라고 했다. 시간의 실제 속도는 똑같으나 느끼는 속도는 제각각 다르다는 것이다.

"제가 어떻게 책을 써요?"

"말도 안 돼요."

시니어들에게 책을 쓰라고 권유하면 대부분 이런 반응을 보인다. 책을 쓰고 싶은 마음은 가져보았지만, 구체적으로 고민해보지 않았기 때문이다. 나는 책은 누구나 쓸 수 있는데 방법을 모를 뿐이라고 생각한다. 감성과 창의가 필요한 문학적인 책이나 수필과 같은 경험을 다룬 책이 아니라면 실무서의 경우 책은 콘텐츠 50%와 기술 50%로 이루어진다. 사람들은 누구나 자신만이 가지고 있는 콘텐츠와 전하고 싶은 메시지가 있다. 그것이 암묵지로 자신의 머릿속에 남아 있다. 이것을 밖으로 꺼내는 것이 기술이다.

글을 쓰는 것과 책을 쓰는 것은 또한 다르다. 글을 썼다고 해서 반드시 책이 되지는 않는다. 책을 내는 작업은 바로 기술이 필요한 것이다. 이 기술은 익히면 된다. 기술은 익히면 자기 것이 되지만 배우지 않으면 영원히 자신과는 상관이 없게 된다. 나는 한 분야에서 10년 이상 종사한 전문가들은 모두가 책을 출판할 수 있는 자격을 갖추었다고 믿는다. '10년 법칙'이 있지 않은가. 말콤 글래드웰은 '1만 시간의 법칙'을 소개한다.

한 분야에서 집중적으로 하루에 세 시간씩 10년을 보내면 그 분야에서 세계적인 인물로 성장할 수 있다는 것이다. 전문가는 전문성을 가지고 일반인과 소통할 수 있어야 한다. 그래야 진정한 소통이 이루어진다. 일본에 주재할 때 직접 본 사실이지만 일본 사람들은 실무자들이 책을 많이 쓴다. 임원은 물론 간부들까지도 풍부한 실무 경험을 바탕으로 얼마든지 책을 쓸 수 있다.

최고경영자들은 두말할 필요도 없다. 회장들은 창업자다. 무無에서 유有를 창조했다. 그 과정에서 느낀 점이 얼마나 많을까? 하고 싶은 이야기는 얼마나 많을까? 책이란 하고 싶은 이야기를 세상을 향해 던지는 것이다. 나는 특히 기업체 경영자들에게 책을 왜 써야 하는지 이렇게 설득한다. 어렵다고 생각하면 한량없이 어려운 것이 세상만사이며, 쉽다고 마음만 먹으면 한없이 쉬운 것이 도전에 대한 자신감이다. 책 쓰기도 마찬가지다. 누구나 작가가 될 수 있다. 핸드폰만으로도 안 되는 게 없는 시대가 왔으니 마음만 먹으면 누구나 쓸 수 있기 때문이다.

글을 읽으면 글을 써야 하고, 책을 읽으면 책을 써야 한다. 아직 글을 쓰지 못하고, 책을 쓰지 못한 것은 그 깨달음이 부족하고 시작을 하지 못해서다. 누구나 책 쓰기에 도전하면 책을 쓸 수 있다. 전문가들이 책을 쓰는 것이 아니다. 책을 쓰면 전문가가 되는 것이다. 성공한 사람들이 책을 쓰는 것도 아니다. 책을 쓰면 성공하게 되는 것이다. 몽상가는 꿈을 꾸고 작가는 글을 쓴다. 몽상가는 꿈을 실현하지 못한 한을 품는 사람이다. 오죽하면 꿈속에서 꿈을 꾸겠는가?

글쓰기를 꿈꾸고 글쓰기를 생각하는 것만으로는 글이 써지는 게 아니다. 최초의 한 문장을 쓰고, 또 한 문장을 보태는 것, 이것이 바로 글쓰기다. 한 문장이 모여서 문단이 되고, 문단이 쌓여서 글이 되고, 그것을 구성하여 쌓아 놓는 것이 책이다. 대부분 사람은 글을 쓰고 싶고 좋은 글을 쓰고 싶은 꿈을 꾼다. 그러나 글을 쓰는 시스템, 즉 글이 책이 되는 방법과 그 과정을 모르기 때문에, 그리고 글쓰기는 재능이기 때문에 그 소질은 가지고 태어난다고 믿어버리고 아예 도전을 해보지 않는 것이다. 그 일련의 과정을 모르기 때문에 어렵게 생각하는 것이 글쓰기와 책 쓰기에 대한 일반적인 상식이다. 책을 쓰는데 저자의 자격은 없다.

"나도 작가다."라고 크게 소리 지르고 난 다음 이 첫 문장을 쓴 당신은 이미 작가가 되었다.

"축하합니다. ○○ 작가님."

책 쓰기 열망은 나이가 없다

이 책을 기획하면서 핸드폰에서 구글이 제공하는 앱을 활용하여 현황조사를 실시했다. 조사 대상은 주로 저자들과 가까이 지내왔던 사람들, 책 글쓰기 포럼 회원들, 연구회원들, 피플스 그룹 회원들, 걷기 모임 회원들로서 약 1000여 명에게 설문서를 보내어 그 중 400여 명부터 답신을 받았다. 젊은 사람들도 많았지만, 연령대가 대체로 높은 편이며 일반인들을 대상으로 한 것이 아니기 때문에 조사 결과가 다소 편향되어 있다고 할 수는 있다.

문제는 이 설문에 책 쓰기에 관한 관심을 알아보기 위해 책 쓰기에 관한 항목을 넣어 조사했다. 여기서 깜짝 놀라운 사실을 알아냈다. 어떤 방식으로든 책을 한 권 이상 낸 사람이 20%나 되었다는 사실이다. 여기에 책을 한 번도 낸 적이 없지만 앞으로 책을 내겠다고 답변한 사람이 13.5%나 된다는 사실이다. 이들을 합치면 33.6%로 3명 중 한 명이라는 이야기이다.

또 하나 놀라운 사실은 책을 써본 경험은 거의 없지만 책 쓰기에 관한 관심이나 희망은 그림 1-2에서 보는 바와 같이 젊은 사람들도 크게 차이가 나지 않는다는 사실이다. 흔히 책 쓰기를 하고 싶은 사람들은 직장생활이나 어느 정도 삶을 살아온 사람들이나 은퇴자 중심일 거라고 생각했다. 그동안의 쌓아온 경험과 노하우를 정리하거나 나름대로 살아온 삶을 책과 글로 정리하고자 하는 시니어들이 많기 때문이다. 그런데 서점에 가보면 상황은 아주 달라지고 있다. 젊은 사람들이 쓴 창업이나 기술에 대한 책들이 많고 책 쓰기 학원에도 젊은 사람들이 의외로 많다.

여기서 발견한 중요한 사실은 나이와 관계없이 일고 있는 책 쓰기 열망이 핸드폰 앱을 활용하여 '왕초보인 나도 글과 책을 쓸 수 있다'는 자신감을 넣어주기만 한다면 젊은이들의 책 쓰기는 들불처럼 확산할 수 있다는 희망찬 생각을 해본다. 젊은 사람들은 클라우드 기술에 대한 습득이 빠르고 스마트 핸드폰에 대한 조작이나 활용이 시니어들과 비교가 되지 않을 정도로 빠르기 때문이다. 나는 이 책자를 통

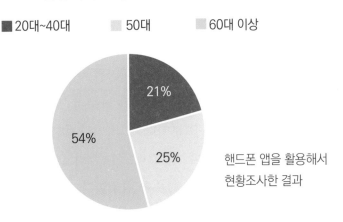

연령대가 어떻게 되시나요?

■ 20대~40대　　■ 50대　　■ 60대 이상

21%

25%

54%

핸드폰 앱을 활용해서
현황조사한 결과

그림1-2 책쓰기를 원하는 연령대 현황

해서 이런 사람들에게 이제는 책을 낸다는 것이 예전보다 정말로 쉬워졌다는 사실을 알려주고 싶다. 그리고 더 나아가 이제 꿈으로만 가지고 있었던 왕초보 당신도 책을 쓰는 일에 도전장을 과감히 던져보라고 강력하게 알려주고 싶다.

이 책을 쓰는 과정에서 또 하나의 새로운 사실을 발견했다. 최근 책 쓰기나 글쓰기를 가르치는 학원이나 모임이 우후죽순처럼 늘어나고 있다는 사실과 또 하나는 앙케트에서 밝혔듯이 여기에 젊은이들이 많다는 사실이다. 『생존 독서에서 생존 책 쓰기로 전환하라』 저자 김태광 씨는 네이버 카페에서 더 나은 인생을 꿈꾸거나 책을 쓰고 싶지만, 책 쓰는 방법을 모르는 사람들을 위해 '한책협'을 운영하고 있다. 이곳에는 교사, 교수, 의사, 회계사, 변호사, 회사원, 영어 강사, 요리사 등 다양한 직업을 가진 사람들이 저자에게 책 쓰기 노하우를 배우고 있다. 저자는 이들 가운데 수백 명을 작가와 강연가, 코치, 컨설턴트로 배출했다. 그런데 여기에 젊은 사람들이 상당히 많다는 사실이다.

책 쓰기 개인 코칭을 받는 사람들은 준비된 사람들의 경우 최단기간에 작가가 되기도 한다. 38세에 200여 권의 책을 펴낸 그의 노하우로 코칭받는 이들은 책의 주제, 콘셉트 설정, 목차 구성, 원고 집필, 사례 찾기, 원고 첨삭, 출판사 계약까지 세세하게 알게 된다.

김태광 씨의 신간 『이젠 책 쓰기가 답이다』의 '1인 창업가로 100세까지 평생 현역으로 사는 법'이라는 부제에 끌려 그 책을 읽은 많은 직장인은 돌직구를 날리는 그의 표현에 조금 당황할 수도 있다. 지금 당신이 회사에 헌신하면서 월급을 받고 있지만, 언젠가 회사가 당신에게 철퇴를 내려칠 때를 위한 만반의 준비를 해야 한다는 것이다. 회사로부터 뒤통수를 맞은 뒤 아무리 "이럴 수 있느냐!"라며 화내고 따져봐야 당신의 마음만 찢어질 뿐이다. 미리미리 준비해야 한다. 회사가 나가 달라고 할 때 멋있게 "그래 알았다. 안 그래도 나가려고 했다. 잘 지내라, 안녕!"이라며 먼저 인사할 수 있어야 한다고 힘주어 강조한다.

이처럼 평범한 사람일수록 직장생활을 하는 지금 은퇴 준비를 철저하게 젊어서부터 해야 한다. 그렇다면 어떻게? 대답은 간단하다. 지금 자신이 하는 일, 좋아하는 일이나 잘하는 일, 취미에 대해 책을 써야 한다는 것이다. 책을 출간하는 순간 그 분야에서 전문가로 인정받게 되어 자연스레 칼럼 기고와 강연 활동으로 이어진다. 크게 자본을 투자하지 않고 노력과 도전만으로 자신이 가진 지식과 경험, 노하우를 삶의 새로운 방식으로 바꾸고 수입으로 창출할 수 있기 때문이다.

노마지지老馬之智의 지혜를 책과 글로 남겨야

'100세 시대'가 코앞으로 다가오고 있지만, 은퇴 평균 나이가 57세라고 한다. 인생의 후반전이 고스란히 남은 셈이다. 그런데 이러한 엄청난 지혜가 제대로 활용되지 못하고 있는 현실이 매우 안타깝다.

춘추시대 제나라 환공 때의 일이다. 어느 해 봄, 환공은 관포지교管鮑之交의 주인공인 명재상 관중管仲과 대부 습붕濕朋을 대동하고 고죽孤竹국을 정벌하였다. 그런데 전쟁이 의외로 길어지는 바람에 그해 겨울에야 끝이 났다. 그래서 눈보라 혹한 속에 지름길을 찾아 귀국하다가 길을 잃고 말았다.

전군이 진퇴양난에 빠져 떨고 있을 때 관중이 말하였다. "이런 때 늙은 말의 지혜가 필요하다." 즉시 늙은 말 한 마리를 풀어놓았다. 그리고 전군이 그 뒤를 따라 행군한 지 얼마 안 되어 큰길이 나타났다.

또 한 번은 산길을 행군하다가 식수가 떨어져 전군이 갈증에 시달렸다. 그러자 이번에는 습붕이 말하였다. "개미란 원래 여름엔 산 북쪽에 집을 짓지만, 겨울엔 산 남쪽 양지바른 곳에 집을 짓고 산다. 흙이 한 치쯤 쌓인 개미집이 있으면 그 땅속 일곱 자쯤 되는 곳에 물이 있는 법이다." 군사들이 산을 뒤져 개미집을 찾은 다음 그곳을 파 내려가자 과연 샘물이 솟아났다. 군사들은 그 물을 마시며 환호성을 울렸다.

이 이야기에 『한비자』에서는 이렇게 쓰고 있다. '관중의 총명과 습붕의 지혜로도 모르는 것은 늙은 말과 개미를 스승으로 삼아 배웠다. 그러나 그것을 수치로 여기지 않았다. 그런데 오늘날 사람들은 자신이 어리석음에도 성현의 지혜를 스승으로 삼아 배우려 하지 않는다. 이것은 잘못된 일이 아닌가?'

노마지지란 여기서 나온 말인데, 아무리 하찮은 것일지라도 저마다 장기나 장점이 있음을 이르는 말로 쓰이기도 하지만 '경험을 쌓은 사람이 갖춘 지혜'란 뜻으로 사용된다.

통계에 따르면 우리나라도 2018년 65세 이상 인구는 650만 명으로 인구 대비 14.2%를 차지하고 있어 고령사회가 되었다. 여기에 우리나라 평균수명은 80세를 넘어가는데 직장인 평균 은퇴 연령이 57세에 불과한 것을 볼 때 은퇴 후에도 30년 이상을 잘못하면 무료하게 산다는 의미다. 더구나 7백만 명에 이르는 베이비붐(55~63년생) 세대의 본격적인 은퇴가 시작되면서 가속화되는 고령화, 저출산과 은퇴 인력 증가는 정말 심각하다.

내가 책을 써야겠다고 마음먹은 것은 두 번의 계기가 있었기 때문이다. 하나는 35년 전 일본 주재원으로 오사카에 살 때 우리 앞집에 사시는 분이 NHK '안녕하세요'라는 한국말 방송 PD였는데 이분이 제가 한국에 돌아온 이듬해 1988년 본인이 회사 퇴직 기념으로 쓴 책을 한 권 가지고 왔다. 제목이 『오사카에서 부산까지』라는 책인데 이 안에는 한국에서 만난 30여 분의 이야기를 쓴 내용이었는데 나의 얘기가 삼십여 페이지가 있었다.

그 순간 '책을 낸다는 게 별거 아니네. 나도 한번 도전해보자!'는 생각을 하게 되었다. 두 번째는 일본 종합상사인 마루베니 상사에 단체로 연수를 갔는데 과장은 책 2권을 부장은 3권을 들고 나와 강의를 하는 것을 보고 작지 않은 충격을 받았다. 회사에서의 경험과 전문적인 내용을 실무 책으로 발간한 책이었다. 그 당시 우리나라에서는 회사에서 책을 쓰면 일을 하지 않고 놀았다고 눈총을 주거나 공식적으로 경고를 받는 시절이었기 때문이었다.

많은 경험과 전문성을 가진 분들이 회사를 그만두는 것과 동시에 그 많은 경험과 전문지식이 기록으로 남지 않기 때문에 사내에 축적이 되지 않는다. 사회에 나와서도 역할을 빼앗긴 채 할 일이 없다는 것이다. 전쟁을 겪고, 혹독한 가난과 배고픔을 이겨내며 나라를 일으킨 경제 발전의 주역, 이 수많은 은퇴 인력들이 가진 기술과 경험, 지식과 지혜가 사장되는 것이 매우 아깝고 안타깝다.

정부와 기업 등이 중장년 인력 활용을 위해 여러 시도를 하고 있지만, 점점 늘어날 베이비붐 전후 세대의 은퇴 인력에 대비해 더욱 공격적인 해결할 방법을 찾고, 은퇴자들도 스스로 무엇을 위해 남은 생을 살 것인지 고민해야 한다. 이들의 기술과 전문성, 그리고 살아온 지혜가 글과 책으로 남겨 후손들에게 물려주어야 하지 않을까.

책은 머리가 아니라 자료로 쓴다

아프리카 소말리아의 속담에 '노인 한 사람이 죽으면 도서관이 하나 사라진다.'는 말이 있다. 이 말은 아프리카 작가 아마두 앙파데바가 유네스코 연설에서 한 말로 더욱 유명해졌다.

이는 한 사람의 삶이 축적해온 지혜와 콘텐츠의 무궁함과 소중함을 강조한 뜻이다. 한 사람의 인생 속에서는 지식이나 지혜, 숙련된 근로(업무·기술) 노하우, 축적된 경험이나 전문성 내지 정보들, 사물·사건·현상 등에 대해 수집하거나 연구해 온 결과물, 개인이 겪은 역사적 사건 등 가치를 따질 수 없는 스토리가 있고 콘텐츠가 있다. 초보자와 기성 저자의 차이점은 무엇일까? 초보 저자는 머리와 생각에 따라 원고를 쓰지만, 기성 저자는 자신이 가지고 있는 콘텐츠를 활용하여 그날 써야 할 분량의 원고를 마친다. 주부, 학생, 직장인 초보 저자들로부터 종종 이런 푸념을 많이 듣는다.

"쓸 거리가 별로 없어 고민이에요."

"그렇다고 내 생각만 쓰기도 그렇고 다른 작가들의 책을 읽어보면 다양한 콘텐츠들이 담겨 있어 희망을 주기도 하는 데 막상 쓰려니 생각처럼 쉽지 않네요. 어떻게 하면 다양한 콘텐츠를 얻을 수 있을까요?"

사회 곳곳에는 특별한 현장 경험이나 숙련된 업무 지식(장인이나 명장 등), 정규 교육 과정을 통해 터득된 것이 아닌 독학이나 자발적인 관심과 노력으로 쌓아온 전문적 역량이나 특별한 사연 등을 보유하고 있는 분들이 적지 않다. 앞에서 이야기한 대로 베이비붐 세대의 은퇴가 시작되면서 가속화되는 고령화, 은퇴 인력 증가는 정말 심각하다. 이분들이 가진 각양각색의 콘텐츠들을 '저술' 등의 기록 과정이나 보존작업 등을 통하여 사회적 자산으로 공유되거나 후대에 전승될 수 있도록 하는 것이 필요하다.

그리고 명문대 학벌이나 석·박사 학위 또는 변호사 등 전문자격증이나 선망받는 사회적 지위가 아니더라도 학술연구 역량이 있기만 하면 누구든지 자신만의 열정이나 능력, 감각, 아이디어가 있는 관심 분야나 사물 등에 대하여 저술과 연구 활동을 진행할 수 있는 기회가 부여되는 문화를 조성해 나갈 필요가 있는 것이다.

요컨대, 개인의 저술과 학술 활동의 계기와 기회를 적극적으로 장려함으로써 사회 곳곳에 잠재되어 있는 선구자들이나 명장 등이 새롭게 발굴되고 소중한 지식과 가치 등이 더욱 적극적으로 창안·창출되고 조명을 받아 유의미한 사회적 자산·부가가치 자원으로 활용되거나 확산·공유되게 하는 등 진정한 창조경제와 문화융성을 기하고, 기록·자료·문헌 등으로 후대에 계승되도록 하여야 할 것이다. 유네스코에 등재된 한국의 기록유산이 조선왕조실록, 난중일기등 16개가 등재되어 있지만 청기와기술 같은 경우 기록이 없다 보니 전수되지 못해 안타까운 일이다.

또한 사소한 것조차도 메모하고 기록으로 남겨두는 해외 여러 나라의 기록문화 사례를 참고하고, 근대화 과정에서 훼손되고 실종된 우리나라 전통적 기록 중시 문화를 회복하여야 할 것이다.

아울러 우리 사회 구성원들의 지식과 사상, 경험, 이야기 및 콘텐츠의 다양성을 극대화하고, 문헌과 기록을 중시하는 문화를 복원하는 한편, 대중 중심의 지식사회로 지향해 감으로써 소수 지식인 내지 학벌 중심 사회의 폐해를 다소나마 완화하고, 국민의 일상적인 삶과 현장 속에서도 인문적 감성과 통찰이 흐르는 인문 부국으로 발전되도록 만들기 위한 제도적 토대를 마련할 필요가 있다. 이게 선진화의 중요한 에너지가 될 것이기 때문이다.

정말 평범한 사람이 자신의 책을 갖는 일은 감히 꿈도 못 꿀 일일까? 결코 그렇지 않다. 작가나 유명인들만 책을 내야 한다는 생각은 편견이고 오해이다. 어떤 사람이라도 마음만 먹으면 얼마든지 자기 책을 쓰고 만들 수 있다. 다만 그 방법을 몰라서 못 할 뿐이다. 이 책은 그런 사람들을 위한 안내서이다. 글을 어떻게 시작하고 책을 만들기 위한 과정이 어떻게 이루어지는지 모르는 사람을 위하여 이 책은 전과정을 설명하고 있다.

2

버킷 리스트에 책 쓰기
를 넣고 즉시 도전하라

"제가 글쓰기에 소질이 없어서..."

"저는 한 번도 제대로 글을 써본 적이 없습니다."

책을 쓰고 싶다고 소문을 듣고 찾아오는 시니어들에게 그럴 때마다 기계적으로 나오는 내 첫 대답이다.

"글쓰기와 책 쓰기는 다릅니다. 문학적 글이 아닌 책을 쓰시면 됩니다."

나는 사람들을 만나면 늘 책 쓰기를 권유하는데, 처음에는 예외 없이 누구나 손사래를 치며 책 쓰기에 부정적인 반응을 보였다. 이런 사람들에게 "책 쓰기는 타고난 소질이 아니라 콘텐츠이고 기술이다!"라고 말하면 깜짝 놀란다.

"제가 그 기술을 가르쳐 드릴게요."라며 접근하다 보면 우선 안도감을 느끼기 시작하고

"그렇다면 나도 책 쓰기가 가능하단 말이네!"라고 생각하기 시작했다. 그래서 CEO, 전문가, 직장인 등에게 책 쓰기를 권유했고, 실제로 많은 사람이 나의 권유

로 책 쓰기에 도전해서 책을 출간했다. 내가 그간 20여 권의 책을 쓰면서 주위에 책 쓰기를 권하여 여러 사람이 10여 명이 책을 냈는데 앞으로도 이러한 활동은 계속할 예정이다. 그러나 그들 역시 처음에는 한결 같이 내가 어떻게 책을 쓸 수 있느냐며 태산같이 걱정을 했던 사람들이다.

1 책과 글을 쓰면 왜 좋을까?

책과 글쓰기는 나비효과가 있다

"책을 쓰는 데 있어서 좋은 점은 깨어 있으면서도 꿈을 꿀 수 있다는 것입니다. 책을 쓸 때는 깨어 있기 때문에 시간, 길이, 모든 것을 결정할 수가 있습니다. 오전에 네 시간이나 다섯 시간을 쓰고 나서 때가 되면 그만 씁니다. 다음 날 계속할 수 있으니까요. 진짜 꿈이라면 그렇게 할 수 없지요."

일본의 유명 작가 무라카미 하루키의 말이다.

그래서 책 쓰기는 평생 현역으로 사는 방법 중의 하나다. 정년이 없는 직업이 많지 않은데 책과 글쓰기는 자기가 그만두지 않는 한 해고도 없는 평생직업이다.

나비효과butterfly effect라는 말이 있다. 이 말은 기상학자 로렌츠가 한 말인데 북경에서 나비가 펄럭이면 뉴욕에 허리케인이 발생한다는 이론이다. 한쪽 나비의 작은 날갯짓이 지구 반대편에서 큰 태풍을 일으키는 원인이 될 수 있다는 것이다. 이와 같이 '책 쓰기'라는 작은 날갯짓이 부와 명성과 성공을 가져다줄 수 있다. 최근 들어 부쩍 '책 쓰기'에 대한 책이 서점에 쏟아져 나오고 있다. 그만큼 책을 쓴다는 것이 이제는 소위 전문가들만의 전유물은 아닌 듯하다. 책 쓰기에 대한 인식이 변했다고 해야 될까? 원한다면 누구나 책을 쓸 수 있는 시대가 되었다. 그렇다고 누구나 다 책을 쓸 수 있는 건 또 아니다. 한 권을 책을 쓴다는 것은 그 분야에 대한 지식을 갖추고 있어야 하기 때문이다. 책을 쓰면 결국 전문가가 된다. 즉, 다시 말해 전문가가 책을 쓰는 것이 아니라 책을 쓰는 사람이 전문가가 되는 것이다. 요즘은 책을 쓴다는 형태만 다를 뿐이지 글을 쓰는 사람들은 많다. 카페, 블로그, 페이스북, 트위터, 인스타그램 등등 각종 SNS 채널을 통해서 자신의 이야기를 기록한다. 그렇게 쓴 글이 책으로 출간되기도 한다. 내 이야기가 책이 되는 그런 시대다.

사람들이 책을 쓰는 이유는 여러 가지다. 이제는 유명한 베스트셀러 작가인 김병완 작가 또한 그렇다. 평범한 회사원이었던 그가 돌연 사표를 던지고 도서관에서 책 읽기에 몰입한 지 3년 만에 무려 2년간 45권의 책을 펴낸 신들린 작가가 되었다. 그 외에도 많은 이들이 책을 읽고 책을 씀으로 인해서 삶의 변화를 경험한 사례들이 수없이 많다. 책을 쓴다는 건 여전히 누구나 어려운 일처럼 느껴지기 마련이다. 누구나 커다란 성공 앞엔 수없이 많은 실패와 좌절이 있었다. 책을 꾸준히 읽고 글 쓰는 연습을 계속한다면 언젠가는 나만의 책을 쓰는 날이 오게 된다.

그가 말하는 책 쓰기의 나비효과는 9가지이다.

1. 자신의 재능이나 노하우를 체계화하고 전문화할 수 있다.
2. 무한한 꿈을 꿀 수 있기 때문에 삶의 열정이 생겨난다.
3. 자기도 모르는 사이에 자신의 잠재 능력이 개발된다.
4. 남들과는 다른 자기 주도적 삶을 살게 된다.
5. 나를 보는 타인의 시선이 달라지고, 어디 가서 말발도 선다.
6. 책으로 출간되어 성공하면, 하루아침에 사회적 지위와 삶의 위상이 바뀐다.
7. 경제적으로 인세와 강의료, 방송 출연료 등을 동시에 노릴 수 있다.
8. 또 다른 파생사업을 일으킬 수 있다.
9. 세상에 공헌한다는 의미 있는 삶을 누린다.

나 역시 많이 공감하는 부분이고, 아마도 많은 이들이 글쓰기에 도전해 보는 이

유일 것이다. 더구나 책 쓰기는 최고의 자기 계발이다. 학생, 주부, 직장인들이 보다 나은 미래를 만들기 위해 내 이름으로 된 책을 쓰기 위해 노력하고 있다. 그들이 책을 쓰는 이유는, 독자로서의 인생은 달라지지 않지만, 저자가 되면 인생이 달라진다는 것을 잘 알고 있기 때문이다. 당신은 분명히 지금보다 더 나은 인생, 눈부신 인생을 갈망하고 있을 것이다. 그렇다면 지금부터 그런 인생을 만들기 위한 초석을 다져야 한다. 그 초석을 다지는 일은 책 쓰기에서 비롯된다. 세상이 나를 알아줄 때 여러 가지 기회들이 찾아올 것이기 때문이다.

우리는 한 권의 책을 쓰고, 그 책이 분신으로 일할 수 있는 시스템을 단단하게 구축해야 한다. 또한 책을 계속 출간해 지속해서 영향력을 늘려나가야 한다. 앞에서 언급한 기업가형 성공사례에서 보았듯이 글쓰기, 강연, 세미나, 상담, 경영 컨설팅, 온라인 마케팅 활동을 통해 돈을 버는 사람들이 늘어나고 있다.

나도 역시 마찬가지 경우다. 나는 현재 20여 년 동안 책과 글을 쓰는 것을 통해 지금까지 왕성한 활동을 해왔으며, 앞으로도 2060에서 밝힌 대로 나이 80까지 계속하려고 하고 있다. 실제로 내가 책 글쓰기를 통해 대기업을 나와 20여 년간 지금까지 누려왔던 혜택을 다시 한번 정리해보면 다음과 같다.

집필 책 계약금, 인세, 칼럼 기고료, 저작권료
강연 저자 초청 특강, 외부 강연료, 프로그램 진행료, 워크숍 진행비
컨설팅 15년간 중견, 중소기업 중심의 컨설팅 100여개 회사 컨설팅비
개인 코칭 전문가로서 임원, CEO 대상 시간당 측정된 코칭비
기타 작가 또는 저자로 활동으로 인한 대인관계가 확대되어 마케팅 효과

책을 써서 성공한 사람들

세계에서 가장 책을 많이 낸 사람은 누구일까? 소설가인 마리 포크너다. 904권을 냈다. 독일의 빌헬름 분트라는 사람이 쓴 책의 총분량은 53,735쪽으로 매년 500쪽짜리 책을 한 권씩 쓴다고 해도 백 년 이상이 걸리는 방대한 분량이라고 한다.

그렇다면 세계에서 제일 많이 팔린 책은 무엇일까? 성경이다. 1위가 성경인 이유는 전 세계에 20억 명 이상의 신자들이 있어 가능하고 또 한 사람이 한 권만 보유하는 게 아니라 여러 권을 사고 전에도 사고 지금도 사고 미래에도 살 것이기 때문이다. 2위는 모택동 어록으로 9억 권이 팔렸고 3위 반지의 제왕은 1억 권 이상 팔렸다.

우리나라에서는 책을 많이 낸 사람은 다산 정약용이다. 네 살에 '천자문'을 익히고, 열 살도 되기 전 '삼미자집'이라는 시집을 냈으며 평생 500여 권의 책을 쓰고 2,500여 편의 시를 남긴 대문학가이자 저술가였다. 백성을 행복하게 만드는 데 평생을 바쳤던 정약용의 삶과 정신, 학문과 글은 영원한 가르침으로 우리 곁에 남아 있다. 책을 써서 위대한 업적을 남긴 사람들은 참으로 많다. 더구나 나이가 들어서도 책을 쓰면서 의미 있는 삶을 보내면서도 부러움을 사는 분들은 100세 고령화 시대에 더욱 중요한 의미가 있게 되고 닮고 싶은 사람들이다.

500여 권의 저술을 남긴 다산 정약용

다산 정약용(1762~1836)은 18세기 실학사상을 집대성한 대표 실학자이자 개방과 개혁을 통한 부국강병을 주장한 개혁가다. 1762년 지금의 남양주에서 태어난 그는 실학자 이익의 서적을 통해 실학을 배웠으며, 22세에 문과에 장

원급제한 후 규장각에서 많은 업적을 남겼다. 수원화성을 건설할 때 거중기를 개발해 공사 기간을 대폭 줄였고, 정조의 화성 행차 시 배다리를 설계해 한강을 건너게 했다.

하지만 정조가 세상을 떠난 1801년 천주교를 믿었다는 죄로 강진에서 18년간 유배 생활을 하게 된다. 이 기간 동안 그는 동서고금의 학문을 정리하고 실학을 집대성해 최고의 실학자로서의 입지를 다지게 되는데 오랜 유배 생활에 들어가며 조선사회의 현실을 다각도로 분석하고 여러 사상과 학문을 검토하여 조선 후기의 실학사상을 집대성하였다.

1818년 유배 생활에서 풀려난 후 마현 마을 고향 집으로 돌아와 저술 생활로 평생을 보냈으며 1836년 75세로 생을 마칠 때까지 형법, 기술, 의학, 경제, 정치, 국방, 농업 등 다양한 분야에 걸쳐 많은 책을 썼다. 생전에 500여 권의 방대한 책을 저술하였다. 대표적인 저서로는 부강한 조선을 만들기 위한 중앙 정치 제도의 개혁안을 담은 『경세유표』, 공정한 사법제도의 개혁 방안을 담은 『흠흠신서』 그리고 지방 정치제도의 개혁안을 담은 『목민심서』가 있다.

정약용은 18세기 말 19세기 초의 뛰어난 자연 과학자이자 진보적 유물론자이며, 실학사상의 집대성하였을 뿐만 아니라 시를 쓴 대시인이기도 하였다. 정약용의 유산 중 가장 빛나는 것은 문학이라고 할 수 있을 정도이다. 그는 "나는 조선사람이다. 그래서 나는 조선 사람들의 생활을 시로 짓는 것을 좋아한다."라고 하였다. 그의 외침은 실로 자주적이고 선진적이며 사대주의를 증오하는 기백을 나타내고 있다. 이러한 문학적 견해를 바탕으로 정약용은 2천5백여 수에 달하는 시를 창작하였고, 다양한 형식의 산문 문학 작품을 창작하였다.

유네스코는 2012년에 전 세계에 걸쳐 기념 인물 선정 작업을 했고, 그 결과 네 사람이 뽑혔다. 장 자크 루소Jean Jacques Rousseau와 클로드 드뷔시Claude Debussy, 프랑스 작곡가, 헤르만 헤세Hermann Hesse 그리고 다산이다. 다산은 음악을 비롯해 미술·문화·학문·교육 분야도 다 포함되는 분이고. 어떻게 보면 다산이 유네스코의 정신에 가장 부합된 논리를 전개했던 학자이자, 사상가, 철학자, 문학가 이기도 하지만 가장 큰 업적은 역시 500여 권에 달하는 저서를 후세에 전해준 게 아닐까 싶다.

김형석 교수가 부러운 이유

요즘 같은 100세 고령화 시대에 부러운 분을 꼽으라면 단연 김형석 교수님이다. 인생은 늙어 가는 것이 아니라 익어가는 것이라고 하지만 나이가 들면 힘든 인생이 될 수밖에 없다. 그렇지만 2016년에 저술한 『100년을 살아보니』의 2019년 100세 저자 김형석 교수님의 삶은 전연 다르다. 그는 이 책에서는 물론 각종 TV는 물론 도처에서 초청을 받아 왕성하게 강의를 하면서, "사랑이 있는 고생이 행복이었다. 행복하게 일할 수 있고 다른 사람들에게 도움이 될 때까지 사는 것이 최상의 인생이다."라고 강조하신다.

"인생은 60부터라는 말이 맞습니까?"라는 질문에 100년을 살아보니 황금기는 60~ 75세였다는 것이다.

"60은 돼야 성숙하고 창의적인 생각이 쏟아져 나옵니다. 그런데 '60에 어떻게 살까'는 40대에 정해야 해요. 지금은 다 떠났지만 내 동년배인 안병욱 교수, 김태길 교수, 김수환 추기경도 60~75세까지 가장 창의적이고 찬란한 시기를 보냈어요. 좋은 책은 모두 그 시기에 썼지요. 75세가 되면 그 절정의 상태를 언제까지 유지할 수 있느냐가 관건이에요. 잘하면 85세까지 유지가 되고 그다음엔 육체적인 쇠락으로 내려와야지요."

1920년 평안남도 대동에서 태어난 김형석 교수는 일본 상지대 上智大 철학과를 졸업하고 연세대 철학과에서 30여 년을 가르쳤다. 서울대 김태길 교수, 숭실대 안병욱 교수와 함께 대한민국 철학 1세대로 지성사를 이끌었다. 논리로 파고드는 철학자였지만 동시에 피천득을 잇는 서정적인 수필가이기도 했다. 60세에 뇌출혈로 쓰러져 눈만 깜빡이며 자리에 누운 부인을 23년 동안 차에 태워 돌아다니며 세상을 보여주고 맛난 음식을 입에 넣어주었다. 상처한 지 10년이 넘었지만, 그는 부인의 손때가 묻은 낡은 집에서 홀로 지낸다.

"99세에도 쉬지 않는 이유는 무엇입니까?"하고 물으니

"내 나이쯤 되다 보면 가정이나 사회에서 버림받지 않기 위해서는 두 가지가 필요해요. 하나는 일을 할 수 있어야 하고, 또 하나는 사소한 것이라 해도 존경받을 만한 점이 있어야 해요."

1960년대 『고독이라는 병』, 『영원과 사랑의 대화』 등의 에세이는 한 해 60만 부가 넘게 팔리며 출판계 기록으로 회자된 일이 있다. 내가 학생 시절 그분의 수필집을 옆에 끼고 다니며 읽었던 기억이 아련하기도 하다. 그런데도 매일 밤 기나긴 일기를 쓴다. 문장이 잘 연결되게 하기 위해서란다.

"재작년, 작년의 일기장을 꺼내 2년간 무슨 일이 있었나 읽어보고, 그 시간을 연결 지어서 오늘의 일기를 쓰는 식이에요. 문장력이 약해지면 안 되니까 계속 훈련을 해요."

누구나 무엇을 남기고 갈 것인가를 생각해본다. 돈과 성공, 명예에 휘둘리지 않고 자신의 자리에서 최선을 다한다면 그것이 최고로 남는 것이란 말씀이다. 교수님은 감투를 써본 것도 딱하나 학생상담 주임교수. 하지만 본인이 행복하셨고 바른길을 가셨으니 그게 남는 것이리라.

이제 100세가 되신 김형석 교수님의 부드러운 미소와 그 밝음이 일가를 이루신 모습이라 더욱 존경스럽고 부럽기 한이 없다.

65세가 넘어 명저들을 쓴 피터 드러커

피터 드러커Peter F. Drucker를 모르는 사람이 없다. 그러나 피터 드러커의 저서 2/3는 65세 이후에 저술됐다는 사실은 잘 모른다. 미국 클레어몬트 대학원 '드러커 연구소The Drucker Institute'에는 피터 드러커의 저서 40권을 연대순으로 진열해 놓은 책장이 있다. 왼쪽으로부터 약 1/3 지점에 놓인 책이 그가 65세에 쓴 『보이지 않는 혁명The Unseen Revolution』이다. 그러니까 그의 저서 가운데 2/3는 많은 사람이 은퇴 연령으로 생각하는 65세 이후에 쓰였다는 얘기다.

그는 오스트리아 빈에서 태어났다. 1931년 독일 프랑크푸르트 대학교에서 법학 박사 학위를 취득한 후 1933년 런던으로 이주하여 경영 평론가가 됐다. 1937년 영국 신문사의 재미 통신원으로 도미해 학자 겸 경영 고문으로 활약했고, 1938년 이후 사라 로렌스 대학교, 베닝턴 대학교, 뉴욕대학교 등에서 강의했다. '경영을 발명한 사람'이라는 칭송을 비롯해 현대 경영학의 아버지로 불리는 드러커는 백악관, GE, IBM, 인텔, P&G, 구세군, 적십자, 코카콜라 등 다양한 조직에 근무하는 수많은 리더에게 직접적으로 영향을 끼쳤다.

40권의 저술들을 통해 20세기 후반에 등장한 새로운 사회 현상들을 예고했는데, 그중에는 민영화, 분권화, 경제 강국으로서 일본의 등장, 마케팅과 혁신의 결정적 중요성, 정보사회의 등장과 그에 따른 평생학습의 필요성 등이 있다. 또한, 생산과 분배, 생산요소의 변화, 지식근로자의 탄생, 인간의 수명 증가 등을 예측한 선견지명은 일선 경영자들이 기업을 경영하고 자기 관리를 하는데 큰 통찰력을 제공했다. 정년 후에도 클레어몬트 대학원의 교수로 활동했으며, 피터 드러커 비영리 재단의 명예 이사장직을 역임했다. 2002년 드러커는 민간인이 받을 수 있는 미국 최고의 훈장인 대통령 자유 메달을 받았다. 2005년 11월, 96세 생일을 며칠 앞두고 타계했다.

사람들이 타계한 이후까지도 드러커를 존경하는 이유는 경영학의 새로운 지평을 연 '현대 경영학의 창시자'라는 그의 학문적인 업적도 있지만, 그보다 2005년

11월 11일, 만 96세로 생을 마감할 때까지 왕성하게 저술 활동을 하면서 일을 손에 놓지 않고 현역으로 살았다는 점이다.

청춘靑春이 푸른 봄날이었다면 적추赤秋는 붉은 가을이다. 춘하추동 사계절에서 봄과 가을은 대칭이다. 만개할 여름을 준비할 봄이 청춘이었다면 다시금 땅으로 돌아갈 겨울을 준비하는 시기가 가을, 곧 적추다. 겨울이 남아 있으니 아직 끝은 아니고, 게다가 결실도 있다. 풍요롭고 아름다운 단풍은 덤이다.

우리도 피터 드러커처럼 "90세까지는 몰라도 80까지는 현역으로 일하고 책을 쓰면서 살다가 죽을 거야!"라고 다시금 그처럼 '적추의 삶'을 살아야겠다고 다짐해보자.

107세까지 250권의 책을 쓴 히노하라 박사

"내 인생에 은퇴는 없습니다. 죽을 때까지 현역으로 뛸 것입니다."

2010년 10월 히노하라 박사는 인천 가천의과학대학교에서 명예박사 학위를 받기 위해 방한했다. 당시 한국 나이로 100세가 됐지만 107세로 타계할 때까지 직접 환자를 진료하고, 왕성한 저술 활동을 펴고 있는 일본의 현역 의사 히노하라 시게아키日野原重明 박사가 '건강 장수문화'라는 주제의 강연을 하기 위해 단상에 오른 것이다.

2000년부터 '신 노인회'를 조직해 '인생을 열심히 살자'는 운동을 벌이고 있는 그는 『장수 인생의 우선순위』, 『삶이 즐거워지는 15가지 습관』 등 250여 권의 책을 썼다. 『나이를 거꾸로 먹는 건강법』(원제 生きかた上手)은 2001년에 발행돼 현재까지 120만 부가 넘게 팔린 건강 초 베스트셀러이다. 건강에 관한 한 까다롭기로 소문난 일본인들이 이 책에 열광하는 이유는 뭘까?

107세로 생을 마감할 때까지 현역 의사이자 교육가로 세이루카 국제병원 이사장이자 명예원장이었다. 하루 18시간(수면 6시간)의 활동을 한다. 출퇴근 차 안, 출장 중 열차, 공항이나 비행기 안에서도 신문을 보고 책을 읽고 편지를 쓰고 강연 준비도 하고 각종 원고를 쓰며 손질한다. 90세 무렵부터는 아마추어 작곡도 즐겼다.

이런 공적을 인정받아 2005년 일본 정부가 주는 '문화훈장'을 받기도 했다. 고령사회 연구소장인 박상철 서울대 교수는 100세가 된 노인이 현역 의사로서 임상과 연구, 저술 분야에서 활발한 활동을 하는 것은 전례가 없었고, 앞으로도 드물 것이라며 히노하라 박사는 고령화 사회의 롤 모델로 충분하다고 말했다.

가천대에서 강의가 끝나고 "100세가 되도록 글 쓰는 일이 고통스럽진 않습니까?"라는 질문에 그는 이렇게 말한다.

"저녁 10시부터 아침 5시까지 쓰면 400자 원고지 25매 정도는 채웁니다. 부담되지 않는 선에서 집필하고 있습니다만, 젊은 시절부터 글 쓰는 것을 좋아했습니다. 밤새 글을 쓰다 보면 조금은 살이 빠지죠. 젊을 때는 어떻게 해야 좋은 문장을 쓸 수 있을지 고민하며 책상 앞에서 끙끙 앓기도 했는데, 70이 넘으면서부터는 누에고치에서 실이 나오듯 그다지 힘들지 않게 글이 술술 흘러나오는 것 같습니다."

그는 이러한 왕성한 의욕과 체력으로 70세부터 저서가 본격적으로 쏟아져 나왔으니 매년 10권 이상의 책을 출간했던 셈이다. 모두 대필자 없이 손수 본인이 썼다. 다행히 요즘은 컴퓨터에 마이크를 대고 말을 하면 글자로 옮겨지는 프로그램들이 나와서 편안하게 글을 쓸 수 있어서 크게 도움이 되었다고 했다.

책 쓰기로 성공한 1인 젊은 기업가들의 탄생

"글 쓰는 일의 핵심은 당신의 글을 읽은 이들의 삶과 당신의 삶이 풍성해지는 것이다. 자극하고, 발전시키고, 극복하도록 하여 행복하게 하는 것 그것이 궁극적 목표다."

미국 유명 소설가 스티븐 킹Stephen King이 책 쓰기에 대해 한 말이다. 책 쓰기를 통해서 삶을 변화시키고, 스티븐 킹의 말처럼 삶을 풍성하게 만들 준비를 해나가자.

요즘 책 쓰기를 통해 1인 기업가로 성공한 젊은 사람들이 부쩍 늘어났다. 이제 인터넷은 물론 스마트폰의 사용 확대로 인해 SNS, 블로그, 카페, 페이스북 같은 소통 채널이 생긴 것이 큰 변화 중의 하나로 볼 수 있다. 사실 이메일로 마케팅하는 시대는 지나가 버린 것 같다.

여기에 10여 년간의 직장생활에 마침표를 찍고 병원 개업 및 경영을 도와주는 컨설팅 회사 'Change Young company'를 1인 창업한 이선영 대표의 경우를 소개해보자. 직장 생활의 경험을 밑바탕으로 다양한 성과를 창출하고 있는 그는 "창업으로 특별해진 1인 기업가"라고 자신을 소개한다. 그는 어떻게 스페셜리스트가 됐을까? 『1인 창업이 답이다.』 저자이기도 한 이선영 대표는 "평범한 사람도 부를 창출하는 시스템을 만들 수 있도록 도와주는 책입니다. 일상의 소소한 아이템으로 1인 창업을 꾀하는 데 도움을 줄 겁니다."

책을 보면, 공격적인 단어가 자주 등장한다. 특히 '현대판 노예로 사는 당신에게'라는 단어가 눈에 띄는데 지나치게 극단적인 표현이 아닌가 싶기도 하다.

"그럴까요? 전 그렇게 생각하지 않습니다. 요즘 직장인은 현대판 노예나 마찬가지라고 봐요. 아무런 꿈 없이 그저 오늘만을 살아가니까요. 학교 다닐 때는 부푼 꿈을 안고 공부를 했을 텐데 막상 사회에 나가보니 현실의 벽에 부딪히면서 꿈을 잃어버린 탓이겠지요. 주 5일 동안 아침부터 저녁까지 주어진 일만 하면서 미래를 위해 오늘을 포기하는 게 직장인의 삶입니다. '직장'이라는 것이 사람들을 현대판 노예로 전락시켜 자유를 빼앗고 있는 셈이죠. 그래서 그런 표현을 썼습니다."

요즘 책을 써서 1인 기업가로 활동하는 사람들은 생각보다 많다. 이선영 대표뿐만 아니라 평범한 사람들이 1인 창업으로 억대 수입을 올리고 있다. '스마트경영연구소'의 이길성 소장, '힐리스닝'의 이명진 대표, 『하루 10분 독서의 힘』의 저자이자 임마이티 대표인 임원화 작가, 『어떻게 나를 차별화할 것인가』의 저자이자 브랜벌스의 대표인 김우선 작가 등 모두 자신만의 프로그램을 개발해서 활발하게 활동하고 있다.

예를 조금 더 들어보자. 평범한 직장인에서 1인 기업가로 변신해 성공적인 인생

을 사는 사람들이 의외로 많다. 이들 중 공병호 경영연구소의 공병호 소장, 세계화
전략 연구소의 이영권 소장, 아트스피치의 김미경 원장, 여러 가지 문제 연구소의
김정운 소장 등을 꼽을 수 있다. 1인 기업가는 아니지만, 그와 같은 브랜드 파워를
지닌 사람들도 많다. 『인문의 숲에서 경영을 만나다』의 저자 정진홍 씨, 『아프니
까 청춘이다』의 저자 김난도 교수, 『리딩으로 리딩하라』의 저자 이지성 씨 등이다.
이들은 직장 생활을 할 때 보다 더 많은 수입과 명예는 물론 더욱더 즐겁고 행복한
가치 있는 인생을 살아간다.

저자들은 '은퇴 롤모델을 설정할 바에는 이왕이면 앞에서 언급한 잘 나가는 1인
기업가, 브랜드 파워를 지닌 작가를 설정하라.'고 조언한다. 지극히 평범한 직장인
들이 '인생 2막'을 당당하게 평생 현역으로 살기 위해선 책을 쓰고 칼럼을 기고하
고, 강연과 컨설팅을 하는 방법도 있다. 이런 맥락에서 강연과 컨설팅 위주의 1인
기업가라면 나를 전문가로 제대로 알리기 위한 수단으로 책을 써야 한다. 책은 나
를 알리고 전문가로서 발돋움하기 위한 기초공사이고, 강연으로 수입을 올릴 수
있기 때문이기도 하다.

왕초보 엄진성 성공사례

올해 나이 서른여덟 살인 엄진성씨는 원래 책 한 페이지, 수필 한개도 써보
지 못한 왕초보였다. 단지 책이 쓰고 싶은 열망이 있었고 언젠가는 책 한 권
을 내야겠다고 마음먹고 있었다. 그런데 그가 『핸드폰으로 책과 글쓰기』 책
을 읽어보고 1기생으로 수업을 받았다. 그 후 "나도 도전해보면 안되냐"는
제의가 왔다. 그래서 책을 쓰고 싶으면 출판기획서를 써와 보라고 했다. 일
주일 만에 '욜로 재테크'라는 출판 기획서를 강의에서 들은 대로 써왔는데
제법이었다. 일부를 수정해주었다.

자신감을 갖게 된 그는 수업에서 공부한 대로 책을 쓰기 위해 즉시 실행을 했다. 우선 관련서적을 아마존에서 참고 할만한 책들을 구입하여 배운 실력으로 구글번역기를 써서 한글로 번역을 했다. 그리고 평소에 가지고 있던 30여권을 읽고 공부한 대로 필요한 부분만, 타이핑을 하지 않고 오피스 렌즈로 찍어 텍스트로 문서화시켜 자료를 만들기 시작했다. 그는 이렇게 착수를 한 후 3개월 만에 초안을 만들어왔다.

　　초안을 일부 수정해나가면서 내가 시키는 대로 출판기획서와 그 원고를 20여사에 보냈다. 놀랍게도 왕초보인데도 불구하고 다섯 가운데에서 제의가 들어왔다. 그 중 가장 유리한 출판사를 골라 계약금 백만원을 받고 계약을 하는 쾌거가 일어났다. 『욜로YOLO 재테크』라는 책이 착수 5개월 만에 세상의 빛을 보게 되었다. 그리고는 즉시 2탄을 바로 착수하여 『나는 아파트형 공장으로 100억대 자산가가 되었다』라는 책을 이분야 전문가와 공저를 내어 베스트셀러 대열에 들었다.

　　1년 만에 3탄을 준비하여 이미 출판사와 계약을 해서 곧 나올 예정이다. 그는 재테크 책이 나온 이후 그는TV와 라디오 방송에 출연하기 시작했고 지금은 유명강사로 전국을 누비고 있다. 젊은 나이에 책 쓰기에 도전한 이후 놀라운 인생의 반전이 시작된 것이다.

자서전을 써야 하는 이유

자서전은 자신의 일대기를 자신이 직접 쓴 글이다. 자신의 인생을 스스로 적는다는 점에서 어떤 기록보다 직접적이고 구체적이다. 자서전은 저자·화자·주인공이 같다. 주관적이며 자기 정체성에서 빠져나오기 어렵다. 누구나 자신의 인생은 자신의 견해에서 정당하기 때문이다. 자서전의 핵심은 객관화한 자신의 인생을 적는 것이 중요하고 분량과 형식에 대한 제약이 적다. 이야기의 방식에도 별다른 기준이 없을 만큼 자유롭지만, 인생에 대한 솔직한 서술이 기본요건이다.

자서전의 분류가 명확하게 나누어지지 않았다. 회고록, 회상록, 고백록, 자서전적 소설 등이 있지만 자서전의 종류라고 하기에는 문제점이 있다. 특성은 가지고 있지만, 분류로서는 한계를 가지고 있다. 자서전은 현재의 시점에서 과거를 되돌아보며 적는 것을 특성으로 하고 있다. 또한 현재의 자서전은 다양하고, 새로운 형식을 가지고 있다. 지금의 자서전은 '이렇게 살았다'가 아니라 '이렇게 성공했다'로 귀결되는 것들이 많다. 그리고 나만이 가진 독특한 삶을 기술하려는 경향이 강해지고 있다.

과거의 자서전은 과거의 회고, 회상, 고백을 다루고 있지만 지금의 자서전은 더 발전적이고, 진취적으로 자신을 기술하고 있다. 과거에는 주인공의 내면이나 정신세계보다는 외부의 사건을 중심으로 반성의 의미를 담았지만, 지금의 자서전은 더 적극적으로 자신을 옹호하고 자신의 삶과 철학을 주장하기도 한다.

사람들은 인간으로 태어나 사라지는 것을 안타까워해서 자신의 삶에 대한 기록을 남기려고 했다. 자서전은 죽음이라는 한계로 존재 자체가 지워지는 것을 아쉬워한 인간 정신의 산물이다. 서양에서는 5세기의 성 아우구스티누스의 『고백록』 같은 종교적 자서전이 오래된 전통으로 자리 잡고 있었다. 자서전이라는 말은 1797년 『월간평론The Monthly Review』에 처음 나타났다. 동양에서는 현대적 의미에서의 자신의 인생을 자신이 기록하는 자서전이 흔하지 않았다. 사람의 일생을 역사적인 기술방법으로서의 전傳양식은 일찍부터 발달했다. 역사서의 열전에 수록되던 것이어서 객관적인 서술과 평가를 필수 요건으로 했다. 오히려 한국에서는 조선 시대에 들어서 한글이 창제된 이후 한문 대신 국문을 주로 사용하는 여성 자서전 작가들이 나타났다. 여성의 삶은 공식적인 평가의 대상으로 여겨지지 않았기 때문에 좀 더 자유롭게 자서전적 글쓰기의 대상이 될 수 있었다.

자서전적인 기록으로는 고려시대 이규보의 『백운거사전』과 최해의 『예산은자전』이 있다. 자신을 직접 등장시키지 않고 가상의 인물에 의탁해서 쓴 글이다. 여성들은 더욱 자신 있게 적었다. 회고록 형식의 자서전이다. 혜경궁 홍씨의 『한중록』이 많이 알려진 글이다. 숙종 때 재상 유명천의 부인인 한산 이씨가 자신의 생애를 회고한 『고행록』, 풍양 조씨의 『자기록』, 윤선도 대종손의 부인 광주 이씨의 『규한록』 등이 있다. 그리고 남성들의 자서전이라고 할 수 있는 것으로 구한말에 안중근은 옥중에서 쓴 자서전 『안응칠역사』가 있다. 일본의 침략을 받고 기울어 가는 나라 형편을 말하고 의병을 일으켜 싸운 경과를 적었다. 대한민국 임시정부의 주석이었던 김구의 『백범일지』는 단순한 삶의 행적이 아닌 사회적, 역사적 환경에서의 개인의 삶을 다루고 있다.

과거에는 역사적 기록과 증언의 차원에서 자서전의 가치를 판단했다. 지금은 개인 인생의 확립과 개인적인 인생으로서의 삶 자체에 대한 존엄을 인정하면서 누구나 쓸 수 있는 것으로 인정되었다. 결국 자신의 인생을 스스로 적고자 하는 당당함과 인간으로서 남기고자 하는 기록에 대한 욕망의 증가가 한몫했다.

자서전의 종류와 형식

자서전에도 여러 종류가 있다. 자서전은 우선 3가지로 분류할 수 있다. 기술방법으로 나누면 전기형 자서전, 평전형 자서전, 개성형 자서전으로 나눈다. 전기형 자서전은 태어나서 글을 쓴 순간까지의 일대기를 적어주는 자서전이다. 평전형 자서전은 자료를 중심으로 일대기를 저술자의 시각으로 적은 자서전이다. 마지막으로 개성형 자서전은 자신만의 특별한 능력이나 사건을 기록하는 자서전이다.

다음으로 형식 면에서 어떻게 글을 전개해 나갈까를 고민해야 한다. 수필형 자서전, 소설형 자서전, 논문형 자서전으로 나눈다. 마음이 가는 대로 편하게 두서와 체계에서 벗어나 자유롭게 글을 써가는 수필형 자서전과 소설적 구성으로 사건의 전개로 일대기를 적는 소설형 자서전이다. 그리고 학술논문을 쓰듯이 정확하게 원전을 밝히고 자료를 들어 논리적인 정확성을 기하는 방식으로 논문형 자서전이 있다.

◉ 쓰는 방법에 따른 자서전의 종류

자서전의 기술방법에 의한 종류로 전기형 자서전, 평전형 자서전, 개성형 자서전 중에서 먼저 전기형 자서전을 살펴본다. 전기傳記는 개인의 인생을 개인적인 입장에서 적은 글이다. 공적인 입장에서가 아니라 사적인 입장에서 기록한 기록물로 살아온 인생을 자유롭게 기록한다. 어원으로는 전傳과 기記의 합성어다. 전傳은 본래 '역사驛舍에서 명령을 전달하는 사자使者'라는 뜻이었던 것이 차차 의미가 변했다. 인간의 행위에 대하여 기술하는 것이 전이다. 즉 전은 단순히 사건의 전달이 아닌 서술자의 의도가 개입된 역사서술의 한 양식이다. 기記는 사적 중심의 역사 기술이 바로 '기記'다. 전이 서술자의 의도가 어떤 형식으로든지 적극적으로 개입되었다고 하면 기는 서술자의 개입이 절제되고 사실 기술에 충실하다.

사망한 사람의 일대기를 적은 행장行狀을 비롯하여 비슷한 형태인 사략事略· 실기實記· 묘비墓碑· 묘갈墓碣· 뇌문誄文 등이 모두 인물의 행적을 기록하였다는 점에서 전기라 할 수 있다. 모두 죽어서 기록한 것들로 객관성을 담보하고 있지만, 현대의 자서전은 자신의 인생을 자신이 적극적으로 알리고 밝히는 글로 변했다. 공적인 사항보다는 사적인 내용이 주를 이루고 있는 점도 다르다. 이력이 아니라 살아

온 자신만의 개성과 성공을 적는 글이다

근대적 전기는 위대한 인물이나 성인을 미화하거나 찬양하는 이야기가 다다. 그리스·로마의 유명인들의 생애를 다룬 플루타르코스의 교훈적 전기 및 문헌 자료와 항간에 떠도는 소문을 인용하여 카이사르 가문의 내력을 다룬 수에토니우스의 전기를 기원으로 하고 있다. 사적인 인물이 전기를 기록한 것은 없었다. 왕과 지도자들은 그 시대의 전반적인 역사 기술의 일부로 전기 작가들의 관심을 끌었지만, 개인의 일상생활이 그 자체로 고려 대상이 된 경우는 거의 없었다.

다음으로 평전형 자서전이다. 평전형 자서전은 개인의 일생에 대하여 나의 논평을 겸한 자서전이다. 그리고 평전은 자료와 정보를 수집해서 자서전보다는 객관적인 입장에서 신뢰성을 회복하려는 의도가 강하다. 한 사람의 일생을 개인의 시각으로 보는 주관보다는 더욱 냉정하고 깊이 있는 성찰로 객관의 잣대로 인생을 평하는 글이다. 자신의 인생을 객관자의 입장으로 시대 상황이나 철학적 관점에서 평하고 논해야 한다.

평전은 두 가지 관점에서 기술되어야 한다. 하나는 개인으로서의 관점과 다른 하나는 시대와 상황으로서의 관점을 정하고 기술해야 한다. 그리고 개인으로서의 주관적 관점보다는 객관적인 관점이 더 우선 되어야 한다. 그러기 위해서는 전기형의 자서전보다는 내용과 자료가 충분해야 한다. 평전형 자서전은 자서전이지만 사회 또는 국가 일원의 역할에 비중을 둔 자기 기록이라고 할 수 있다.

마지막으로 개성형 자서전은 개인으로서의 주체적인 삶에 대한 기록이다. 사회나 국가와 연결된 일원으로서가 아니라 개성적인 인물로서의 발랄하고 독특한 인생을 기록하는 자서전이다. 여행으로 평생을 사는 사람이나 봉사로 인생을 거는 사람도 있다. 노래만 부르고 살 수 있으며, 영화만을 고집하며 살 수도 있다. 현대인은 자신만의 개성으로 남과 다름을 향유할 수 있는 권리를 가지고 있다. 시민사회의 성숙과 개인의 자유가 신장된 사회에서 가능한 자서전이다.

모든 선택이 자신에 의해서 이루어지는 현대의 자유와 권리를 가진 한 인간으로서의 존엄을 누릴 수 있는 사회에서 즐기고 누리는 삶의 표본을 그릴 수 있는 자서전이다. 소시민들의 소소한 일상이나 전업 부부로서 아이들을 기르고, 자신의 삶도 꾸려가는 사람들의 자서전이다. 집안일이나 한 지역의 일이 작지만, 결코 작지 않은 의미를 가진 것임을 자각한 사람들의 자서전이 개성형 자서전이다. 남성으로서의 전업주부도 있다. 여성으로서의 전업주부보다 더 특별한 경험을 할 수도 있다. 바로 시민의 한 사람으로서 또는 가정의 한 일원으로서의 삶을 기록할 수 있는 것이 개성형 자서전이다.

◉ 형식에 의한 자서전의 종류

형식 면에서의 분류로 수필형 자서전, 소설형 자서전, 논문형 자서전으로 나눈다. 수필형 자서전은 어떤 형식의 제약을 받지 않고 개인적인 서정이나 사색과 성찰을 산문으로 표현한 자서전이다. 수필형 자서전은 창작문학에 가까우면서도 창작이나 문학적 완성도보다는 삶 자체를 솔직하게 적은 문학이다. 비평적이면서도 이해와 성찰에 이르러 평가하는 비평이 아니라 생활인으로서의 반성 정도에 이르는 글이다. 자연과 인생을 관조하며 존재의 의미를 밝히기도 하고, 예리한 지성으로 새로운 방향과 정의를 내리기도 한다.

　일상적인 범주에서 다른 문학과 소통을 하며 편안하고 여유 있는 글이다. 수필隨筆은 뜻 그대로 '붓을 따라서, 붓 가는 대로' 써놓은 글이다. 마찬가지로 수필형 자서전은 시나 소설·희곡과 같이 어떤 형식의 제약을 받지 않는다. 그럼에도 소소한 일들과 사건을 하나의 주제로 몰입하도록 해야 한다. 또한 서정이나 사색을 그대로 산문으로 표현한 자서전이 바로 수필형 자서전이다.

　소설형 자서전은 현실의 인생 내용을 중심으로 한 사건을 일관된 주제로 연결되도록 한 질서 있고 통일적인 의미가 있도록 적은 산문이다. 소설은 작가가 상상력에 의해서 창조해 낸 허구의 세계를, 인물이나 사건의 전개를 통일성 있게 구성하여 현실의 이야기인 것처럼 만들어 낸 산문 문학이다. 여기에서 소설형이란 서술 형태로서의 소설적인 구성요소를 받아들인 자서전이란 의미다. 여기에서는 소설의 핵심인 허구성과는 관련이 없다. 주인공은 당연히 자서전으로서 나 자신이며, 구성은 내가 살아온 인생으로 엮어진다. 소설에서의 가공인물과 내용의 허구를 제외한 나머지를 적용한 것이 소설형 자서전이다.

구성도 소설처럼 일정한 형식과 작가의 미적 안목에 의해 새로운 질서로 구성할 수 있고, 인생을 적는 것인 만큼 길고 파란이 있다. 사건 진행에 따라 소설 형식으로 평면적 구성, 입체적 구성, 액자식 구성으로 만들 수도 있다. 자서전이 평면적이고 시간순이라고 한다면 소설적 구성을 하면 읽는 사람이 더욱더 박진감 있을 수 있다. 소설적인 구성요소를 일부 받아들인 것이 특징이다. 분명한 것은 소설적인 요소를 받아들였음에도 인물은 자기 자신이며, 사건은 자신의 삶이다. 그리고 배경은 자신이 살아온 세대로 변하지 않는 요소이다. 소설형 자서전은 글쓰기의 내공이 필요하다.

마지막으로 논문형 자서전이다. 자서전의 형식을 논문처럼 형식에 맞춰 쓴 자서전이다. 논문형 자서전은 자신이 살아온 인생에 대하여 일정한 형식에 맞추어 쓴 글이다. 논문은 어떠한 주제에 대해 저자가 자신의 학문적 연구 결과나 의견, 주장을 논리에 맞게 풀어서 논리적인 틀에 맞춰 체계적으로 쓴 글이다. 논문형 자서전은 자유롭게 편안하게 마음 가는 대로 적은 수필형 자서전과 극적인 효과를 가지도록 구성한 소설형 자서전과는 달리 일정한 틀에 넣어서 정확하게 목적의식을 가지고 기술한 것을 말한다.

자서전 쓸 때 유념해야 할 것들

지금은 자서전의 시대라고 할 만큼 자서전을 쓰려는 사람들이 많다. 자서전을 쓸 때 먼저 유념해야 할 것은 주관만으로 일관되게 쓰지 말라는 당부다. 자서전이 자신이 읽기 위해서 기록하는 것이 아니라 타인을 위한 글이라는 것을 생각해야 한다. 혼자 알고 있는 것들을 굳이 독자와 공유하기 위해서 쓰는 글이라면 적어도 독자가 읽기 쉽고, 독자가 즐겁고, 독자에게 도움이 되면서 공감이 가야 한다. 많은 경우 자서전을 왜 썼을까 싶을 때가 있다. 자신의 개인적인 인생과 주장을 적은 책은 가족도 읽지 않는다. 심지어 평생을 함께 살아온 아내나 남편에게 보여줘도 읽지 않는다. 고루하고 답답한 자신의 주장과 인생을 읽고 싶어 하지 않는다. 그래서 굳이 정치인들의 출판기념회가 아니더라도 일반인들의 출판기념회에 다녀와서 읽어보려고 열어본 책은 왠지 손이 가지 않는다.

현대는 지위의 높고 낮음과 가지고 못 가진 것이 문제가 되지 않고 개인의 인격이나 인간성의 존엄이 더욱 주목받는 시대에 살고 있다. 개인으로서의 삶의 선택이 다양하고 분화되면서 개인적인 특성이 두드러지게 인정받는 세상이다. 개인의 삶이 더 개성적이어서 자신만의 인생을 기록하고 싶은 열망이 커지고 있다. 나만의 인생을 살았기 때문에 더욱 자신의 인생에 당당하다. 그래서 현대적인 자서전에서의 전기적 글쓰기는 자신의 인생을 자신의 정체성으로 기록한 글이다. 자신이 살아온 일대기를 자신의 서술방법에 의해 개인적인 기록으로 완성한 것이다.

적어도 자서전이 전문적인 작가의 수준을 요구하지 않지만, 자서전으로서의 기본적인 품격은 가져야 한다. 곧 책으로서의 품격을 가져야 한다는 점이다. 혼자 읽는 일기가 아니라 다중이 읽는 공중성을 띠기 때문이다. 자서전의 내용이 나만이 쓸 수 있는 특별한 면을 우선 부각해야 한다. 누구나 자신만이 가진 특별함이 있다. 자신만의 개성을 적을 수 있으면 책으로서의 기본 품격을 지켰다고 할 수 있다. 이러한 의미에서 자서전을 쓸 때 유의해야 할 사항들을 종합적으로 정리해보면 다음과 같다.

◉ 자서전을 쓰려는 목적Why과 발간 시점을 먼저 정한다

누구나 자서전을 한 번쯤 쓰고 싶어 한다. 그러나 어디에서 시작해야 할지, 어떻게 써야 할지, 무엇을 써야 할지 막막하고 난감할 수밖에 없다. 그래서 자서전을 쓰려면 먼저 그 목적(왜)을 분명하게 하는 것이 제일 먼저 할 일이다. 그렇지 않으면 도중에 하차하는 경우가 많다. 자서전의 목적은 분명하다. 나를 주장하거나 변호하기 위해서 기록하는 한 사람의 일대기다. 아니면 자랑을 위한 일대기다. 그것도 아니라면 적어도 내 인생은 이랬다고 말하고 싶은 동기에서 자서전은 출발한다. 철학적인 회고, 참회, 고백도 있지만, 이 또한 자기 변호가 중심에 들어있다.

더구나 자서전이 나올 날짜를 미리 정해서 출발하는 것도 매우 중요하다. 목적이 정해지고 출판될 기념비적인 날을 정하면 성공 가능성이 훨씬 커지기 때문이다. 인생에서는 누구에게나 소중한 '그 어느 날'이 있게 마련인데 그중의 하나가 환갑, 칠순, 팔순 같은 특정한 이벤트 날이나 결혼 50주년 혹은 오랫동안 다녔던 퇴직 기념도 성공시킬 수 있는 하나의 방법이다.

그다음으로는 자서전을 쓰려면 어떤 자서전을 쓸 것인가 정하고 출발해야 한다. 자신의 인생을 연대기로 그대로 적어서는 자서전으로서 성공할 수 없다. 자서전은 자신이 읽기 위해서 적는 것이 아니라 자신 외의 사람들을 위해서 적는 기록물이다. 혼자 기록해두기 위해서 자서전을 쓴다고 하는 사람도 있다. 독자가 없는 글을 군이 힘들여서 적을 필요가 있을까. 마음 안의 기록을 밖으로 적는 것이 글이라면 마음 안에 더 많은 사연이 있는데 군이 저술할 필요가 없다.

자서전은 나 자신만의 기록이지만 남에게도 읽을 만한 가치가 있다고 생각할 때, 자서전을 쓰려고 한다. 자신의 삶을 정당화하기 위한 기록이라면 남을 설득해야 한다. 설득의 방법으로 자서전의 종류를 확인해서 내 자서전은 어떻게 기록해야 할까를 생각해야 한다.

이를 위해서 2장에서 소개한 출간 기획서를 사전에 써보는 것이다. 출간 기획서란 집 짓기에 있어 설계도 그리기와 같다. 집을 지을 때 무조건 땅에다 벽돌을 늘어놓고 쌓으려고 하면 막막하다. 어디에 안방을 두고 창문은 어디에 내고 방문은 또어떻게 할 것인지, 벽돌을 몇 미터로 쌓아야 할지 어림 되지 않는다. 이럴 때는 설계도가 있어서 그에 따라 조금씩 짓다 보면 어느새 집이 완성되게 된다.

◉ 인생 전체를 쓰지 말고 공감하고 감동할 수 있는 소재를 찾아낸다

데뷔 당시 크게 주목받지 못하고 촌스럽다던 방탄소년단BTS이 이제 한국을 넘어 세계시장을 뒤흔드는 스타로 우뚝 섰다. 전 세계 청소년들이 이들이 나타나면 열광을 한다. 그렇다면 과연 이들의 성공 비결은 무엇일까. 그들의 가사나 신뢰감을 느끼도록 행동 하나하나의 일관된 행동이 불러온 '공감이라는 강한 중독성' 때문이다.

그들이 부르는 노래 가사는 어려움을 겪고 있는 10대와 20대의 삶을 그대로 공

그림1-3 아버지 자서전 노트

감하는 내용이 주를 이룬다. 더구나 이름 없는 아이돌 시절 느꼈던 어려움과 차별적 시선을 가사에 잘 녹아내 공감할 수밖에 없는 꿈과 희망, 좌절과 아픔을 새겨 넣었다. 언어, 인종, 국적, 성별도 다른 이들이 방탄소년단을 보고 노래를 들으며 느끼는 공감은 각자의 방식으로 해방감 같은 세계를 지지하며 이에 열광한다.

자기 인생을 정리하는 데 있어서 자신에게는 소중하지만 사실 멀리서 보면 인생은 그렇게 대단하지 않을 수 있다. 솔직하지 못한 자서전은, 흔히 완벽한 인격자인 체 꾸미고 다니는 인간에게서 우리가 역겨움을 느끼게 되듯 어쩐지 공감할 수 없게 마련이다. 자신이 다른 사람에게 완벽하게 보이려고 애쓰는 글은 얼마나 자신감이 없기에 저렇게 안달일까 하는 안타까움마저 불러일으킨다. 자신의 약점이나 상처까지 있는 그대로 토로하면서 진솔하게 쓴 글은 소설이 그렇듯 삶의 진실에 더욱 근접하고 있어 읽는 이를 감동하게 하게 된다.

그래서 3장에서 글감을 찾아내기 위해 신광철 작가는 인생 전체를 망원경으로 멀리 보고 현미경으로 쪼개서 깊숙하게 들여다보기를 권하고 있다. 참고로 이러한 소재를 발굴하기 위해서는 출판사 '리딩 컴퍼니' 사에서 2017년에 펴낸 『아버지 자서전 노트』를 활용하여 현미경으로 자세히 들여다본다면 자서전을 쓰기 위한 소재 발굴에 많은 도움이 될 수 있다.

◉ 쓰는 사람이 아니라 읽는 입장에서 스토리텔링으로 정리한다

자서전은 선거나 중요한 정치 행사를 앞두고 보여 주기와 정치자금 획득을 위한 출판기념회용으로 내는 경우도 있어서 이 또한 비판을 받기도 한다. 책을 팔아 얻은 수익이나, 출판기념회에서 받은 축의금은 정치자금법에 저촉되지 않기 때문이다. 기업들은 울며 겨자 먹기로 몇백 부씩 사주고 기념회에 사람도 보내고 인사치레를 하는 경우가 허다하다. 그러나 거기서 얻어온 자서전이 읽힐 리가 없다. 바로 서가에 꽂히거나 쓰레기통에 들어가는 경우도 많다.

생로병사는 누구나 겪지만, 나만이 겪은 생로병生老病이 있다. 사랑도 나만이 겪은 아주 특별한 경험을 적어야 한다. 시시콜콜한 것이 가장 생동감 있는 이야기다. 아주 사적인 경험을 구체적으로, 정확하게 스토리 텔링으로 기록해야 글쓰기로 성공할 수 있다. 소소한 것이 사적 경험의 세계다. 세밀해야 나만의 경험이 될 수 있다. 예를 들면 사랑을 한 대상만이 가진 독특한 면, 하루의 일기처럼 변하는 사랑한 사람의 마음 변화, 사랑하는 사람의 행동에 따라 변하는 내 마음의 긴장같이 두 사람만의 특별한 경험을 적어야 한다.

일반적으로 글이 독자의 눈을 끌지 못하는 것은 나만의 자세함과 꼼꼼함을 적지 못하고 그저 어렵게 살아온 일대기를 나열식으로 쓰다 보니 감동을 주지 못해서 오는 경우가 많다. 이러한 스토리 텔링의 소재는 인생 전체를 통해서 깊숙하게 들여다본다면 얼마든지 발굴할 수가 있다. 예를 들어 한바탕 소동 이야기나 사소하지만 재미있는 이야기 특히, 시련을 극복한 이야기는 독자에게 감동을 주고 동기 부여 할 수 있는 이야깃 거리가 된다. 중요한 사실은 이러한 글들은 '쓰는 사람 입장이 아니라 읽어 주는 사람 입장'에서 써야만 한다.

◉ 지나친 자랑이나 충고, 훈계를 위한 표현을 자제한다

실제로 대한민국의 베이버 부머나 자수성가로 성공한 CEO들은 나름대로 모진 세월을 살아가며 고도성장을 일구어온 주인공들이다. 그래서 누구나 자기가 살아온 질곡 같은 삶을 글로 남기고 싶어 한다. 더구나 자식들에게 이러한 것을 전해주고 싶어 하는 사람들이 아주 많다. 문제는 이러한 역사적 사실의 기술만으로 감동을 주지 못한다. 특히 자식들의 경우 거들떠보지도 않을 가능성이 높다. 왜냐하면 세대가 다르고 살아온 환경이 다르다 보니 어렵사리 살아온 일대기는 감동이 오지 않고 공감하기가 어려운 세대들이기 때문이다.

자서전의 글은 훈계나 충고는 가급적 피하도록 해야 한다. 평소에도 훈계를 많이 듣고 살아가는데 군이 자기가 선택한 책에서조차 훈계는 멀리하고 싶다. 그래서 글이나 책의 마무리에서는 여운을 남기도록 해야 한다. 여운은 글이 끝난 뒤에도 읽은 사람이 아쉬워하며 다시 보게 되는 것이다. 자랑보다는 객관적인 묘사와 감동을 주어야 한다. 자발적으로 자랑을 들어줄 마음 좋은 사람은 없다. 독자를 설득할 수 있는 것은 성공담을 자랑하지 않고 사실적인 관계에 의해서 일이 성공으로 다가가는 과정을 적어주어야 한다. 쉽게 말하면 영화처럼 일과 일이 만나서 엮어지고 사고와 실패가 이어지면서 주인공이 문제를 헤쳐나가는 과정을 적어야 한다.

자서전에서 내가 주인공이지만 영화를 따라야 한다. 영화에서는 주인공이 주인공이라고 주장하지 않는다. 객관적인 사실과 사건을 긴장감 있게 표현한다. 자서전도 마찬가지다. 주인공은 나 자신이지만 나 자신을 영화의 주인공처럼 다수가 만들어낸 사건 중의 한 사람으로서의 몫으로 세상을 엮어간다고 생각하도록 적어야 한다.

◉ 자서전은 자기가 직접 써야 한다

스스로 쓰는 것이 자서전이지만 본인이 쓰는 것이 아니라 돈을 주고 다른 문필가가 처음부터 자서전을 대필해 주기도 하지만 쓰려는 사람에게 구술받아서 내용을 정리, 교정한 후 책으로 내는 경우가 상당히 많다. 훌륭한 자서전이란 저자가 온 정성과 진정한 마음을 담아 진실하고 솔직하고 직접 써서 만든 것이 의미 있는 자서전이라고 할 수 있다. 설령 서점에서 아무도 사주지 않았다고 해도 책을 쓴 사람이 그 책에 자신의 열정과 진심을 담아내고자 했다면 그 책은 세상 무엇과도 비교될 수 없는 최고의 자서전일 수 있다.

문제는 시니어가 되면 직접 쓴다는 게 지금까지는 쉽지 않은 일이었다. 그래서 대개는 구술을 하면 녹음을 해서 전문작가들이 일일이 딕테이션Dictation 작업을 하여 다시 글로 정리하려다 보니 시간은 물론 여러 단계의 고되고 의미 없는 작업을 거칠 수밖에 없었다. 따라서 자서전의 경우 전문가에게 맡길 경우 수천만 원에서 몇억을 지불해야만 가능했다.

그러나 지금은 다르다. 핸드폰만으로도 웬만한 것을 스스로 해낼 수 있기 때문에 녹음 같은 절차가 별도로 필요 없다. 말로만 해도 책을 쓸 수 있게 되었고 타이핑 없이도 글을 쓸 수 있게 된 것이다. 실제로 나는 7년 전 환갑나이가 지나면서 이러한 어려움을 직접 겪고 있는 사람 중 하나다. 노안은 돋보기를 쓰면 된다지만 난시까지 겹치다 보니 30분 정도만 책을 읽으면 눈물이 나오고 머리가 어지러워지고 컴퓨터 작업은 그야말로 큰 고역이 아닐 수 없다.

여기에 소개되는 핸드폰에 공짜 앱 기술들을 활용하면 이를 상당 부문 말하기로 대체하고 어려운 신체적 고통에서 해방될 수 있다. 실제로 이 책을 완성하는데 이러한 기술들을 적용하여 책을 쓰다 보니 컴퓨터 타이핑 작업의 경우보다 1/4로 줄인 것 같다. 말만 해도 글이 되고 이미지를 찍기만 해도 글이 되는 세상이다 보니 마음만 먹으면 누구나 도전해 볼만하다.

내 인생을 바꾼 첫 책 쓰기

당신의 일이 당신의 책이 된다! 최근 일본서점에 가보면 한 분야에서 오랫동안 일한 직장인들이 낸 책들을 많이 볼 수 있다. 이러한 직장인들의 책 쓰기 열풍은 국내에서도 왕성하게 나타나고 있다. 일에 대한 전문성과 자기만의 노하우를 가진 사람들이 자기 분야에서 성취한 것들을 책으로 펴낸다. 이들은 원론적인 지식보다는 당장 활용할 수 있는 효율적인 방법론을 제안하여 독자의 마음을 사로잡는다.

내 인생의 첫 책 쓰기는 자기 분야에서 전문성을 인정받고 브랜드 가치를 높이고 싶은 직장인들을 위해 공격적인 글쓰기로서 책 쓰기를 권한다. 실제로 직장생활을 하며 첫 책을 써서 인생의 터닝포인트를 맞이한 저자들은, 책을 쓰는 것은 가장 돈을 적게 들이면서 객관적 전문성을 인정받을 수 있는 가장 좋은 방법이라고 역설한다. 책은 자기가 하고 싶은 것을 하면서 전문가의 길로 들어설 힘을 준다. 또 평소 일할 때 결과물을 모아 책을 만든다는 목표를 갖는다면 훨씬 동기부여가 될 것이다. 가령, 자기 일과 관련된 책을 쓰겠다고 다짐하면 지금 하는 일을 다시 바라보게 된다. 그에 관한 다른 책을 읽고서 배운 생각들을 현장에 적용해보기도 한다. 그러다 더 좋은 생각을 하게 되면, 그것을 다시 실제 업무에 활용해보는 것이다. 이런 과정을 거쳐 자기 일에 대한 책을 한 권 쓴다면 그 분야의 전문가로 거듭날 수 있게 된다.

내 인생의 첫 책 쓰기는 구본형, 한근태, 하우석, 안상헌 등 우리 시대를 대표하는 저술가들을 찾아가 그들의 인생을 바꾼 첫 책 이야기에 귀를 기울일 필요가 있다. 지금은 고인이 되었지만, 이 분야 1세대인 구본형 변화경영연구소 소장은 책을 통해 한 분야의 전문가로 거듭난 대표적 인물이다. 구본형 소장은 40대에 접어들면서 인생의 고비를 맞았다. 그때까지 그는 IBM이라는 세계적인 기업의 일원으로 잘 포장된 삶을 살고 있었다. 그러던 그에게 어느 날 삶에 대한 회의가 찾아들었다. 불확실한 미래를 극복하기 위해 그는 끊임없이 자신을 변화시켰으며, 그 과정에서 배운 것을 세상 사람들과 나누기 위해 책을 썼다. 그 책이 바로 『익숙한 것과의 결별』이다. 이후 2년에 세 권꼴로 책을 낸 그는 사후에도 변화경영 전문가라는 새로운 직업인으로 사람들의 머릿속에 각인되었다.

『40대에 다시 쓰는 내 인생의 이력서』의 저자인 한근태 한스컨설팅 대표는 전형적인 엔지니어다. 마흔 두 살까지 대기업 연구소에서 임원 생활을 했던 그는 회사를 그만두고 우연한 기회에 경제지에 칼럼을 쓰게 되었다. 2년 정도 글을 썼는데 뜻밖에도 많은 팬이 생기면서 점점 글쓰기에 대한 자신감을 느끼게 되었다. 그는 자신의 이야기를 하기 위해 첫 책을 썼다. 하고 싶은 이야기가 너무 많았다. 사회에 대한 불만도 많았고, 이렇게 하면 잘 될 것 같다는 얘기를 하고 싶었지만, 통로가 없었다. 그래서 『나를 위한 룰을 만들어라』, 『40대에 다시 쓰는 내 인생의 이력서』, 『회사가 희망이다』와 같은 책을 연속으로 냈다. 이후 그는 다방면에 관심을 두고 책과 사람을 통해 공부하여 글을 쓰고 강의를 하는 일을 계속하고 있다.

『100억짜리 기획력』을 쓴 공주 영상대학 하우석 교수는 광고대행사에서 근무하던 시절에 첫 책을 썼다. 광고기획자로 기획의 세계에 첫발을 내디딘 그는 1년 365일, 하루 24시간을 기획과 함께할 만큼 기획에 푹 빠져 지냈다. 어느 날, 그는 스스로 이런 다짐을 했다. '좋아, 10년 후에는 반드시 기획과 관련된 책을 한 권 내야지.' 시간이 흘러 어엿한 광고기획자가 된 후 그는 10년 전에 한 자신과의 약속을 떠올리며 글을 쓰기 시작했다. 물론 주제는 기획이었으며, 일기 쓰듯이 매일 조금씩 써 내려갔다. 그리고 그 글들을 모아 『100억짜리 기획력』을 출간했다. 이후에 열 권 정도 더 책을 냈지만 가장 애착이 가는 책은 말할 것도 없이 첫 책이다. 그 이유가 단지 첫 작품이어서도 아니고 책 내용이 뛰어나서도 아니다. 어떤 책보다도 꼭 쓰고 싶다는 강렬한 열망이 가득 담겨 있기 때문이다.

책 글쓰기 학교와 1:1 개인 코칭도 대세다

내 명함 안에 무엇을 담을 것인가.

요즘 퍼스널 브랜딩Personal branding이라는 말이 유행한다. 나를 하나의 브랜드로 만들자는 캐치프레이즈다. 그것에 가장 적합한 것이 책을 내는 것이며 그때부터 그 책이 내 명함 역할을 한다. 나 역시 책을 '고급 명함'이라고 얘기하고 싶다. 책을 내는 순간 나에게는 책이 명함이다. 이 명함은 내가 스스로 만들어낸 것이다.

『이젠 책 쓰기다』의 저자이자 라온북 출판사 대표인 조영석 대표는 "2016년 상반기에 진행된 책 쓰기 특강 신청자는 약 300여 명이며, 이는 전년도 상반기 비해 200% 증가한 수치이다. 기업에서 은퇴했거나, 은퇴를 앞두고 퍼스널 브랜딩으로 제2의 인생을 준비하는 40대 이상이 참석자 중 60%에 이른다."며 "최근 백화점, 구청, 각종 교양 강좌 등에서도 책 쓰기 강좌가 많이 늘고 있는 추세이다."라고 말했다.

또한, 이런 책 쓰기 열풍의 이유 중의 하나는 전문가들이 '책 쓰기'로 본인을 브랜딩 하기 위해서이다. 본인의 퍼스널 브랜딩뿐만 아니라, 기업의 브랜딩을 위해 사업가들도 책 쓰기를 배우러 찾아오는 사례도 있으며, 이는 본인의 사업을 홍보하기 위해서 책을 쓰는 것도 큰 전략이 되기 때문에 본인의 사업을 꿈과 엮어 출간해 출판뿐만 아니라 사업에서 성공하는 사례도 많이 있기 때문이다.

글쓰기와 책 쓰기의 길을 안내해주는 관련 서적이 의외로 많이 출간되고 있다. 예를 들면 책 쓰기 전문 코치로 활동 중인 드림트리연구소 정형권 소장의 『나를 표현하는 글쓰기』, 『나를 대신하는 책 쓰기』가 바로 그런 책들이다. 학습코칭 전문가로도 널리 알려진 저자는 책 쓰기와 학습을 결합한 융합형 글쓰기를 지향하는 '해외 진출 1호 학습 코치'이다. 그는 책을 쓰는 일이 어렵고 낯설기만 한 일반인들을 위해 '책 쓰기 코칭 스쿨'을 운영하고 있다. 요즘은 기업이나 단체뿐만 아니라 학교에서도 책 쓰기 코칭 프로그램을 운영하며 학생 저자 양성에도 힘쓰고 있다.

그러나 여기서 조심해야 할 부분이 있다.

'100% 출간 보장' 책 쓰는 비법을 가르쳐 준다는 광고다. 경험이 없는 사람도 여섯 주만 수업을 들으면 책을 내고 베스트셀러 작가가 될 수 있다고 뻥을 치기도 한다.

"책을 써본 경험이 없는데 6주 해서 가능한가요?"

"물론이죠, 부족한 부분이 있으면 개별 코치도 충분히 할 수 있을 때까지 계속해 드리거든요. 출판까지 보장됩니다."

작가가 되고 싶은 사람들을 겨냥한 일종의 과외인데, 수강료가 1천만 원을 넘는 경우도 있다. 1일 워크숍은 비용이 40만 원이고, 12주 책 쓰기 과정은 자그마치 1천 2백만 원이다. 그 돈 들인다고 해서 과연 책을 낼 수 있을까?

모집 안내문과는 달리 일방적인 강의만 몇 차례 있었을 뿐 체계적인 지도는 받지 못했다고 입을 모은다. 수강생들은 허위 광고에 사기를 당했다며 강사를 경찰에 고발한 경우도 심상치 않게 일어나고 있다.

책을 석 달 만에 쓸 수 있다고 하는 것은 공장에서 상품을 찍어내는 것과 똑같다고 볼 수 있는데 결국, 출판시장의 질을 저하하는 결과를 가져올 수밖에 없다. 더구나 계약서를 쓰지 않고 현금으로 수강료를 낼 경우, 약속과 다르다는 이유로 환불이나 보상을 받기 어렵다. 허황된 목표를 약속하는 고액 글쓰기 과외는, 주의할 필요가 있다.

책 글쓰기 대학

나이가 들어 바쁜 것은 정말 행운이다. 왕성한 에너지로 책을 쓰고 글을 쓴다면 얼마나 좋겠는가? 책과 글을 써서 젊음을 유지하고 이를 토대로 더욱 적극적인 경제 활동을 할 수 있는 징검다리 역할을 얼마든지 할 수 있다. 더구나 책과 글쓰기는 자신이 포기하지 않는 한 해고가 없는 평생 현역으로 살아가는 방법이기도 하다.

이러한 목적을 위해 10년 전에 시작한 것이 '책과 글쓰기 대학'이다. 2년 전까지는 수필이나 에세이 형태의 글쓰기를 중심으로 '에세이 클럽'을 운영했으나 내가 회장을 맡으면서 회원들의 실무 경험이나 살아온 인생 경험을 자서전으로 쓰고자 하는 니즈를 충족시키기 위해 책 쓰기를 병행하여 누구나 책을 낼 수 있도록 변경해서 운영하고 있다.

책 쓰기를 원하는 사람들이 많다 보니 현재 밴드 회원은 300여 명이나 되는데 계속 늘어가고 있다. 책과 글을 쓰는 데는 전문성을 키우는 것도 중요하지만 지속해서 이를 계속하는 습관을 갖는 것이 무엇보다 중요하다. 이를 위해 오프라인에서 월례 모임을 갖고 있는데 매월 두 번째 화요일로 정해져 있다. 현재 70여 명이 연회비(30만 원)를 내고 모임을 하고 있다. 수업은 교대역 근처에서 하고 있는데 인근 식당에서 식사 후 7:00~9:00까지로 종료 시간을 준수하고 있다.

월례회 모임 1부는 책을 많이 낸 전문 작가 선생님을 모시고 한 시간 특강을 하고, 2부는 회원들이 써온 글을 작가 선생님의 지도로 하나하나 교정을 해주는 방식으로 운영한다. 자신이 써온 글을 같이 읽고 나서 직접 교정을 받는 과정을 통해 제대로 글 쓰는 방법도 배우고 써온 글을 수정 받음으로써 자신감도 생기고 실력 향상에 크게 도움이 된다.

책 글쓰기 대학은 단지 글쓰기 공부에 그치지 않고 책 쓰기에 대한 특강과 문학기행도 하고 있다. 글쓰기와 책 쓰기는 상당히 다르다. 책을 한 번도 써보지 않은 왕초보 회원들에게 책 쓰기에 대한 기본은 물론, 책 쓰기를 위한 기획서 작성부터 전체 프로세스를 알려주고 출판사까지 연계해주어 회원들이 Out-put이 조기에 나오도록 유도하고 있다. 지금은 한 달에 2~3명이 출간을 하고 있어서 간단한 축하파티도 해주고 있다.

책 글쓰기 학교로 다시 시작한 지 3년 차인 올해에는 회원들이 쓴 글들을 모아 10주년 기념 문집으로 발간할 예정이다. 문학기행은 일 년에 한두 번 하고 있는데 2017에는 풀꽃으로 유명한 나태주 문학관을 다녀왔고, 2018년

상반기에는 중국 길림성에 있는 용정의 윤동주 문학관을 다녀왔으며 10월
에는 김유정 문학관을 다녀왔다.

　앞으로 책과 글쓰기 클럽들이 많이 생겨 책과 글을 쓰고 싶은 왕초보들에
게 새로운 도전의 기회가 늘어나기를 기대한다.

　(연락처: eomjinseong@gmail.com)

협업과 공저로 책 쓰기도 방법이다

4차 산업혁명 시대는 협업하는 괴짜들이 회사의 미래를 좌우하게 될 것이다. 우리
가 사는 시대는 서로 다른 기술, 전문성, 강점이 만나 새로운 결과물을 만들어내는
초연결Hyper Connectivity과 융복합의 시대다. 정보통신기술과 바이오 기술이 융합
되고 인문학과 자연과학, 한방과 양방, 뇌과학과 신체 과학 등 서로 합쳐지기 어려
울 것 같은 분야에서 통합적인 방법을 찾아내고 있다. 지금까지는 경쟁을 잘하는
조직이 살아남았다면 융복합의 시대에는 수평적인 협업 문화를 조성해 협업을 가
장 잘해 나가는 조직이 살아남게 될 것이다. 실제 단기간에 글로벌 기업으로 성장
한 구글, 애플, 알리바바 등도 모두 협업문화로 성장을 이끌어낸 기업들이다.

　책 쓰기도 협업의 시대를 맞아 꼭 필요한 방식이다. 이제 한 분야의 전문성만으
로는 대응할 수 없고 전문성의 변화 속도는 더 빨라질 것이기 때문이다. 더구나 모
바일과 클라우드 기술을 활용한 실시간 의사소통이나 공유 시스템은 여러 사람이
한꺼번에 작업을 아주 효과적으로 할 수 있도록 지원해주기 때문에 여럿이서 공저
를 하는데 아주 유리하다.

　일반적으로 협업으로 공저를 한다는 것은 여러 가지로 어려움이 많다. 첫째는
공저자들의 생각이 다르고 글 쓰는 스타일이 달라 톤을 맞추기가 쉽지 않다는 것

이다. 둘째는 서로 떨어져 있다 보니 한 사람이 전체를 통괄하면서 일정 관리가 쉽지 않다는 것이다. 셋째는 쓰는 사람들의 눈높이가 고르지 않아 평탄작업을 한 사람이 하려면 애를 먹게 된다는 것이다.

그러나 IT기술과 사용 앱들의 발전으로 이러한 문제를 쉽게 해결할 수 있다. 실제로 나와 장동익 고문과는 이 책이 2년도 안 되어 5번째 공저가 된다. 주로 구글 드라이브 공유에 넣고 실시간으로 둘이서 댓글을 통해 수정이나 주문 사항을 요청하기도 하고, 수정 내용을 바로 요청할 수 있기 때문에 전화하거나 문서로 보낼 필요도 없다.

더욱 중요한 것은 수시로 서로 쓴 글들을 확인할 수 있기 때문에 자동으로 눈높이가 조절되는 효과도 있으며 일정 관리가 아주 쉽게 된다. 사실 여러 명이 글을 쓸 경우 한 사람만 문제가 생겨도 책이 나오지 못하는 경우도 많은데 이를 자동 해결할 수 있다는 장점이 있다. 이 책도 출판사 편집장까지 4인이 구글 드라이브 공유 문서를 통해 진행했는데 전에 따로따로 써서 통합 작업했던 방식에 비하면 3배 정도 빠르게 끝낼 수 있었고 일정 관리도 매우 쉬웠다.

4장에서 소개할 구글 드라이브는 개인이 활용할 경우 1인당 15GB의 공간을 무상으로 제공하며 드라이브 상에서 직접 작성한 구글 문서들은 수십만 장을 저장하더라도 무료로 주어지는 공간에 추가 공간을 요구하지 않기 때문에 무한대로 저장할 수 있다. 더구나 구글 문서는 리얼타임으로 자동 저장 기능이 있어서 문서를 날릴 염려가 절대로 없다는 특징이 있고 고칠 때마다 먼저 버전을 그대로 찾아볼 수도 있다.

물론 상의가 필요하거나 수정할 내용은 댓글로 만나지 않고도 의사소통할 수 있다. 따라서 교정 시에도 서로 확인이 가능하기 때문에 아주 유용하게 활용할 수 있어서 편리하다. 구글 이외에도 네이버 클라우드(30GB 무상 제공), Dropbox(2GB 무상 제공)나 One Drive(5GB 무상 제공), 한컴 넷피스 24(2GB 무상 제공) 및 기타 여러 가지의 무상 저장공간 확보를 위한 수많은 앱이 있다.

책 글쓰기에 습관과의 고스톱을 쳐라

어떤 사람이 딸을 데리고 서커스에 갔다. 거기서 그들은 깜짝 놀랐다. 8마리의 커다란 코끼리가 있었는데 그 코끼리들을 묶어 놓은 밧줄이 생각 이상으로 가늘었던 것이다. 족쇄에 달린 고리에 붙어있는 가느다란 밧줄은 다시 조금 더 굵은 밧줄에 묶여 있었고, 그 굵은 밧줄은 말뚝에 묶여 있었다. 몇 톤이나 나가는 코끼리는 힘도 셀 것이고 밧줄을 끊고 서커스장을 마구 돌아다닐 수도 있다.

나중에 안 일이지만 코끼리들이 밧줄을 끊을 힘이 있어도 그대로 묶여 있을 수밖에 없다는 것이다. 어릴 때부터 사람들은 코끼리를 묶어놓고 키우는데, 처음에는 이를 벗어나려고 안간힘을 쓴다. 그러나 얼마쯤 지나면 코끼리들은 점차 길들여지고 그 후 커서도 오른쪽 발목이 무언가에 묶여 있다면 오른발 쪽은 아예 움직이려고 하지도 않는다는 것이다. 어떤 밧줄이나 쇠줄보다도 마음속의 밧줄이 더 강하다는 것을 알 수 있다.

인간도 유사하다. '세 살 버릇이 여든까지 간다.'라는 속담처럼 버릇이나 습관은 어릴 때부터 잘 길들여 놓는 것이 중요하며 어릴 때부터 서서히 바꾸어 나가지 않으면 한꺼번에 바꿀 수 없다. 습관은 계속 반복되는 행동 양식이다. 그것은 긍정적일 수도 있고 부정적일 수도 있다. 하지만 어떤 경우든 습관은 몇 가지 공통적인 성질을 가지고 있다.

첫째, 습관은 Go만 있고 Stop이 없다는 것이다. 다시 말하면 일관성의 원리다. 상황이 바뀌어도 일단 형성된 사고방식이나 행동 양식이 변하지 않고 유지되는 것을 말한다. 에리히 프롬은 자신의 책 『자유로부터의 도피』에서 '인간은 자유를 원하기도 하지만 동시에 자유로부터 도피하려고 한다.'는 사실을 지적하고 있다.

둘째, 습관은 자신이 선택했다는 것이다. 자기가 선택한 행동은 쉽게 바꾸려 하지 않는 특징이 있다. 따라서 한번 선택한 습관을 고치는 일은 그만큼 어려워진다. 잘못된 습관을 우리가 쉽게 버리지 못하는 이유를 심리학에서는 어떤 문화권에서도 일관성을 유지하는 것이 더 높은 사회적인 평가를 받는다는 사실을 들고 있다.

성공한 사람이나 성공한 기업은 반드시 나름대로 성공할 수 있는 남들과 차별화되고 좋은 습관을 지니고 있고, 공부 잘하는 아이들을 보더라도 자기 나름의 습관을 공통으로 가지고 있다는 것을 흔히 볼 수가 있다. 습관은 한번 길들여지면 바꾸기가 어려운 만큼 좋은 습관에 길들어 있다는 것은 인생을 살아가는 데 대단히 큰 자산이 된다.

몇 년 전 일본 후생성에서는 성인병도 결국은 나쁜 습관에서 온다고 결론을 짓고 성인병을 '습관병習慣病'으로 이름을 바꾼 것만 보아도 습관은 그 사람의 행복과 불행을 결정짓는 잣대가 되기 때문에 나쁜 습관은 과감히 변화시켜 나가야 한다. 인간의 잠재력은 무한한 가능성이 있다고 한다. 지금까지 살아왔던 인생을 되돌아보고 자기 인생의 변화나 새 출발이 필요하다면 자기의 습관을 구조조정Restructuring하는 결단이 우선되어야 한다. 인생은 결국 습관의 산물이다. 책 글쓰기는 철저하게 자신의 '습관 바꾸기'에서 시작해야만 가능하기 때문이다. 책을 쓴다는 것은 결코 쉬운 일이 아니다. 자기가 좋아하던 습관 중 무엇을 하나쯤을 버리는 용기가 없이는 시작되지 않는다.

버킷 리스트에 책 쓰기를 넣고 도전하라

"제대로 쓰려 말고, 무조건 써라."
미국의 소설가 제임스 서버James Grover Thurber의 말이다. 일단 내가 살아온 스토리부터 차근차근 써보기 시작하면 그 속에서 책에 담고 싶은 메시지를 발견할 수 있다. 이런 말을 하는 분도 있다.

"나는 책으로 쓸만한 특별한 경험을 한 적이 없어."

책을 쓰고 싶어 하는 사람들을 상담해보면 가끔 책을 쓰러 온 건지, 책을 쓰지 못할 이유를 직접 확인하러 온 건지 헷갈릴 때가 있다. 사실 많은 사람의 인생은 거의 비슷하다. 대부분 같은 경험을 하고 같은 생각 한다. 하지만 남들과 똑같은 경험이라도 그것을 내가 어떻게 바라보느냐에 따라 결과는 달라진다. 같은 경험을 색다르게 바라보는 시선이 책 쓰기의 포인트가 되는 것이다. 오히려 비슷한 경험이기 때문에 독자들에게 더 많은 공감을 끌어낼 수 있다는 게 중요하다.

지금까지 살아온 인생을 새로운 시선으로 바라보며 누군가에게 도움이 될 수 있는 책으로 만들 수 있을지 생각해보자. 그리고 그것을 글로 써보자. 그것이 책 쓰기의 시작이다.

인간의 내면에는 기록에 대한 욕망이 있다. 우리는 주변에서 다양한 글쓰기의 향연이 벌어지고 있음을 자주 확인한다. 소통을 위한 SNS 글쓰기부터 기획서나 제안서 같은 실용적인 글쓰기, 그리고 주제가 있는 에세이나 자신의 전문 분야를 알려주는 책 쓰기까지. 다양해진 기회만큼 일반인의 글쓰기 욕구도 커진 것이 사실인데 정작 글을 쓰는 것이 힘들다는 하소연이 줄을 잇는다.

책을 많이 쓴 작가들에게 받은 질문들을 나열해 보면 다음과 같다.

"작가님은 타고난 재능이 있으시고, 특별해서 책을 쓰지 않았을까요?"

"작가님은 책을 워낙 많이 읽으셔서 가능하셨잖아요? 저도 이제부터 책을 많이 읽은 뒤에 도전할까 해요?"

그러나 천만의 말씀이다. 『내 인생 최고의 버킷리스트 책 쓰기다』 저자 오정환 씨는 당신도 누구나 마음만 먹으면 책을 쓸 수 있다고 강력하게 권한다. 많은 사람이 살아생전에 책 한 권 쓰기를 원한다. 당신이 굳이 전문가가 아니어도 상관없다. 책이 전문가로 만들어 주기 때문이라고 강조한다. 그동안 그는 시집을 포함하여 10권의 책을 냈고 이를 토대로 전문 강사로 뛰면서 책 쓰기 코칭을 겸하고 있다.

앞서 소개한 바 있는 책 쓰기 코치 김태광 씨도 유별난 사람이다. 그는 몇 달간을 소주를 마시며 자신의 신세 처지에 대해 좌절하고 절망해야 했다. 하지만 어느 순간 아무리 지금의 암울한 상황을 부모 탓, 세상 탓으로 돌려봐야 현실은 조금도 나아지지 않는다는 생각으로 '책 쓰기'에 전부를 건 사람이다. 그 결과 우리나라 최초로 최연소, 최단기간 최다 집필 공적으로 '기네스'에 등재되었다.

도자기는 마지막에 유약을 발라 잘 굽는 것으로 마무리되지만, 초벌구이 없이는 그다음 단계도 없다. 책 쓰기도 그렇다. 일단 초고를 써야 한다. 그다음 수십 번, 수

백 번의 고쳐 쓰기로 윤을 내고 가꾸는 것이 가능하다. 책 쓰기에 있어 초고를 완성하는 것은 전체 공정의 70~80%에도 못 미치지만, 초고를 다 쓰면 그다음은 내리막길처럼 수월하게 마무리할 수 있다는 사실을 발견하게 된다. 누구에게나 책 한 권을 세상에 선보이기까지 숱한 어려움과 좌절에 맞닥뜨리게 될지 모른다. 하지만 포기해서는 안 된다. 끈질긴 인내심과 계속 도전하는 힘이 필요하다.

그리고 지금 바로 시작하라. 당신의 그 책이 한 사람의 인생을 바꾸게 되는 중요한 계기가 되어 돌아온다. 목표, 지금 즉시 종이에 적고 생생하게 상상하면 이루어진다. 누구든, 책을 쓸 수 있다. 자신만의 이야기를 찾아라. 그리고 무조건 첫 문장부터 써라.

지금 당장!

제2장

책은 어떻게

태어나는가?

1

쓰고 싶은 책 기획하기

어떤 책을 쓸 것인지 장르와 분야 정하기

얼마 전만 해도 해외에 나가 서점을 가보면 수많은 신간 서적들이 쌓여있고 책을 사려고 검색을 해보면 한 가지 이슈나 테마에 대해서 엄청남 관련 책들이 쏟아져 나오고 있다는데 놀라지 않을 수 없어서 늘 부러워했다. 그런데 지금은 우리나라에서도 책을 쓰는 사람들이 점차 늘어나고 있고 하루도 빠지지 않고 많은 책이 쏟아져 나오고 있다.

우리나라에서도 책을 쓴 저자는 25만 명 정도라고 한다. 인구의 0.5% 정도다. 25만 명하면 많아 보이지 않을지 모르지만, 그 인원이 전 인구의 0.5% 안에 들어간다면 대단하지 않은가? 어렵다지만 저자가 되면 0.5% 안에 드는 것이다.

그러나 저자가 되는 데 통계치보다 중요한 것이 있다. 책을 쓰고 났을 때 성취감이요 어렵게 해냈다는 만족감이다. 정말 뿌듯한 성취감은 높은 산을 힘들게 정복

한 사람들만이 강한 희열을 느끼듯이 책을 내 본 사람만이 느낄 수 있는 감정이다.

글쓰기는 크게 나누면 문학적인 글쓰기와 비문학적인 실용 글쓰기로 나눌 수 있는데 책 쓰기에도 마찬가지로 문학적 책 쓰기와 비문학적 책 쓰기로 크게 나눌 수 있다. 그리고 비문학적 책도 그 안에서도 무궁무진한 종류가 있다. 일기, 가족문집, 전공 서적, 일반 서적, 자기 개발서, 심지어는 자기가 살아온 삶은 담은 자서전 같은 종류의 책을 쓰고 싶은 사람들이 너무나 많다.

그런데 이 책에서는 전공 서적이나 소설, 수필, 시집 같은 문학적 글쓰기가 아니라 누구나 쓸 수 있는 실용적이고도 일반적인 책을 대상으로 하고자 한다. 여기에 소개하는 내용은 내가 20여 권의 책을 쓰면서 얻은 경험과 방법이 중심이 되어 있기 때문에 독자나 전문가에 따라서는 의견이나 방식이 다를 수 있다는 점을 사전에 밝혀둔다.

먼저 쓰고 싶은 주제는 무엇인가? 책을 쓰려고 할 때 가장 먼저 할 일은 쓰고 싶은 주제를 정하는 것이다. 주제가 명확하지 않으면 책은 중구난방이 되기 쉽다. 가장 좋은 주제는 '지금 쓸 수 있는 것'이다. 저자가 지금 하는 일이 가장 좋은 주제가 된다면 누구나 시작할 수 있다. 어느 분야든 그곳에서 10년 넘게 일했다면 이미 전문가라고 해도 과언이 아닐 것이다. 게다가 연관 있는 책을 많이 읽었다면 이보다 더 좋을 수 없다. 책을 쓰고 싶은 컨셉과 주제 정하기는 결국 책을 쓰려는 기획 의도요, 전체 청사진을 그려보는 일이다. 이를 요약하자면 다음과 같다.

'이 책을 왜 쓰려고 하는가?'

'이 책은 어떠한 근거나 이유로 인해 쓰게 되었는가?'

호랑이는 죽어서 가죽을 남기고 사람은 죽어서 이름을 남긴다고 했다. 이름은 그 사람의 정체성을 나타낸다. 이런 이름 중 시장에서 통용되는 이름을 브랜드라고 한다. 누군가의 이름을 듣고 연상되는 것이 바로 그 사람의 브랜드다. 최근 책을 통해 강력한 개인 브랜드를 구축하는 사례가 빈번해졌다. 이런 변화에는 저명한 학자나 전문작가가 아닌 일반인들도 적잖이 동참하고 있다.

그중에는 한때 평범한 직장인이었다가 책을 통해 한 분야의 전문가로 거듭난 사람들도 있다. 앞에서 소개한바 있는 공병호 소장, 엔지니어 출신 과학 칼럼니스트

이인식, 오지 여행가 한비야가 바로 그들이다. 이런 사람들은 특정 영역에서 그 이름에 내노라 하는 이름을 붙일 수 있는 고유한 사람들이다. 그렇다면 그들은 어떻게 자기만의 브랜드 구축에 성공했을까?

초보 작가나 예비 작가가 명심해야 할 사항 중 하나는 출판사를 설득할 수 없다면 독자도 설득할 수 없다는 사실이다. 저자는 누군가를 설득해야 한다. 독자층을 설정했다면 그 독자층을 설정한 이유와 근거가 당연히 뒷받침되어야 설득력을 얻을 수 있다. 대상 독자층을 명확하게 설정하기 위해서는 자신의 책을 객관적으로 볼 수 있는 시각이 있어야 한다. 저자에게는 저자의 원고가 매우 의미 있고 소중하다고 생각하겠지만 다른 사람에게는 그렇지 않다.

출판사 담당자는 매번 출간 기획서와 원고를 검토하기 때문에 '출간 기획서'라는 범주 안에서는 전문가라고 할 수 있다. 결국 눈에 띄지 않거나 모호하게 설정된 독자층을 상대로 한 책은 아무에게도 도움이 되지 않을 수 있다는 가정하에, 출간 여부를 판단하게 마련이다.

내가 지금 쓰고자 하는 책은 누구를 위한 책인가? 나의 책은 남들에게 어떤 도움을 줄 수 있으며, 그 도움이 누구에게 필요한가? 명확하게 설정해야만 한다. 따라서 콘셉트를 정해 나가기 위해서는 최근 트렌드를 반영하고 앞서 나가고자 하는 수많은 독자를 유혹할 수 있는 구상을 해야 한다.

이 책이야말로 독자에게 큰 도움이 될 수 있음을 확실하게 한 다음 이를 표현하라! 직장인을 위한 실무서, 인간관계, 대학생을 위한 자기 계발, 전문가, CEO, 신입사원, 구직자, 공무원 준비생, 액티브 시니어, 사업 성공학, 리더십 등 독자층은 매우 다양하고 넓다. 여기에서 단 하나를 선택하라! 그리고 선택의 근거를 뒷받침하기 위한 콘셉트와 청사진을 멋지게 그려라!

책 가제목 정하기

농담이겠지만 '책의 제목만 정해도 책을 절반쯤 쓴 것이다'라는 말이 있다. 그만큼 제목은 중요하다는 이야기다.

"제목 정하는 것이 가장 힘들어요!"

"제목에 따라 그 책의 성패가 좌우된다고 해도 과언이 아니에요. 그래서 출판사들은 독자들의 눈길을 사로잡을 수 있는 제목을 짓기 위해 총성 없는 전쟁을 벌이고 있죠."

편집자들의 말이다. 책의 콘텐츠가 아무리 뛰어나다고 해도 제목이 별로라면 독자가 그 책을 펴보지도 않는다. 그러면 그 책은 얼마 지나지 않아 사장되고 만다.

"내 아이의 이름을 정할 때 이렇게 정성을 들일 수 있을까? 책 제목을 정할 때마다 드는 생각입니다."

전문가들이라고 할 수 있는 편집자들은 오랜 경험을 가지고 있지만 하나같이 제목 짓기가 가장 힘들다고 토로한다. 그렇다 보니 제목을 잘 뽑는 편집자가 출판사에서 유능한 직원으로 꼽히기도 한다. 베스트셀러치고 제목이 빼어나지 않은 책이 없는 것만 봐도 제목이 책의 매출에 미치는 영향이 크다는 것을 알 수 있다.

먼저 제목을 왜 잘 지어야 하는지부터 생각하자. 책을 만드는 목적이 단순히 저자의 만족감을 위해서가 아니다. 많은 독자에게 읽힐 때 책은 비로소 가치가 있을 뿐 아니라 생명력을 가지게 된다. 따라서 책 제목이 매우 중요하다. 서점에 진열된 수 십만 권의 책들 가운데 독자들에게 한눈에 어필할 수 있어야 하기 때문이다.

더군다나 요즘같이 책을 읽지 않는 시대에는 책 제목 짓기는 전략 차원에서도 너무나 중요하다. 저자가 원고를 고군분투하며 온갖 어려운 과정을 거쳐 만들었지만, 제목이 좋지 않아 시장에서 외면을 당한다면 저자나 출판사, 그리고 책의 콘텐츠를 접하지 못하는 독자들 역시 막대한 손해이다.

뛰어난 편집자나 기획자들은 좋은 제목에 대해 "우선 책의 제목이 주는 임팩트가 중요하다."라고 한다. 독자를 어떻게 유혹할 것인가? 제목이 좋아야 독자에게 선택받을 확률이 높다. 제목은 책을 쓰는 과정 내내 생각하며 몇 가지를 골라 놓는다. 물론 출판과정에서 출판사와 협의를 하지만 책으로 전하고자 하는 핵심 주제를 저자만큼 잘 아는 사람은 없으니 저자의 의견을 많이 반영한다.

호기심을 불러일으킬 만한 감각적인 제목만이 독자의 눈길을 사로잡을 수 있다. 서점 베스트셀러 진열대에 가서 잘 팔리는 책들은 어떻게 제목을 지었는지 살펴보는 것도 제목을 정하는 좋은 방법일 것이다. 책에 대해 누구보다 잘 알고 있는 저자가 직접 제목을 정하는 작업이기는 하지만 저자가 정한 것이 최종적으로 출간될 책의 제목이 될 확률은 낮다. 그렇지만 자신의 책을 '출판사에 판매'한다는 생각으로 책의 제목을 짓는 것에 심혈을 기울일 필요가 있다.

책뿐만 아니라 뉴스 기사, 보도자료, 인터넷 기사, 블로그 포스트 등 텍스트를 다루는 곳에서는 제목이 아주 큰 역할을 담당한다. 저자가 만약 독자라면 어떻게 책을 구매하겠는가? 물론 전체적인 내용을 살펴보겠지만 결과적으로는 책의 제목에 이끌려 구매하는 경우가 의외로 많을 것이다. 책의 제목을 짓는 것은 책의 원고를 쓰는 것 만큼이나 어렵다. 하지만 고민과 고민 끝에 도출된 멋진 책의 제목은 저자의 원고를 더욱 빛낼 수 있다.

처음에 작성하는 출간 기획서에 기입하는 책의 제목은 말 그대로 '가제목'이다. 너무 부담가질 필요는 없지만 그렇다고 가제목이라 해서 아무렇게나 가볍게 써도 안 된다. 아주 멋진 내용이 있다 한들 책의 제목에서부터 실망감을 안겨준다면 출판사는 물론 책이 나온 이후 독자들은 책을 펼쳐볼 생각도 하지 않을 것이다. 제목만 봐도 책의 내용이 궁금해지면 궁금해질수록 좋다. 제목만 보고도 책을 펼쳐보지 않고서는 호기심과 궁금증으로 참기 어려운 감정이 생긴다면 최고다.

물론 출판 기획서가 작성될 때의 가제목이 그대로 책의 완성본으로 결정 난 경우는 거의 없다. 최종 결정은 출판사가 하는 경우가 대부분이기 때문이다. 나는 그동안 개인적으로 책의 가제목을 선택할 때는 다음과 같은 방법을 사용해왔다.

1. 떠오르는 가제목을 모조리 적어본다.
2. 시간을 두고 계속해서 읽어보면서 제목을 수정해 나간다.

3. 최종 리스트가 완료되면 중복, 마음에 들지 않는 제목 등을 제거한다.

4. 주변 지인이나 친구들에게 책 제목에 대한 의견을 물어본다.

5. 이를 종합하여 최종적으로 가제목 2~3개를 결정한다.

결과적으로 제목은 저자의 메시지를 잘 반영하되 한 번에 직관적으로 이해할 수 있는 말이 필요하고 독자들의 공감을 불러일으키도록 흔하지 않은 어휘와 구조가 되어야 한다. 그리고 될 수 있으면 짧지만 임팩트는 강해야만 한다.

세부 목차 만들기

주제와 제목이 정해졌다면 세부 목차까지도 사전에 정해 놓아야 한다. 여기서 목차는 두 가지 의미에서 꼭 필요하다. 우선 의도하고 있는 책 내용의 흐름을 결정하는 것과 흐름 안에 어떤 구체적인 꼭지를 넣을 것인지를 결정하는 중요한 일이기 때문이다. 전체적인 기승전결과 같은 흐름을 설정하고, 그 안에서 '1장 1절'과 같은 한 꼭지 단위로 내용이 전개되어 밑으로 내려가는 세부 목차를 정해나간다.

그동안의 경험으로 본다면 세부 목차는 초기에 구상한 대로 완성되거나 정해진 경우는 거의 없었다. 왜냐하면 책 쓰기를 시작하여 오랫동안 자료를 모으고 정보를 수집하여 정리하다 보면 당초에 생각했던 것과는 크게 달라지기 때문이다. 따라서 초기에 세부 목차에 대해서 완벽성을 기할 필요도 없고 너무 고민을 많이 하여 시간을 끌 필요도 없다. 무조건 초안을 만드는 것이 무엇보다도 중요하다

다만 세부 목차는 책의 가격 책정 및 인쇄, 제본 등에 절대적인 영향을 주는 예상 페이지 수를 생각해보아야 한다. 세부 목차도 이러한 분량을 사전에 고려하여 조절하고 정할 필요가 있다. 이를 요약한다면

1. 한 권의 책을 쓰려면 세부 목차를 정할 때 최소 3개 이상의 장Capter을 마련해

야 한다. 3개는 정말 최소 수준이고, 보통은 5개 이상이 좋다.

2. 한 장에 최소 3개 이상의 소제목의 꼭지를 넣어야 하는데 보통은 5~7개가 좋다. 한 개의 장이나 절은 완결된 하나의 이야기다. 그것만 떼어서 읽어도 무리가 없을 정도라면 더욱 좋다.

3. 책 한 권에 필요한 소제목 수는 적으면 50개에서 많으면 100개 정도 필요한데 책의 분량에 따라, 또한 한 꼭지를 얼마나 쓸 것인지에 따라 꼭지 수는 조정하면 된다.

신광철 작가는 목차를 정할 때 5:5:5 법칙을 권유한다. 즉 먼저 5개의 장으로 나누고 장마다 5개의 중제목을 정한다. 그다음 중제목마다 5개의 소제목을 정하면 총 125개가 되는데 일단 이렇게 시작하고 계속 줄이거나 늘이면 아주 쉽게 세부목차를 정할 수 있다는 것이다.

목차를 잡으면서 혹시라도 자신이 생각했을 때 더 필요한 내용이 있거나 추가해야 할 내용이 떠오르면 자유롭게 추가하도록 하라. 소제목은 자세하면 자세할수록, 구체적이면 구체적일수록 좋다. 그래서 소제목만 쭉 훑어보기만 해도 그 책의 개요가 머릿속에 그려져야만 한다.

출간 기획서 쓰기와 예문

책 쓰기의 주제가 정해지면 가장 먼저 해야 할 일은 출간 기획서를 스스로 먼저 작성하는 것이다. 초고가 완료된 이후에 출판사에 제출하기 위해 기획서를 작성하는 경우가 있지만 나는 그동안의 경험으로 보아 처음부터 출간 기획서를 반드시 먼저 작성하라고 권한다.

예를 들어보자. 대부분 회사에서는 다양한 사업을 진행한다. 사업을 계획할 때, 그리고 사업을 추진하기 전에, 전략기획 단계에서 꼭 필수적으로 거치는 단계가 바로 '사업계획서'를 작성하는 일이다.

실제로 사업계획서란 1~2장으로 끝나는 것이 아닌, 실행계획을 포함한 수십 장의 페이퍼로 구체적일수록 좋다. 잘 계획된 사업이라면 당연히 진행에 문제가 줄어들고 결과에 대한 비교도 가능하며 혹시 잘못되더라도 금방 수정을 하여 보완할 수 있다.

출간 작업도 비슷하다. 당연히 자신의 책은 자신이 가장 잘 알고 있다. 자신의 책을 출간하기 위한 계획서, 즉 책에 대한 전체적인 소개 및 향후 방향에 대한 계획과 전략이 모두 담긴 것이 바로 출간 기획서다.

따라서 책을 쓰기 위한 출간 기획서는 책 원고를 다 쓰고 난 후 출판사에 보내는 출간 기획서와 그 내용이 목적에 따라 다를 수 있다. 여기서 이야기하는 출간 기획서는 자기가 쓰고 싶은 콘셉트와 청사진 그리기를 한 다음 책 전체의 구상을 보다 구체화하는 작업이다. 물론 출판 이후 잘 팔리고 독자들에게 많이 읽히기 위한 세부전략이 빠져서는 안 된다. 이른바 종합 마스터플랜과 같다.

반면에 책을 쓰고 나서 출판사에 제시하는 출간 기획서는 출판사에게 "내가 책을 썼으니 한 번 보시오! 좋은 책이니 꼭 출간해 주시오!"라고 말하는 것과도 비슷하다. 우리가 회사에 입사하기 위해 이력서를 작성하는 것처럼 출판사에 출간을 제안하는 작업은 형식화된 양식이 존재한다. 출판사 입장에서는 일단 출간 기획서를 읽어보고 흥미가 있으면 전체 원고를 읽는 것이 효율적이기 때문이다. 출간 기획서는 출판사에 도움을 줄 뿐만 아니라, 책을 쓰는 저자에게도 큰 도움을 주는데 출간 기획서를 작성해 봄으로써 방향을 올바로 정하고 효율적으로 책을 쓸 수 있기 때문이다.

출간 기획서는 일정한 양식이 있는 것은 아니지만, 대체로 다음과 같은 내용을 담고 있어야 한다.

1. 출판의 목적

2. 책 제목(가제목)

3. 핵심 콘셉트

4. 주요 대상 독자층

5. 경쟁 도서 및 관련 도서 분석

6. 초고 완성 및 출간 일정

7. 출판 후 활용 방안

8. 목차와 소제목

먼저 책에 대한 구상에는 가장 중요한 것이 책을 구상한 목적이다. 목적이 분명치 못한 경우는 책을 쓰면서 계속 흔들릴 수밖에 없다. 책 제목은 나중에 출판사와 협의해서 정하게 되지만, 책의 내용을 가장 잘 아는 저자의 입장에서 가능한 제목을 여럿, 마음에 두는 것이 좋다. 책의 핵심 콘셉트는 쓰고자 하는 책의 핵심 내용을 요약해서 정리함으로써 쓰고자 하는 방향성을 정하는 데 중요한 역할을 한다.

대상 독자층은 핵심 독자층, 표준 독자층, 확산 독자층으로 세분하여 작성하는 것이 바람직하다. 책은 핵심 독자층을 염두에 두고 쓴다고 생각하고, 표준 독자층과 확산 독자층까지도 확장성이 있도록 해야 한다. 그렇다고 독자층을 너무 좁게 잡으면 출판사에서 싫어하지만, 전 국민을 대상으로 한 책도 환영받지 못하기는 마찬가지다.

경쟁 도서 및 유사 도서 분석은 자신이 어떻게 책을 쓸 것인가 방향성을 정하고 많은 자료를 습득하는 과정이기도 하지만 출판사를 설득하는 내용으로 써야 한다. '경쟁 도서 및 유사 도서와의 차별성'은 책의 특성과 방향성을 제시해 주는 것과도 연관이 되지만, 최근의 사회적 이슈와의 연관성, 시대적 필요성 등을 제시하면 좋다.

출판 후 활용 방안은 저자로써 책 출간 후 어디에 활용할 것이냐에 따라 책의 내용이 얼마든지 달라질 수가 있기 때문에 사전에 기획할 필요가 있다. 나는 책이 나온 이후의 활용 계획을 세미나 교재나 강의 시 교재로 쓸 수 있도록 처음부터 방향을 정하고 책을 쓴 경험이 많은 편이다. 일부 저자들은 책 홍보는 당연히 출판사가 알아서 할 일이라고 생각하지만, 저자로서 책 판매에 공헌할 방안을 고민해 봐야 하는 것은 당연한 일이 되고 있다.

책 원고가 완성되었을 경우에는 당연히 목차를 옮겨 놓으면 되지만, 원고를 완성하지 않고 출간 기획서만 먼저 제출하는 경우에는 기획도서인 경우처럼 반드시 이를 먼저 제시해야 한다. 핵심 콘셉트와 요약 등이 있지만, 목차가 책의 내용을 가장 구체적으로 보여주기 때문이다.

만약 책 원고가 완성되지 않았는데, 출간 기획서만 출판사에 보내는 경우에는 내용 요약, 원고 분량, 초고 완성 예정일 등을 추가하는 것이 바람직하다.

나는 그동안 경험에서 초기에는 '출간 기획서'의 중요성을 알지 못했다. 몇 권의 책을 낸 후 뒤늦게 안 사실이지만 책을 출간하고 또다시 다른 저서를 준비하고 있는 관점에서 볼 때, 출간 기획서는 엄청나게 중요했다. 마치 책 쓰기 전에 출간 기획서가 없다면 목적지 없는 내비게이션을 쫓아 운전하는 것과 같다.

여기서는 앞에서 소개한 왕초보였던 엄진성 소장이 처음에 써왔을 때 고쳐주고 출판사에 보냈던 출판 기획서를 소개한다. 이 기획서로 3개월 만에 초안을 쓰고 5개월 만에 왕초보인데도 당당하게 계약금을 받고 출판에 성공했다.

출판 기획서(예문)

◉ 제목(가제)

#욜로 재테크#

◉ 기획 의도

You Only Live Once! '인생은 단 한 번뿐'

최근 전 세계적으로 유행하고 있는 YOLO는 말 그대로 '인생은 단 한 번뿐이다. 인생을 즐겨라.'라는 뜻으로 해석되고 있다.

급속도로 변하고 있는 인구구조의 문제와 갈수록 나빠지는 경제환경 그리고 일자리 문제로 인해 1인 가족, 혼밥족, 혼술족, 혼행족, 솔로 이코노미, 1코노미 전성시대가 펼쳐졌다. 따라서 이제는 많은 사람이 불투명한 미래에 기대하기보다는 지금의 나에게 좀 더 충실해지자는 의미로 욜로를 해석하고 있다. 잘 다니던 직장을 그만두고 새로움을 찾아 갑작스럽게 여행을 떠난다거나 감정에 치우친 소비를 하면서 탕진의 재미를 공유하는 등의 다양한 소비 패턴도 나타나고 있다. 개인 재무상담을 하는 저자는 젊은 세대들의 욜로식 소비패턴을 지켜봐 온 결과 자칫 잘못하면 심각한 재무적 문제에 빠질 수 있다는 점을 꼬집고 있다. 당신도 욜로 라이프를 꿈꾸고 있는가.

진정으로 원하는 삶을 발견하고 그 꿈을 실천할 방법을 찾고 싶은가. 한 달 월급으로 욜로 라이프를 위해 돈을 다 쓰고 나서 다시 돈을 버는 자의 삶과 쉽고 간단한 돈 관리방법 실천으로 항상 욜로 라이프를 즐길 수 있는 자의 삶 중에 당신은 어떤 삶을 선택할 것인가. 욜로 현상에 따른 개인 맞춤형 재무설계 전략으로 안 먹고 안 쓰는 전략은 이제 그만! 쓰면서 즐기면서 돈을 벌고 모을 수 있는 그 해법을 책을 통해 제시하고자 한다.

◉ 주요 내용

1. 왜 욜로족을 위한 재테크인가

- 최근 유행하고 있는 욜로 현상에 대한 이해, 욜로 관련 소비현상 이해
- 욜로 라이프를 즐기기 위해 사회초년생의 충동적 소비 인식
- 욜로 관련한 기업체 마케팅 붐에 따른 소비에 대한 노출 문제
- 무계획한 소비의 이면에는 개인 재무문제가 심각해
- 안 쓰고 모으는 전략에서 쓰고, 즐기면서, 키우는 전략으로의 관점 전환 필요
- 재무설계의 기본부터 욜로 재테크 상품까지 완벽하게 마스터할 수 있는 지침 제공

2. 왜 욜로 현상이 유행인가

- 인구구조의 문제, 경제 및 사회 분야의 다양한 문제, 취업 및 소득에 대한 문제
- 불안한 미래보다는 현재의 삶에 충실, 3포 세대, 5포 세대, 7포 세대의 결과물
- 둘이 아닌 혼자의 삶에 익숙해지면서 자신의 삶을 공유하고자 하는 성향 극대화

3. 욜로 라이프에 맞는 재테크는 무엇인가

- 미래가 어두워 보이는가. 오직 믿을 것은 자신밖에 없다. 자신의 몸값 먼저 올리자.
- 몸값을 올리는 방법은 욜로 라이프 안에 있다.
- 욜로 라이프를 즐기면 돈은 저절로 따라온다.
- 최소한의 목돈을 만들고 나면 다음부터는 욜로 라이프가 펼쳐진다.
- 기존의 재무설계 기법을 무시해라. 가장 소중한 나 자신에 집중하라.

- 통장을 관리하는 방법을 알면 욜로 라이프의 삶이 펼쳐진다.
- 결혼, 전세, 주택, 차량, 은퇴, 건강, 보험에 대한 정의를 새롭게 하자.

4. 욜로 라이프에 맞는 금융상품과 장치들은 무엇이 있는가
- CMA통장, 신용카드, 체크카드, 가계부, 정기 예·적금
- 적립식 펀드, 채권, 보험, 해외채권, 로보 어드바이저, P2P
- 연금, 국민연금, 주택연금, 퇴직연금, IRP, 비과세 해외펀드 등

◎ 주요 독자

- 욜로족, 미혼, 돌싱, 1인 가구 혼자서 재무설계를 하는 사람들
- 막연히 소비가 크고 돈 관리가 잘 안 되는 사람들
- 돈 쓰지 말라는 획일적인 재무설계 & 재테크 서적에 지친 사람들
- 재무설계의 기초부터 실전 방법을 배우고 싶은 사람들
- 100세 시대를 현명하게 살아가고자 고민하는 시니어들

◎ 책자 구성 방안

- 전문성을 유지하되 쉽게 읽히는 책, 잘 팔리는 책으로 구성
- 문고판(250쪽 분량 내외)으로 하되 글씨 및 여백을 여유 있게 구성
- 필요 시 스크린 샷, 이미지, 도표를 이용한 시각적 효과
- 일러스트 활용하여 전문성과 친근함 유지

◎ 출판 계획

- 2017년 1차 책자 원고 완료(9/30)

- 2017년 최종 원고 검토 및 교정(10/31)
- 2017년 12월 말 출간

◉ 출판 후 활동

- 관공서 및 기업체 임직원, 일반인(욜로족) 대상 재무설계 강의 진행
- 욜로 재테크 사이트 만들어서 강의 신청 및 상담 신청 받기
- 재무설계회사 및 재무설계 관련 업체에 도서 홍보 및 판매
- Youtube 채널에 욜로 재테크 개설하여 운영 예정
- 라디오 및 TV 방송에 출연

◉ 목 차

◉ 저자 소개

저자 엄진성 재무과학연구소 소장 재무상담 및 자산관리 전문가.

기초생활 수급자부터 천 억대 자산가까지 다양한 고객의 자산을 관리하는 10년 차 재무상담사다. '재무설계에 진심을 더하다'라는 원칙을 고수하며 금융, 부동산, 세금, 그리고 보험까지 철저히 고객의 입장에서 분석하고 점검해 실질적인 도움을 주고 있다. KBS, SBS CNBC, EBS, YTN 라디오 등 방송에서 활발하게 활동하고 있으며, 관공서 및 기업체에서 신입사원과 퇴직예정자를 대상으로 경제교육을 주로 하고 있다.

2

자료 수집하기

관련 자료 및 정보 수집하기

요즘 결혼을 중개해 주는 결혼중개업체 광고나 간판을 길거리에서 쉽게 볼 수 있다. 그러나 결혼 적령기가 되지 않은 젊은 사람들이나 이미 결혼을 해버린 기혼자들에게는 거의 눈에 띄지 않는다고 한다. 이처럼 정보는 시선을 어디에 두느냐에 달려 있다. 그리고 무엇 때문에 정보를 모으는지에 대한 목적의식이 없으면 정보는 그 어떤 것이라도 그냥 지나쳐 버리고 만다. 쉽게 번 돈은 쉽게 없어지듯이 정보도 편하게 얻은 것은 몸에 배지 않는다.

　책 쓰기를 마음먹었다면 관련 자료를 수집하는 일부터 시작해야 한다. 책을 처음 쓰고자 하는 사람들이 가장 어려움은 막상 쓰려고 하면 자료가 없다는 것이다. 특히 소설이나 문학 작품이 아니라면 책은 머리로 쓰는 게 아니라 자료로 써야 하므로 자료가 없다면 책 쓰기가 진전될 수 없는 일이다.

20여 년 전 내가 책을 처음 쓸 때만 해도 필요한 책이나 자료를 구하려면 도서관을 찾거나 관련 인사를 만나서 자료를 구할 수밖에 없었다. 지금은 인터넷의 발달은 물론 검색 기능의 다양화로 인해 예전과는 달리 마음만 먹으면 관련 자료를 구하는 것이 다양하면서도 매우 쉬워졌다.

정보 수집을 위해서는 실제 최신 도구들을 잘 활용해야 한다. 4~5년 전까지만 하더라도 나는 정보 정리에 편리한 정리박스를 활용했다. 저자가 상당한 기간 동안 사용해 온 정보 수집 박스와 메모용 수첩은 이제 컴퓨터와 핸드폰 자료 관리로 대체되었다. 책을 처음 쓰는 사람들한테 가장 시간이 오래 걸리고 중요한 것이 자료수집이다. 그런데 최신 기술을 모르는 사람들은 책을 읽다가 필요한 부분이 생기면 복사하여 스크랩해 놓던가 책 자체에 포스트잇을 붙여 놓아 나중에 필요할 때 찾아내어 PC에서 타이핑하는 방법 이외에는 별다른 수단이 없었다. 필요하다고 생각하는 자료들을 보관하는 방법도 문제였었다. 그러나 지금은 필요한 부분은 어디에서, 언제 발견하였든 장소와 시점에 관계없이 언제든지 사진을 찍기만 하면 텍스트 문서로 컴퓨터에 저장된다.

정보 수집은 정보검색으로 원하는 정보를 거의 해결해준다. 특히 PC를 쓰지 않고도 이제 핸드폰에서 말로 명령만 내리면 언제 어디서든 각종 검색엔진에 들어가 필요한 자료를 찾아 준다. 그 자료를 즉시 복사하여 내가 저장하고자 하는 형태로 클라우드에 저장해 놓을 수 있다.

더구나 외국 서적이나 자료에서 책 집필에 필요한 부분이 있다면 이제는 걱정할 필요가 없다. 필요한 부분을 사진을 찍거나 혹시 전자서적으로 읽을 수 있는 책자라면 그 문서를 그대로 번역기에 넣기만 하면 즉시 번역해 주기 때문에 예전에 비하면 책 쓰기가 엄청나게 유리해졌다. 관심 있는 정보를 얻기 위해서 안테나를 뽑아 놓기만 하면 관련 정보가 모일 수 있기 때문에 관심을 두기만 한다면 정보수집은 걱정할 필요가 없는 세상이 되었다.

여기서 중요한 것은 필요한 자료나 정보가 남의 것만으로 모두 채워져서는 결코 안 된다. 노래하는 가수가 남의 노래만으로 유명해질 수 없듯이 반드시 자기가 살아온 과정에서 얻은 지식과 경험이 주체가 되도록 하여 자기의 목소리가 담기지 않으면 결국 남의 책이나 정보를 옮겨놓은 것에 불과해지기 때문에 제대로 된 책이 나올 수가 없다.

그렇다고 살아온 삶이란 삶 전체가 아니라 책의 주제와 관련된 저자의 경험과 지혜만을 필요로 한다. 특히 자기 계발서나 자서전의 경우는 저자의 성공 경험이나 스토리가 핵심적으로 들어가야만 살아있는 글이 되고 남들과 차별화된 책이 될 수 있다.

실용서책은 머리가 아니라 자료로 쓴다고 했다. 4장에서 소개할 여러 가지 클라우드 기술을 활용한다면 필요한 정보 습득은 그 범위가 대폭 넓어지고, 그 자료 습득에 걸리는 시간은 생각보다 빠르다. 특히 외국어 자료나 이미지 자료를 그대로 사진으로 찍기만 하면 문자로 자료화되는 기술을 사용한다면 획기적인 수단이 된다.

경쟁 도서 분석과 많은 책 읽기

물속에 비친 자신의 모습을 사랑해서 물에 빠져 죽게 된 '나르키소스'는 지나치게 자신만을 들여다보고, 그를 사랑했던 다른 존재들을 돌아보지 못했다. 책을 쓸 때 자기주장이나 핵심이 반드시 필요하지만 그렇다고 지나친 자기애를 경계해야만 한다. 주변의 경쟁 도서와 트렌드 분석을 통해 차별화할 부분과 받아들일 부분을 구분해야 한다. 그래야 독자들에게 사랑받는 책을 쓸 수 있다.

책을 쓰기 시작하기 전에 경쟁 도서 분석을 통하여 내 책의 장점 등을 알고 상대가 없는 시장으로 들어가야 한다. 철저한 비교, 분석, 그리고 나만의 창조의 세계로 들어가도록 방향을 잡는 것이 중요하다.

한 권의 책을 쓰기 위해서는 최소한 20~30권의 경쟁 도서를 사서 분석해야 한다. 분석표를 만들어서 제목, 부제, 홍보문구, 프로필, 앞뒤 날개 문구, 뒤표지 문구, 서문 및 후기, 목차, 부록, 각 꼭지 시작 문구, 각 꼭지 정리 문구, 에피소드의 제시방법, 수사법, 삽화에 이르기까지 그야말로 철두철미하게 분석하고 따라 해야 한다. 책 쓰기 코치를 하는 이상민 씨는 이를 '모델 북 해킹'이라고 부른다. 아무리 사소한 것도 빠짐없이 분석하는 것이 중요하다. 독서백편의자현讀書百遍義自見 말을 들은 적이 있을 것이다. 뜻이 어려운 글도 자꾸 되풀이하여 읽으면, 그 뜻을 스스로 깨우쳐 알게 된다는 말이다. 책 쓰기는 망망대해를 혼자서 먼 길을 항해하는 것과 같다. 이때 도움이 되는 것이 바로 경쟁 도서 벤치마킹과 관련 도서 읽기가 된다.

그리고 관련 도서를 많이 사서 읽어야 한다. 실제로 나는 책 한 권을 쓸 때마다 예스 24시에 들어가서 관련 도서 리스트를 만들어 직접 사기도 하지만 교보문고에 가서 이 리스트의 책들을 대강 넘겨보고 참고가 된다면 관련 도서를 모조리 산다.

이제는 창의력도 두뇌가 아닌 엉덩이에서 나온다고 말한다. 될 때까지 계속하는 근성이 창의력을 발휘하는 단초가 된다. 경쟁 도서를 분석하다 보면 '아! 딱 이 책처럼 썼으면 좋겠다.' 싶은 좋은 책이 있다. 이런 책은 모델 북으로 선정해서 철저하게 분석해야 한다. 그리고 잘된 요소를 추출해서 내 책에 의미를 부여하고 새로운 가치를 녹여 넣어야 한다.

'Good writers are avid readers' 단어대로 해석하면, '훌륭한 작가들은 열렬한 독서가들이다.' 조금 풀어보면 이렇게 된다. '글을 잘 쓰려면 책을 열심히 읽어라.' 글쓰기를 가르치는 대부분의 전문가는 동의한다. 좋은 책을 쓰고 싶다면 무엇보다도 먼저 해야 할 일이 관련 도서나 경쟁이 되는 책에 대해 많은 독서를 해야만 한다.

우리나라 국민들은 얼마나 열심히 책을 읽을까? 요즘 책과 신문 읽는 사람을 찾기도 쉽지 않다. 대신 핸드폰에 열중하는 사람들만 가득하다. 2016년 문화체육관광부가 발표한 '2015년 국민 독서실태 조사' 결과는 우리를 당혹스럽게 만든다.

통계에 따르면 우리나라 독서율은 성인 65.3%, 학생 94.9%로 나타났다. 성인은 2년 전보다 6.1%, 학생은 1.1% 감소한 수치다. 성인이 1년간 책 1권 이상을 읽는 사람이 10명 중 7명이 채 안 된다는 뜻이다. 3개월 동안 단 한 권의 책도 읽지 않은 사람이 10명 중 6명꼴인 59.2%로 나타났다. 그 어떤 수치보다 부끄러운 수치다. 성인 독서율만 보면, 1994년 86.8%를 기록한 이래 지속적으로 감소하고 있다.

책 구매비도 매우 적다. 성인들이 책 사는데 연간 평균 4만 8천 원에 불과했다. 과연 우리나라가 최고의 교육열을 자랑하는 나라인지 의심이 들 정도다.

독서야말로 사람을 더욱 아름답고 풍요롭게, 또 유능하게 만드는 최고의 방법이다. 이지리더 독서경영연구소 이원종 대표는 사자성어 가운데 '처마의 빗방울이 돌을 뚫는다.'는 '점적천석點滴穿石'이라는 글귀를 가장 좋아한다고 한다. 독서와 시간 관리를 습관화하는 것이 이와 유사하다.

책을 500여 권을 남긴 다산茶山 정약용은 책 읽기에서 5천권 이상을 읽어야 한다는 주장을 폈다. 마이크로소프트 창업자 빌 게이츠는 1만 4000여 권의 책을 소장한 '개인 도서관'을 가장 아낄 만큼 유명한 독서광이다. 무한한 상상력으로 스마트폰 시대를 연 스티브 잡스도 독서에 관한 한 이에 못지않았다. 평소 "아이폰이 서 있는 곳은 인문학과 기술의 교차점"이라며 "세상에서 가장 좋은 것은 책과 초밥"이라 말할 정도였다.

나이가 들면 시력이 나빠지고 집중력이 떨어져 독서에 애로사항이 생긴다. 그러나 이것도 이유가 되지 못한다. 앞에서 소개한 대로 책이나 글도 소리로 읽어 주며 TV만으로도 책 읽기가 얼마든지 가능하기 때문이다.

독서는 인류 역사상 가장 훌륭한 스승들에게 배우는 작업이다. 생각하게 하고 깨닫게 하고 따라 하게 한다. 고난이 닥쳐왔을 때 자신을 구원해 준 것이 한 권의 책이며, 난제를 만났을 때도 책에서 그 해결책을 구했다는 사람들의 이야기는 독서가 인생에서 왜 중요한지를 일깨워준다.

관련 자료 분류 및 소제목에 연결 짓기

아무리 많은 정보와 자료가 많이 모여 있다고 하더라도 책 쓰기에 관련된 핵심적인 정보만을 다시 정리하는 작업이 필요하다. 방대한 사료를 모았다면 소제목과 연결하는 것이 매우 중요한 작업이다. 이 작업은 소제목들이 집을 지을 때 기둥과

골격이라면 벽돌을 차곡차곡 쌓아 올리는 작업이다.

요즘은 이러한 작업을 컴퓨터나 핸드폰에서 아주 쉽게 할 수 있기 때문에 설령 처음의 작업이 제대로 되어 있지 않더라도 걱정할 필요가 전혀 없다. 수시로 얼마든지 재작업을 통해서 재정리가 가능하므로 일단 분류하여 소제목마다 가득 채워 넣는 것이 급선무다. 일단 소제목마다 자료가 가득 채워졌다면 그다음부터는 꼭 필요한 정보나 자료만을 남겨두거나 지우기도 하고 부족한 내용은 메모해 두었다가 다음에 다시 채워 넣도록 하면 된다.

예전에는 방대한 자료를 분류하고 정리하여 소제목과 연결하는데 엄청난 시간과 어려움이 많았다. 자료를 일일이 가위로 잘라 붙이기도 하고 이러한 자료를 다시 컴퓨터에 재입력을 해야만 했다. 지금은 검색을 통해 분류하는 방법이 너무나 발달해서 아무리 방대한 자료라도 키워드만 입력하면 제목은 물론 내용 안에 숨어 있는 단어까지 골라서 찾아주기 때문에 자료를 보관할 때 제목만 잘 달아 놓아도 짧은 시간 안에 소제목과의 연결 작업이 가능하다.

따라서 4장에서 핸드폰으로 자료 관리하기를 설명할 예정이지만 가장 먼저 이루어져야 하는 일이 자료실을 어떻게 꾸밀 것인지를 구상하는 일이요, 그 구상 결과에 따라 구글 드라이브를 효과적으로 구성해야 할 것이다. 구글 드라이브에 각종 폴더들이 구성되고 나면 PC나 노트북에서 자신의 PC나 노트북에 저장되어 있는 자료들을 복사하여 PC나 노트북의 탐색기에 나타난 구글 드라이브의 대상 폴더에 붙여 넣기 해 주기만 하면 그때부터 언제, 어디서나 핸드폰으로 자료를 활용하고 수정 보완하고 다른 사람들과 공유할 수 있는 나의 클라우드 환경이 일단 조성된 것이다.

3

책 본문 원고 완성하기

본문 쓰기와 분량 조절하기

모든 자료와 글쓰기 소재들을 소제목 별로 연결해 놓았다면 이제 쓰고자 하는 책을 구상했던 전체 흐름과 어떻게 일관성 있고 매끄럽게 완성해 나갈 것인가를 검토해야 한다. 따라서 먼저 해야 할 필수적인 중요한 과정은 책 쓰기를 구상했던 초심으로 돌아가 전체 흐름이 그 당시 기획했던 내용과 일치하고 있는지 체크를 하고 작업을 시작해 나가야 한다.

전체 흐름을 살핀다는 말은 '논리 전개'가 무리가 없는지 살피는 것으로 중간을 생략하고 껑충 건너뛰면 '논리적 비약'이 되고 난다. '흐름'이라는 단어를 보면 알겠지만, 글은 마치 강물처럼 위에서 아래로 흘러가는 것처럼 자연스럽고 매끄럽게 전개되어야 한다. 따라서 장이나 꼭지마다 글을 다 쓴 뒤에는 중간에 징검다리가 잘 놓여 있는지 확인해 볼 필요가 있다. 첫 문장은 어딘가에서 발원한 물줄기에 해당하는지 그 물줄기가 다른 물줄기와 만나면서 강의 폭이 넓어지고 깊이를 얻게 되는데 강물이 된 물줄기는 유유히 흘러서 바다로 향하게 된다. 따라서 '부족하거나 미진한 내용'이라고 느낀다면 그게 주제에 맞는지 따져본 뒤에 필요하면 추가로 넣고, 군더더기라고 생각되면 과감히 빼는 것이 좋다.

그렇다면 하루에 얼마나 쓸까?

하루에 얼마의 원고를 써야 하는지 정해진 건 없지만 이렇게 생각해 보자. A4 120매의 분량을 채워서 책을 한 권 쓴다고 생각할 때 A4 120매를 채운다는 말은 A4 1~2페이지짜리 꼭지를 60~70개를 쓴다는 말이다. 그렇다면 하루에 A4 1장씩 쓴다면 두 달이면 한 권의 책을 쓸 수 있다는 말인데 이는 전문작가가 아니면 결코 쉬운 일은 아니다. 그렇지만 이러한 상세계획을 세워두지 않는다면 책을 쓴다는 것은 공염불에 지나지 않는다. 모든 꼭지의 분량이 똑같을 필요도 없다. 조금 긴 것도 있을 것이고, 조금 짧은 것도 있겠지만 너무 길어지면 중간에 소제목을 추가로 넣어서 읽기 지루해지지 않도록 만들면 된다.

무엇보다 중요한 건, 본문 쓰기라는 부담감을 조금이라도 줄이려면 '하루에 한 꼭지씩 쓰는 것'으로 계획을 잡는 게 좋다. 그러려면 목차를 보다 구체적으로 만들 필요가 있고 원고를 쓰는 도중에 목차가 이상하다고 느끼면 목차를 이리 보고 저리 보면서 예뻐 보일 때까지 다듬어 보완해 나가면 된다.

본문을 쓴다고 해서 원고지에 쓰는 경우는 이제 거의 없다. 컴퓨터를 활용해 쓸 경우에 자료의 호환이나 양을 체크하기 위해서는 표준 서식을 정해 놓을 필요가 있다. 그동안 경험으로 본다면 컴퓨터로 작업할 경우

문서 사이즈 A4

글자 크기 10포인트

줄 간격 160으로 작업하는 게 보통이다. 그러나 시니어들이나 눈이 나쁜 사람인 경우 글자 크기를 11포인트, 줄 간격 180으로 하고 작성하면 글자도 시원시원해서 작업하기는 편해진다.

초보 저자들이 가장 궁금해하는 것 가운데 하나가 원고를 '얼마나' 써야 하느냐 하는 점이다. 예상 페이지 수는 저자가 쓴 원고가 책으로 출간된다고 할 때, 대략 몇 페이지 정도의 책으로 만들어질 것 같은지를 묻고 있다. 독자가 책을 구매한다면 어느 정도의 내용이 있어야 읽을거리가 있다고 생각하고, 돈이 아깝지 않을지 상상해보라. 그렇다면 과연 책 한 권의 분량은 어느 정도가 되어야 할까?

예를 들어보자. 만약 원고를 한컴오피스의 '한글(아래아 한글)' 프로그램에서 작성했다고 가정하자. 한 권 분량의 글자 수는 15만 자를 기본으로 삼는 것이 일반적이다. 페이지 수는 글자체, 글자 크기, 자간 넓이, 폭 높낮이 등의 다양한 변수가 있기 때문에 여기에서는 일반적으로 예상 페이지 수를 산출할 수 있는 방법을 설명하고자 한다.

그동안의 경험으로 본다면 10포인트 기준으로 A4 한 장의 경우 2.2~2.5페이지의 책 분량의 경우가 일반적이었다. 따라서 300페이지 책의 경우는 원고는 A4로 120~140페이지가 될 것이고, 책의 분량이 350페이지라면 A4로 140~160페이지를 써야만 한다.

본문을 써 내려갈 때 꼭 염두에 두어야 할 일이 있다. 아무리 좋은 내용이나 전문성이 있다고 하더라도 글이 너무 딱딱하거나 지루하다면 독자들로부터 외면받을 공산이 크다. 글은 중학생 눈높이로 써야만 한다는 주장도 있지만 이를 해결하는 방법의 하나가 이해를 돕기 위한 예문이나 사례를 넣는 방법이다. 더구나 이러한 예문이나 사례가 자신이 과거에 직접 경험했거나 실제로 현장에서 적용되어 성공적으로 활용되었던 것이라면 금상첨화다. 자기 개발서나 에세이, 자서전의 경우는 더욱더 실제 경험이 핵심이 되어야 설득력이 있고 다른 경쟁서와 차별화가 가능하다.

전문서의 경우도 장이나 절 마다 실제 쪽 사례를 넣어 본문을 정리한다면 시각적인 효과도 있고 독자들이 읽기도 수월해질 수 있기 때문에 매우 효과적이다.

초고 원고 다듬고 교정하기

글의 힘은 '퇴고'에서 나온다. 글은 많이 썼다고 해서 절대 끝난 것이 아니다. 어떤 작가는 퇴고에서 이야기가 바뀔 정도로 '퇴고의 힘'은 강하다. 글을 써서 누군가에게 보여주는 것을 부끄러워하면 안 된다. 다른 사람들과의 피드백 속에서 내 글은 점차 완성도가 높아진다. 퇴고하는 데는 하기의 세 가지 원칙이 있다.

첫째, 쓴 글에서 빠진 부분과 부족하다고 느껴지는 부분을 찾아 보완해야 한다.

둘째, 불필요한 부분이 있거나 지나치게 많이 들어간 것들을 찾아 없애야 하며

셋째, 쓴 글의 순서를 바꾸었을 때 더욱 효과적일 부분이 없나 살펴보고, 구성을 변경해서 주제에 더 효율적으로 다가가게 할 필요가 있다.

그런데 시니어들은 퇴고가 쉬운 일이 아니다. 눈이 침침해지기도 하고 읽어도 금방 눈에 들어오지 않는다. 심지어는 앞에서 지금까지 무엇을 읽었는지조차 몽롱해지기도 한다. 이럴 때 TTS를 이용해보자. 'Text-To-Speech'의 약자로, 기계의 오디오 서비스를 이용해서 자신의 글을 들어볼 수 있다. 글을 귀로 듣게 되면 더 객관적인 시각에서 내 글을 볼 수 있게 되어 오타나 잘못된 문맥들을 쉽게 잡아낼 수 있다. 4장에서는 토크프리 핸드폰 앱을 활용해서 교정법을 잘 설명해주고 있다.

시인 윤동주는 한마디 시어詩語 때문에 몇 달을 고민하고, 헤밍웨이의 소설 『노인과 바다』는 100여 번의 수정을 거듭해서 나왔다고 알려져 있다. 송나라 문장가 구양수는 시를 쓴 이후에 벽에 붙여두고 방을 드나들 때마다 고민했다고 한다. 하물며 처음 글을 쓰거나 책을 쓴 사람이라면 오죽하랴!

당나라의 시인 가도賈島는 나귀를 타고 친구의 집을 찾아가는 길에 한 편의 시가 머리에 떠올랐다.

閑居隣竝少 한거린병소　한가하게 거하니 함께하는 이웃이 드물어
草徑荒園入 초경황원입　좁다란 오솔길에 잡초만이 무성하구나
鳥宿池邊樹 조숙지변수　새들은 연못가 나무 위에서 잠자고

여기까지는 단숨에 읊었으나 그다음 결구_{結句}가 얼른 생각나지 않았다.

僧推月下門_{승추월하문} 스님은 달빛 아래서 문을 밀고 있구나

이상과 같이 끝을 맺어 보기는 하였으나, 어쩐지 마음에 들지 않았다.

'推'자를 두드릴 '敲_고'로 바꿔 볼까 싶어, 僧敲月下門이라고 고쳐 보기도 하였다. '推'자와 '敲'의 어느 글자를 써야 할지 얼른 판단이 나지 않아 정신없이 나귀를 몰아가다가, 그 당시 경윤_{京尹} 벼슬을 지내던 대 문장가이자 당송 8대가의 한 사람인 한유_{韓愈}의 행차를 비키지 못해 그 앞에 불려 가게 되었다. 엄숙한 분위기에서 가도는 자기가 영감의 행차를 막게 된 이유를 설명하였다. 그랬더니 한유는 충돌에 대한 책임에는 아무 말도 하지 않은 채

"'推'자 보다는 '敲'자가 월등하게 좋소이다."

라고 말하여 그때부터 글자와 글을 고칠 때 쓰는 말로 '퇴고'라는 말이 생겨난 것이다. 이처럼 원고를 고치는 일은 중요하기도 하지만 쉬운 일만도 아니다.

일단 초고를 완성한 다음에 일차적으로 해야 할 일은 잘못된 부분이나 어색한 부분을 고치는 일이다. 무엇보다도 먼저 할 일은 오자나 탈자 찾아내어 바로잡아야 한다. 잘못된 글자나 탈자가 있으면 우선 무성의하게 느껴지고 글에 대한 신뢰도가 떨어지기 마련이다. 최소한 오자와 탈자는 없도록 해야 한다.

물론 출판에 들어가기 전 출판사에서 초고를 여러번 검토하면서 바로잡고 윤문을 하면서 교정과 교열을 하는 단계에서 모두 잡아주는데 이는 출판사의 일이다. 그러나 그 이전에 자기가 쓴 글에 대해서는 최대한 성의를 보여주는 것은 저자의 최소한의 성의이고 예의라고 할 수 있다.

문제는 자기가 쓴 글은 자기가 고치는 데 한계가 있다는 것이다. 비록 자기가 썼다 하더라도 남의 힘을 빌리는 것도 좋은 방법이다. 중국의 시성이라 일컫는 두보_{杜甫}는 시를 지은 다음에 그 시를 어머니에게 들려주어 반응이 있을 때까지 고치고 고쳐 발표하였다고 한다. 나도 글을 쓰거나 책의 초고가 완성되면 반드시 아내에게 교정을 부탁했다. 글쓰기나 책 쓰기에 전혀 문외한인데도 용케 잘못된 부분이

나 틀린 글씨까지 정확히 잡아낸다. 심지어 문맥이 이상한 것도 발견해주고 중복되거나 어색한 내용까지도 잡아내 준다.

내가 에세이 클럽에서 글쓰기를 배울 때 손광성 선생님은 공부하는 학생들의 글을 하나하나 빨간 볼펜으로 수정해 주셨다. 그때마다 수정한 부분이 하도 많아 '딸기밭'으로 불릴 정도였는데 사실 그게 창피하다고 생각할 게 아니라 그러한 과정을 통해서 매끄럽고 아름다운 글이 되어 나온다.

대개 처음 글은 쓴 사람들이나 나이가 든 분들의 글은 문장이 길다. 띄어 쓰고 끊어주는 기준이 없다 보니 그렇다. 특히 나이 드신 분들은 한자를 많이 쓰거나 접속사를 거의 사용하지 않는다. 이 두 가지만 바꾸어도 문장이 쉽고 매끄러워진다.

여기서 중요한 것은 앞에서 소개한 대로 다 작성된 원고를 수정하는데 TV 화면을 연결해서 눈으로 보면서 교정할 경우 4~5배 빠르고 그 효과도 아주 다르다는 경험을 소개했는데 이 방법을 사용하면 큰 효과가 있다는 것을 다시 한번 강조한다. 특히 눈이 나쁜 시니어들은 반드시 이 방법을 권하는 바다.

수정에서의 가장 큰 과제는 자기가 전달하려는 기획 의도에 적합하게 전달되도록 글을 제대로 썼는지 체크하는 일이다. 특히 기승전결이 있어서 도입과 전개, 그리고 전달하려는 메시지 전달이 되고 있는지를 여러 번 반복해서 읽으며 체크해야만 한다.

서문과 후기 쓰기

서문, 맺음말 쓰기를 어떻게 소개할 것인가? 본문 쓰기를 마무리하면 서문과 맺음말을 써야 한다. 서문에서는 책을 잘 소개해야 한다. 책을 고르는 사람들은 서문과 목차를 본 다음 후기를 훑어보는 관행이 있다. 이를 보고 책을 고를 때가 많다. 서문은 이 책을 읽으면 독자에게 어떤 이익이 있는지를 분명하게 알려 주는 글이다. 머리말은 격에 따라 '프롤로그' 또는 '책을 펴내며' 등으로 표현하기도 한다. 200

만 부를 팔아서 베스트셀러로 유명한 김난도 교수의 『아프니까 청춘이다』의 프롤로그는 명언과 함께 시작하여 사람들의 관심을 유도하고 있다.

"젊음은 젊은이에게 주기에는 너무 아깝다." 영국의 작가 조지 버나드 쇼는 이렇게 말했다. 이처럼 청춘을 한마디로 말하기에는 절절한 표현도 부족하다고 생각될 만큼 젊음은 소중하고, 희망이 있다는 말로 시작했다.

서문에서는 여러 방식의 표현 방법이 있지만 보통 책을 왜 썼는지, 이 책이 다른 책과 차이점은 무엇인지, 이 책을 왜 읽어야 하는지, 이 책을 읽고 어떻게 활용해야 하는지, 이 책을 어떻게 구성하였는지를 쓴다. 그렇다고 너무 장황해서는 핵심을 놓칠 가능성이 있고, 처음부터 지루하게 느껴질 수 있기 때문에 길어도 3~4페이지를 넘기지 않는 게 좋다고 할 수 있으나 출판사에 따라 요즘에는 책을 잘 안 읽는 문제로 책 전체를 요약해서 대체하기도 한다.

반면에 맺음말에는 저자가 독자에게 마지막으로 해 주고 싶은 말을 쓴다. 하지만 머리말에서 처음에 작성한 내용이 반복되어서는 안 된다.

맺음말은 '책 마무리'라고도 한다. 이 부분도 책을 고르기 전에 반드시 먼저 눈이 가는 부분이니 신경을 써야 한다. 책 내용을 요약할 수도 있다. 아니면 글을 쓰는 과정에서 생겼던 크고 작은 에피소드 중심으로 정리할 수도 있다. 마지막 부분이기 때문에 책을 덮으면서 여운을 남기도록 써야 한다.

요즘 독자들은 더 이상 추천사를 크게 믿지는 않는다. 그런데도 추천사만큼 초보 저자의 책을 빛나게 하는 방법은 없다. 그렇다고 반드시 유명인사일 필요는 없다. 그 분야 실무자나 예상 독자 가운데 책을 미리 읽고 '강력추천'하는 추천사를 써준다면 독자에게 오히려 잘 통할 수 있다. 최근 동향을 보면 책 속의 긴 추천사보다는 날개나 뒤표지에 3~5줄 정도의 길이로 추천사를 넣는 경우가 많다.

여기에 등장하는 추천인들도 지나치게 거물급 인사보다는 현장의 실무자나 책을 판매하는 데 도움이 될 전문가나 지인을 넣어 책의 무게도 늘리면서도 자연스럽게 홍보로 연결되는 방식이 훨씬 나을 수 있다.

저자 소개하기

출간 제안서를 작성하고 내 원고에 맞는 출판사를 선정했으면 이젠 매력적인 저자 프로필을 작성해야 한다. 저자 프로필 역시 출간 제안서와 마찬가지로 너무나 중요하다. 출판사 편집자가 출간 제안서 가운데 프로필을 가장 먼저 보기 때문이다.

저자 프로필이 독특하면서 무언가 끌림을 갖게 하면 편집자는 다른 것까지 세세하게 보게 된다. 그래서 어떤 저자들은 원고를 다 쓴 후 저자 프로필을 쓰기 위해 몇 주씩 고민하며 시간을 보내기도 한다.

그런데 안타까운 것은 초보 저자들은 프로필을 엉성하게 쓰는 이들이 많다는 것이다. 특히 자비출판으로 책을 내본 경험이 있는 어떤 사람은 저자 소개를 쓰라고 하니 마치 입사지원서에 있는 자기소개서를 예상했는지 구구절절 지루하게 쓰는 경우도 있다. 결코 이렇게 하면 안 된다. 저자는 지금 '자기소개'가 아니라 '저자 소개'를 쓸 예정이기 때문이다. 자기소개와 저자 소개는 개념적으로 다르다.

저자가 전략적으로 저자 소개를 작성하고 싶다면, 학벌이나 책 주제와 관련이 없는 많은 경력보다는 저자가 쓴 책과 관련된 내용으로 저자 소개를 써 내려가야 한다. 예를 들어 블로그와 관련된 내용에 대한 책을 썼다면 저자 소개도 당연히 블로그에 대한 전문성을 중심으로 소개되어야 한다. 이때에는 파워블로그나 블로그 운영 경력, 수상, 칼럼 기고, 방문자 수, 글 수, 보여줄 수 있는 공식화된 데이터나 자신의 이름이 올라간 보도자료, 관련 책이나 저서가 있다면 그것들과 관련된 논문이나 학력, 직업이라든지 IT와 관련된 다양한 프로필 등에 초점을 맞추어 작성해야 좋다.

저자 소개는 미리 작성해두는 편이 좋다. 나중에 출간 계약이 끝나고 나면 저자 교정이나 제목 선정 등 해야 할 일들이 산더미인 데다가 원래의 생업도 겸해서 해야 하기 때문이다. 책을 쓸 때나 출간 기획서를 쓸 때, 말하자면 책에 완전히 몰입되어 있을 때야말로 저자 소개를 쓸 절호의 찬스다. 나중으로 미루어 '계약되면 써야겠다!'라는 잘못된 전략을 선택한다면, 저자의 저서 출간은 기약 없이 세월만 허비하게 될 것이다.

일반적인 통념과는 다르게 저자 소개는 독자에게 상당한 영향을 준다. 독자는 저자의 전문성과 경험 등을 책이라는 매체를 통해 구매하는 것과 같다. 즉, 저자는 독자보다 책에 들어있는 내용과 분야에 대해서만큼은 전문가여야만 한다. 따라서 독자들은 저자 소개를 유심히 살펴보고 책의 구매 결정 여부를, 한마디로 책을 읽을지 말지에 대한 가부를 결정한다. 저자 소개는 심지어 책의 내용까지 다르게 만들 수 있다. 저자가 말하는 수학 개념과 내가 말하는 수학 개념, 그리고 수학 전문가나 수학 전문 교수가 말하는 수학 개념은 와 닿는 느낌이 전혀 다르다. 똑같은 개념이라고 할지라도 말이다.

결국 저자 소개를 심혈을 기울여 써야 한다. 관련 경력과 내용을 확실하게 어필해야 한다. "나는 책과 관련된 아무런 경력이나 경험이 없어요!"라고 말한다면 원고를 쓸 수도 없었을 것이지만 어떻게든 썼다고 하더라도 책을 출간하기는 아주 힘들 것이다. 그렇기 때문에 지금부터라도 관련 경력이나 경험을 쌓아둘 필요가 있다.

일반적으로 책 소개에 들어가는 분량은 비슷비슷한데, 실제로 저자가 써야 하는 저자 소개의 분량은 그보다 많아야 한다. 최종 선택은 저자와 출판사가 결정할 것이다. 일단은 최대한 자세하면서도 강력한 포인트가 드러나도록 쓰는 것이 좋다.

4

출판사 선정과 계약하기

출간 기획서 보완과 출판 제안하기

책 쓰기와 글쓰기의 가장 큰 차이점이라면 책은 공짜로 나눠주는 것이 아닌 이상, 누군가에게는 읽히고 판매되어야 한다는 것이다. 책이라는 것은 문학적이고 예술적인 부분과 기록이나 전문자료로서도 존재하지만, 경제적인 면도 같이 존재한다는 사실이다. 더군다나 출판사는 이익을 도모하는 회사다. 물론 책을 통해 더 좋은 세상을 만들고 더 뛰어난 사람을 양성한다는 위대한 명분도 함께 가지고 있다.

요즘처럼 책이 팔리지 않는 불황기에는 출판사에서 가장 당면한 과제는 역시나 '돈'에 관한 부분이다. 가장 기본적인 운영비가 있어야 출판사 자체를 운영할 수 있기 때문이고, 그래야만 더 좋은 작가를 찾아 나설 여유를 갖고 베스트셀러 및 스테디셀러가 될 많은 책을 여유롭게 검토할 수 있기 때문이기도 하다.

그래서 책 쓰기를 시작할 때 초기에 써 놓은 출간 기획서와 초안을 완료한 후 출판사에 보여주어야 할 출간 기획서를 쓸 때 돈과 관련된 해당 항목을 유심히 보완하여 쓸 필요가 있다. 가령, 대상 독자층이라든지, 예상 페이지 수 등을 통해 대략적인 비용을 가늠해 볼 수도 있다. 출판사는 저자가 생각하는 책의 가격과 예상 판매 부수를 요구한다. 그리고 경쟁 도서를 분석하고 현재의 출판시장을 이해하게 하며, 저자가 제시한 책의 가격 및 판매 부수에 원고가 정말 걸맞는지를 알고 싶기 때문이다.

이를 위해 가까운 서점이나 도서관을 찾아가서 자신의 원고와 비슷하고 자신이 생각했을 때 책의 최종 완성본이라고 그려지는 청사진과 비슷한 책을 골라 가격을 보면 된다. 예상 정가를 산출할 때에는 근거를 명확하게 하면 좋다.

가령, 예상 페이지 수가 약 250페이지 정도라면 산출내역을 위한 책도 250페이지 정도를 고르는 것이 좋다. 출간된 지 너무 오래된 책은 국가 인플레이션이나 물가를 반영하지 못할 수도 있다. 따라서 최근 2년 정도의 책을 찾아보고 참고한다면 도움이 될 것이다.

출간 기획서에서도 드러나긴 하지만 샘플 원고를 통해 출판사는 저자의 필력과 생각들, 흥행성 등 책과 관련된 대부분을 판단할 수 있게 된다. 당연하게도 출판사 입장에서는 샘플 원고를 읽어보고 싶어 한다. 왜냐하면 출간 기획서가 아무리 좋아도 원고 자체가 부실하면 아무 소용이 없기 때문이다. 말하자면, 샘플 원고는 출판사 처지에서 볼 때 '이렇게 멋진 출간 기획서에 어울리는 원고가 나중에 잘 도착할 것인가?'를 판단하게 하는 유일한 척도가 된다는 것이다.

샘플 원고가 좋은 점은 원고 전체가 완료되지 않은 상황에서도 '출간 기획서+샘플 원고' 조합을 통해 출판사에 투고하고 출간제의를 해볼 수 있다는 것이다.

출간 기획서가 살짝 부족하더라도 샘플 원고가 좋으면 선택을 받을 수도 있다. 이것은 괜찮은 전략이며 일종의 단시간에 출판사를 결정하는 복안이라고도 할 수 있다. 그래서 투고를 할 때는 꼭 출간 기획서와 샘플 원고를 함께 보내는 것이 좋다.

원고 보낼 출판사 선정하기

원고가 준비되었다고 일이 다 끝나는 것은 아니다. 책을 인쇄할 출판사를 정해야 한다. 출판사는 편의상 대형 출판사와 소형 출판사로 나눌 수 있다. 여기에는 어떤 차이가 있을까? 우선 대형 출판사는 기획력이 탄탄하고 홍보능력이 있다. 대형 출판사에서 책을 낼 수도 있다. 큰 행운이 아닐 수 없다. 하지만 대형 출판사에서 책을 내기는 쉽지 않다. 책을 내고 싶어 하는 사람이 너무 많고 지명도가 없으면 접근 자체가 어렵다. 지명도가 있더라도 책이 팔릴 확률이 낮으면 책을 내기가 쉽지 않다.

나는 대형 출판사에서 주로 책을 냈기 때문에 많은 사람이 책 발간을 부탁해왔다. 소개도 많이 해주었다. 하지만 실제로 책 발간까지 연결되는 사례는 많지 않았다. 사장은 좋다고 하는 데 실무자인 팀장이 반대하는 경우도 있다. 이는 대체로 팀장들은 성과급을 받기 때문에 자기가 자신이 없으면 부정적으로 대응을 하기 때문이다.

따라서 처음에는 소형 출판사에서 경험을 쌓아 점차 대형 출판사로 가는 방법이 적절하다고 생각된다. 아무래도 책을 한 번 내본 경험이 있는 사람은 그 책이 자신을 홍보해주기 때문에 다음 책을 발간하기가 그만큼 쉬워진다. 소형 출판사든, 대형 출판사든 중요한 것은 콘텐츠다. 글의 내용이 좋으면 어디서든 환영받을 기회는 있다.

출판사에 투고하기 위해서는 먼저 출판사의 목록을 리스트업 해야 한다. 인터넷 검색 및 인터넷 서점 등을 통하면 빠른 시간 내에 많은 출판사를 리스트업 할 수 있다. 하지만 무작정 투고한다고 해서 책 출간이 이루어지지는 않는다. 모든 일이 그렇듯 투고에서도 전략과 계획이 필요하다. 출간 기획서도 그렇지만 이 투고 작업도 마찬가지로 최종 목적지는 책을 출간해주는 곳이다. 책 출간을 위한 투고 전략 및 계획은 다음과 같이 이루어진다.

첫째, 먼저 조사된 출판사 리스트에서 가장 마음에 드는 출판사 몇 곳을 선택하는 작업이 필요하다. 무조건 크다고 좋은 출판사는 아닐 수 있으며, 작가 자신과 성향이라던지 여러 가지 코드가 맞는 출판사가 좋을 수도 있다. 이 부분을 꼼꼼히 따져보고 검토해 본 다음 출판사를 선택해야 할 것이다.

둘째, 선택된 몇몇의 출판사 이름을 검색하여 해당 출판사에서 지금까지 출간했던 책들이 어떤 것들이 있는지 살펴본다. 대부분의 출판사에서는 자신만의 주력 장르가 있다. 소설이면 소설, 일반문학이면 일반문학, 실용서면 실용서, IT 계열이나 교과서 형태 등 장르는 매우 다양하다. 일단은 장르 자체가 같은지 검토해본다. 만약 장르가 비슷하지 않거나 아예 동떨어진 주제라면 아무리 좋은 원고와 출간 기획서가 준비되어 있다 하더라도 해당 출판사에서 출간을 결정할 확률은 낮다.

셋째, 출판사 홈페이지 등 해당 출판사에 투고하는 방법을 알아내야만 한다. 큰 출판사들은 자신들의 홈페이지에 투고 메뉴를 만들어 두기도 하고, 이메일을 통한 투고 방법을 안내하기도 한다.

여기에서 주의해야 할 점은 출판사들 중에서 자신들만의 '출간 기획서 양식'을 배포하는 경우다. 이럴 때는 공유되어 있는 해당 출판사의 출간 기획서에 저자가 지금까지 썼던 출간 기획서 내용을 다듬어 붙인 다음, 해당 양식으로 투고를 해야 한다. 출판사에는 하루에도 엄청나게 많은 출간 문의가 들어온다. 파일을 열었을 때, 양식조차 지키지 않은 기획서를 누가 관심을 가지고 읽어보겠는가? 저자가 정말 자신의 원고를 책으로 만들 생각이 있다면, 해당 출판사에서 출간 기획서 양식을 배포하고 있는지 꼭 확인해야 한다.

표 2-1은 참고로 앞서 소개했던 왕초보인 엄진성 소장이 출판 기획서를 써서 원고와 함께 처음으로 출판사에 보냈던 출판사 목록이다. 이 중에서 5개 회사에서 연락이 왔다.

표 2-1 엄진성 소장이 홈페이지를 보고 투고했던 출판사들

No	출판사	연락처
1	BOOK 21	http://www.book21.com/company/proposal.html
2	RHK(랜덤하우스)	https://ebook.rhk.co.kr/front/utility/manuscript.do
3	갈매나무	kevinmanse@naver.com
4	국일미디어	http://kugilmedia.cafe24.com/default/customer/customer_03.php?topmenu=5&left=3
5	김영사	books@gimmyoung.com
6	넥서스	https://www.nexusbook.com:446/index.asp
7	노드미디어	nodemedia@daum.net
8	다산북스	http://dasanbooks.com/2012_new/menu4/menu4_11.html
9	더난출판사	http://www.thenanbiz.com/
10	동양북스	http://www.dongyangbooks.com/customer/customer_010900.asp
11	매경출판	publish@mk.co.kr
12	메디치미디어	medici@medicimedia.co.kr
13	문학동네	http://www.munhak.com/community/write.asp
14	민음사	http://minumsa.com/community/submission/
15	바다출판사	http://www.badabooks.co.kr/01_commu/commu4.php
16	북스토리	bookstory@naver.com
17	북플라자	book.plaza@hanmail.net
18	북하우스	http://www.bookhouse.co.kr/application/receipt.php?m=write
19	비즈니스북스	bb@businessbooks.co.kr
20	성안당	http://www.cyber.co.kr/shop/board/write.php?&id=won
21	세계사출판사	plan@segyesa.co.kr

22	세종서적	http://www.sejongbooks.co.kr/board_doc/doc_board_write.php?id=bookstory
23	센추리원	centuryone@centuryone.co.kr
24	스마트북스	http://www.smartbooks21.com/note_write.php
25	슬로미디어	wsw2525@gmail.com
26	시공사	https://www.sigongsa.com/cscenter/registDraftForm.php
27	심플라이프	simplebooks@daum.net
28	쌤앤파커스	book@smpk.kr
29	아름다운사람들	books777@naver.com
30	열린책들	editorial@openbooks.co.kr
31	오마이북	book@ohmynews.com
32	웅진출판-갤리온	https://www.wjthinkbig.com/WJBooks/CopyReceipt
33	웅진출판-걷는나무	https://www.wjthinkbig.com/WJBooks/CopyReceipt
34	위즈덤하우스	wisdomhouse1@wisdomhouse.co.kr
35	중앙북스	jbooks@joongang.co.kr
36	지식공간	http://jsgg.co.kr/index.php/offer/
37	청림출판사	life@chungrim.com
38	클라우드나인	bookmuseum@naver.com
39	토네이도	midnightbookstore@naver.com
40	학현사	hhpub@daum.net
41	한빛비즈	http://www.hanbit.co.kr/publisher/write.html
42	해냄출판사	hainaim1625@naver.com
43	홍익출판사	http://www.hongikbooks.com/report_mail.php
44	흐름출판	book@hbooks.co.kr

출판사에 최종 원고 피칭하기

마지막으로 이제 다된 원고를 출판사에 투고할 차례다. 어쨌거나 해당 출판사에 투고하는 시스템은 약간씩 다르기 때문에 해당 출판사에서 요구하는 방법을 통해 투고해야 한다. 투고할 때 저자가 준비해야 할 것은 총 두 가지다. 출간 기획서와 샘플 원고가 그것이다. 이 두 가지를 각기 다른 파일로 준비해서 보내도 되고, 출간 기획서 파일 내에 붙임 문서와 같은 형태로 함께 보내는 방법도 있다. 중요한 것은 내용이다. 파일의 형태가 어떻든, 내용은 빠짐없이 모두 들어가 있어야 한다.

딱 한 곳의 출판사에만 투고하는 것은 잘못된 전략이다. 그 출판사에서 저자의 책을 출간해줄지 그렇지 않을지는 아무도 모르기 때문이다. 저자는 해당 출판사에서 "이 원고를 백지수표를 써서라도 책으로 출간합시다."라는 말을 듣고 싶겠지만 현실은 냉정하기 그지없다. 리스트업 했던 출판사 몇 곳에 동시에 투고하는 방법을 사용하는 편이 유리하다.

투고했다면 이제는 기다림의 시간이 또다시 찾아온다. 저자의 출간 기획서와 샘플 원고가 검토되는 시간이 필요하다. 빠르면 일주일, 늦으면 수개월이 걸릴 수도 있다. 이때의 기다림에서는 원고 작성과 출간 기획서 작성, 그리고 투고 작업까지 마친 자신에게 적절한 휴식을 주고 어느 정도 에너지를 충전한 다음 원고를 다듬는 기간으로 삼을 필요가 있다. 또한 투고했던 모든 출판사에서 거절당할 경우를 고려하여 차순위 출판사를 물색하고 투고 준비를 해야 한다.

출판사에서 저자의 원고와 출간 기획서를 검토한 다음 최종적으로 출간을 결정 했다면 어떤 방식을 통해서라도 연락을 취할 것이다. 이때의 연락 수신을 좀 더 수월하게 하기 위해서 투고할 때 자신의 이메일과 연락처를 꼭 기재해 두어야 한다. 반대로 저자의 원고를 출판하지 않겠다고 결정되면 재미없는 일이 일어나기도 한다. 조금 친절한 출판사라면 "작가님의 원고와 기획서를 모두 검토했으나 OOO의 이유로 인해 출간하지 못할 것 같다."는 회신 답변을 줄 것이다. 아예 관심이 없는 출판사에서는 회신 자체를 안 해주는 경우도 있으니 그래도 실망하지 말고 다른 출판사를 통해 계속해서 투고하는 끈질긴 집념이 필요하다.

투고를 어떻게 하느냐에 따라 저자의 원고가 책으로 나올 수도 있고 그렇지 않을 수도 있다. 예전에 한번 반려당한 출판사라도 해도 얼마간의 시간이 지난 뒤, 그리고 원고와 출간 기획서를 확실하게 다듬은 다음 재투고 할 계획도 고려해야 하는데 이것은 절대로 부끄럽거나 민망한 일이 아니다. 저자의 최종 목표는 책 출간이다.

문제는 원고 작성 도중에 투고하게 될 경우이다. 이때에는 원고 완성 일정을 적절하게 제시해야 한다. 그리고 큰 이변이 없다면 해당 일정에 최대한 맞춰서 원고를 출판사에 넘겨주어야 한다. 이것은 상호 간의 약속이자 출간 일정 및 프로세스 운영에 큰 영향을 주기 때문이다.

출판사 인쇄본 교정과 보완하기

원고가 전달되고 출판사가 결정되었다면 드디어 저자의 손을 떠나 출판사에서의 책 출간의 내부 프로세스가 본격 진행되기 시작한다. 출판사의 책 출간 일정표에는 빽빽할 정도로 많은 원고가 인쇄를 기다린다는 사실을 염두에 두어야 한다. 내가 쓴 원고는 이제 출간 대기열에서 어디쯤 들어가야 할지 선택당해야 한다. 그 결정은 당연하게도 출판사 담당자다. 저자가 제시하는 예상 집필 완료 시기를 기준으로 출판사 담당자는 책의 인쇄 시기를 판가름하게 된다. 만약 이 일정이 뒤틀리게 되면 전체적인 일정이 뒤로 밀리거나 뒤죽박죽이 되어 골치를 아프게 하므로 저자가 제시하는 일정을 최대한 지켜주길 바라는 것, 또한 출판사 담당자의 마음이다.

아울러 완벽한 책이 되기 위해서 표지의 디자인, 종이의 재질, 종이 두께, 흑백혹은 컬러, 사진의 삽입 여부, 이미지 삽입 여부, 간지 유무, 도수 등에 대해서도 자기가 의도하는 책이 되도록 참고가 되는 자기 의견을 전달해야 할 필요도 있다.

예상 정가도 협의하여 산출했다면 이제 예상 판매 부수를 산출할 차례다. 예상 판매 부수는 예상 정가보다 더 산출하기 힘든 카테고리다. 아직 책이 서점에 깔리지도 않았고 마케팅도 하지 않았는데 도대체 몇 권이나 팔릴지 어떻게 알 수 있단 말인가?

예상 판매 부수는 사실 출판사 처지에서 볼 때 비용 산출 및 인쇄를 가늠하게 하는 척도가 된다. 엄청나게 많이 팔릴 것 같은 책이라는 판단이 든다면 조금 더 공격적으로 인쇄를 할 것이고, 그저 그런 책이나 버리기는 아까운 존재라면 대폭 축소된 인쇄 부수를 결정할 것이다. 물론 누구나 책이 엄청나게 많이 팔리고, 해외에도 번역되어 수출되며, 베스트셀러는 물론이고 스테디셀러에까지 오르기를 꿈꾸겠지만 그런 일은 자주 일어나지는 않는다. 결국 예상 판매 부수는 현실적으로 정하는 것이 좋다.

여기서 중요한 것은 최종 원고를 넘기는 정확한 일정이다. 초보 작가들이 실수하는 부분은 바로 여기다. 처음 출판 계약서에 사인 할 때는 한껏 고무된 나머지 3개월이 걸려도 완성할까 말까 한 원고 분량을 1개월 만에 완료하겠다고 다짐하기도 한다. 그리고 이 내용을 너무나도 당당하게 출판사에 전달한다. 출판사 입장에서는 당연히 저자의 말을 믿을 수밖에 없다. 어떤 근거나 데이터가 없는 상황이기 때문이다. 하지만 시간이 지나면 호언장담했던 원고 완성 일정은 계속해서 뒤로 밀린다. 2개월, 3개월, 그 이상…. 상황이 이렇다 보니 출판사 측에서는 계약서상에 '작가는 원고를 애초 약속한 날까지 전달해야 한다. 이것을 지키지 못한다면 출판사가 일방적으로 계약을 파기할 수 있다.'는 조건을 내걸기도 한다.

출판사에서 원고를 넘기고 나면 출판사는 먼저 윤문 작업과 1차 수정원고가 되면 저자에게 확인 작업을 의뢰하게 된다. 이러한 작업은 출판사에 따라 차이가 있게 되는데 대개 최종 완료까지 3~4회 계속된다. 이때 저자는 오탈자를 찾아내고 문구를 수정하는 일도 중요하지만, 그사이에 추가로 넣거나 뺄 부분은 없는지, 잘못된 부분은 없는지를 살피는데 중점을 두어야 한다. 여기에서도 원고를 수정하는데 TV 화면을 연결해서 눈으로 보면서 교정할 경우 속도도 빠르고 큰 효과가 있다는 것을 다시 한번 강조한다.

5

책 출간 후 활동

출간된 책 홍보와 활용하기

'만약 책이 출간될 경우 저자는 어떻게 책을 홍보할 것인가?'

이런 질문을 출판사가 왕초보 저자에게 한다면 아마 당황할 것이다. 요즘 같은 불경기에도 신간이 홍수처럼 쏟아지고 있다. 이런 신간의 홍수 속에서 내 책이 팔리려면 독자들의 눈길을 끌 수 있어야 한다. 그렇지 않다면 서점의 매대에 진열된 지 2주일 정도 후에는 내 책은 흔적도 없이 사라지게 된다.

물론 홍보는 출판사가 책을 팔기 위해 책임지고 여러모로 준비하는 것이 당연하지만 나는 책을 쓰려는 사람들에게 출판사에서 자신의 책이 출간되면 독자에게 어필하고 홍보를 하는데 협조적이어야 한다고 생각한다. 출판사에서 책을 출간하는 이유는 결과적으로 판매를 목적으로 한다. 하루에도 수십 권 이상의 신간들이 쏟아져 나오고 책을 읽는 사람들의 숫자가 급격하게 줄어들고 있는 출판시장의 상황을 고려하면 저자 자신의 홍보계획이야말로 정말 눈에 보이는 중요한 부분이다.

저자가 독자들에게 어필하는 방법은 사실 많지는 않다. 그러나 단체 구매가 가능하거나 영향력이 있는 지인에게 책을 소개하거나 신문 잡지를 연결할 수 있는 경우 신간 코너에 책 소개를 부탁할 수도 있다. 그리고 개인적인 활동으로는 개인 메일 소개, SNS와 블로그, 저자 특강 등이 있다.

여기에다 언론사를 적극적으로 활용해 자신의 책을 사람들에게 어필하는 방법을 출판사와 같이 노력하는 방법을 적극적으로 권한다. 사실 더 독자들의 눈길을 사로잡고 지갑을 열게 하는 데 있어 광고보다 더 강한 효과를 발휘하는 것이 바로 언론 기사이다. 예를 들어 2017년 4월에 내가 17번째로 출간한 『Samsung HR Way』는 감사하게도 한국경제신문에 신간을 소개하는 공병호 소장의 책 소개가 실렸다. 이후 그 기사로 인해 판매를 활성화하는데 많은 이바지를 했고, 책에 대한 신뢰도가 크게 올라가는 효과도 있었다.

요즘에는 젊은이들이 신문을 거의 보지 않아 광고는 출판사에서 막대한 비용을 들여서 해도 그다지 효과가 크지 않다. 반면에 책 소개 기사는 공짜로 이루어짐에도 독자들을 서점으로 이끄는 힘을 발휘한다. 왜냐하면 광고에는 상업적인 냄새가 물씬 풍기지만 책 소개 기사는 기자나 그 분야의 전문가가 객관적으로 책을 소개하기 때문에 독자들의 신뢰도가 훨씬 높기 때문이다.

책 출간과 맞먹을 정도로 중요한 것이 책 홍보이기 때문에 저자도 심혈을 기울여야 한다. 홍보야말로 요즘같이 불황과 책을 사지 않는 상황에서 책을 팔게 하는 유일한 척도이다. 이름값이 있는 유명한 저자들은 책 내용과 관계없이 유명세만으로도 많은 책을 단기간에 팔아치울 수 있다. 하지만 초보자나 경력이 적은 저자의 경우는 그렇지 않다. 심지어 저자가 누구인지도 모른다. 그렇기 때문에 홍보야말로 책을 세상에 알릴 수 있는 유익한 방법이다.

저자가 할 수 있는 또 하나의 홍보의 좋은 방법은 출간된 책을 강의나 세미나를 열어서 교재로도 쓰고 참가자들에게 비용을 받으며 나누어 주는 방법이 있다. 심지어는 이 책을 적극적으로 활용하여 자기가 하는 사업에 연결해서 활용한다면 책을 쓴 최고의 보람도 있을 것이다. 사실 전문작가가 아닌 다음에야 책을 써서 인세를 받아 수익을 남긴다는 것은 아무나 가능한 일이 아니다.

저자 출판기념회

책자를 홍보하는 방법으로는 여러 가지가 있지만 대개 출판사의 업무이고 저자가 홍보를 직접 수행하는 데는 한계가 있다. 그중의 하나가 저자 특강이나 출판 이벤트 그리고 출판기념회라고 할 수 있다.

책이 나오면 '출판기념회를 해야 하나. 한다면 어떻게 할 것인가?'를 생각하지 않을 수 없다. 흔히 출판기념회라고 하면 정치인이나 저명인사들이 호텔이나 문화회관에서 거창하게 행사를 치르는 경우를 떠올리기 쉽다. 하지만 꼭 그렇게 생각할 필요는 없다. 가까운 친지들을 초청해서 조촐하게 하는 경우도 있다. 아니면 가까운 가족과 함께 조용히 기념회를 해도 된다.

책 쓰기를 해내려면 시작과 끝이 중요한데 그러려면 일정 관리가 중요한 일이다. 책을 내겠다는 마음을 먹었다면 끝까지 밀고 나가고 집중해야 한다. 그런데 책을 쓰는 과정이 늘 순탄치만은 않다. 힘이 들 때도 많고 슬럼프가 찾아오기도 한다. 글이 잘 써지지 않으면 괜히 시작한 것 같은 회의와 좌절감도 밀려온다. 그럴 때 슬럼프를 극복하고 집중하는 방법의 하나가 출판기념회 날짜를 미리 정하는 것이다. 이를 위해서라면 의미 있는 날, 예를 들면 입사 30년 차, 퇴직 기념, 결혼 30주년, 회갑, 고희 등 자신이 축하하고 싶은 날을 선정하면 더욱 확실해진다.

출판기념회에 일정한 격식은 없다. 오히려 격식을 지나치게 차려서 출판기념회를 거행하게 될 경우 억지로 참석해야만 하는 경우도 많아 거기에 참석하는 사람들 모두에게 기분 좋은 일이 아닐 수도 있다.

그런 이유로 나는 20여 권의 출판을 했지만, 일부러 출판기념회를 한 번도 열어본 경험이 없다. 다만 자연스럽게 기존의 모임에서 케이크 하나를 자르며 축하받을 정도의 행사로 진행했던 경우는 여러 번 있었다.

결국 출판기념회는 자신의 형편에 맞게 하면 된다. 그리고 책을 쓰는 과정에서 책 쓰기의 마지막은 출판기념회가 피날레를 장식하는 일이다. 자신의 이름으로 당당하게 세상에 나올 책을 상상하면서 출판기념회 때 참석자들에게 전하고 싶은 저자의 소감과 감사의 인사말을 마음속으로 준비해 보자.

참고로 인간개발연구원 한영섭 원장은 책 글쓰기 회원으로 열심히 공부하고 평소 시를 즐겨 써본 경험으로 시인으로 등단하기도 했지만 책을 낸 본일이 없다. 내가 한 원장에게 책을 꼭 보라는 강요에 못 이겨 드디어 2018년 3월 『세상에 문을 두드려라』 자서전을 냈다. 내가 책을 쓰라고 한 강요죄가 있다고 해서 출판기념회에서 영광스럽게 소감 및 서평을 맡게 되었다. 이를 소개하면서 이 장을 마무리하고자 한다.

인디언들은 말 타기를 좋아하는데
한참 달리다가 멈춰 서서 뒤를 되돌아본다고 합니다

『세상의 문을 두드려라!』는 한영섭 원장님의 열정적으로 살아오신 인생여정을 수령이 60년이 넘은 나무의 나이테처럼 삶을 그려낸 여행기인 동시에 뒤를 되돌아보는 자서전이자 회고록이기도 합니다.

더구나 70여개 국가에 이르는 여행기는 물론 짬짬이 써오신 수필과 시속에서 곳곳에 살아 숨 쉬는 서정적 향취는 오래전부터 마음속에 품고 있었으나 바쁜 생활 속에서 제대로 표현하지 못했던 문학적 감성과 열망이 꿈틀거리는 문학도로서의 또 다른 진면목을 보여주고 있습니다.

이 책은 79년 전국경제인연합회에 입사한 후 경영인 연수 관련 업무를 도맡아 하며 각계각층의 경영인들과 함께 세계를 누벼 온 저자의 개인적 체험이나 기행문에 그치는 것이 아닙니다.

각양각색의 사람들을 융합시켜 모두에게 항상 즐겁고 유익한 여행을 선사해야만 하는 드라마를 연출하는 PD와도 같았을 것입니다. 제가 이 책에서 발견한 또 한 가지 사실은 일본의 유명한 소설가 무라까미 하루끼村上春樹가 이야기해서 요즘 뜨고 있는 소학행小確幸 즉 작지만 확실한 행복을 보여주는 여행이 더욱 흥미를 던져주고 있습니다. 친구들과 함께했던 산티아고 순례 길에서의 추억은 종국에는 손가락 끝도 움직이기 어려울 정도로 힘겨운 여행이었다고 합니다. 마음이 맞는 친구들과 힘을 모아 어려움을 극복하고, 서로 끊임없이 격려하며 도전해 나간 순례의 길은 아름다운 인생의 여정 그 자체였다고 저자는 기록하고 있습니다.

세계 곳곳을 돌아다니면서 국적과 나이, 민족을 초월해 인간적 유대를 느끼게 해 주었던 다양한 사람들과의 이야기는 저자의 추억과 감성이 담긴 다양한 여행지의 사진들과 함께 만남과 헤어짐, 인연의 소중함과 삶의 깊이를 생각해볼 수 있는 소소한 이야기들이 우리에게 잔잔한 감동을 전해주고 있습니다.

한원장님은 남들은 하던 일도 그만둘 나이에 3년전부터 성악공부를 통해 새로운 취미를 쌓아 오늘 행사 2부에서 저희들에게 멋진 선물을 할 예정이고, 작년 말에는 여행 후 돌아와 쓴 시를 통해 한빛문학지 시문학 부문에 등단하였습니다.

시와 수필을 쓰면서 젊은 날 종횡무진 철마처럼 달리던 속도를 늦추고 잔잔한 호숫가에서 시를 읽듯, 아리아를 부르듯 살아가려고 노력하고 있다는 사실은 퇴직 후 무료하게 살아가는 700만이 넘는 베이비 부머들에게 주는 경종이기도 합니다.

누구나 책을 쓴다는 것이 '산고의 고통' 만큼이나 어렵고 쉽지 않은 일입니다. 오늘 출판기념회는 이 책이 끝이 아니라 앞으로 문학도 그리고 전문작가로서 더 많은 책과 시를 쓰겠다는 도전과 시작의 휘슬이 아닌가 생각합니다.

악보나 글에는 쉼표가 있어서 호흡을 조절할 수 있습니다. 여행은 삶의 쉼표이며, 인생의 축소판이기도 합니다. 그렇기에 한영섭 원장님의 삶이 담겨 있는 이번 여행기 출간을 다시한번 진심으로 축하드리며, 이 책에 투영된 한 원장님의 리더십과 삶의 향기가 여행이라는 궤적을 통해 더 많은 사람들에게 빛과 그늘이 되어주기를 기원합니다.

감사합니다.

제3장

글쓰기가 처음인

왕초보 글쓰기 도전

책을 위한 글쓰기는 무엇이 다른가

책을 위한 글쓰기와 일반적인 글쓰기와는 목적이 다르다. 책을 위한 글쓰기는 책을 내는 이유가 명확해야 글의 방향이 같은 방향을 바라보게 되어 안정감이 든다. 더구나 글을 썼다고 해서 책으로 나오기란 쉬운 일이 결코 아니다. 책은 상품성이 있어야 독자가 있고, 독자가 있어야 출판사가 출간해준다. 그래서 그냥 글을 쓸 때와 책을 내기 위한 글쓰기는 분명 다르다. 글만을 생각하고 쓸 때는 쓰는 글마다 주제가 달라도 되지만 책을 내기 위한 글을 쓸 때는 명확하게 책을 내는 이유와 합치가 되어야만 한다.

책을 쓸 때는 단행본을 목표로 하지만 단행본이 아니고 합본집이나 모음집일 수도 있다. 책을 목적으로 한 글쓰기는 글의 문체보다는 정보나 콘텐츠가 더 중요하다. 정보나 많은 참고 자료로 글을 쓰는 것이 책을 위한 글쓰기다.

흔히 책을 낸다고 하면 우선 생각하는 것이 자서전이다. 자서전을 먼저 떠올리는 이유는 책을 내겠다는 의욕을 불러일으키는 요인이 자신의 인생이기 때문이다. 인생은 누구에게나 자신에게는 중요하고 특별하지만, 객관적으로 살펴보면 인생이 닮았다는 점이다. 시기적으로는 어린 시절과 청춘 시절 그리고 결혼을 하고 직장인으로 살거나 사업을 한 시기를 거쳐 노년에 이르렀다. 노년에 이르러 자서전을 쓰겠다는 생각을 하는 것이 일반적이다. 글은 분명하게 자신이 보려고 쓰는 것보다는 남이 읽을 것을 염두에 두고 쓰는 작업이다.

책을 쓸 때 자서전을 쓰겠다는 마음을 먹었다면 주의할 사항들이 있다. 세상에는 너무나 닮은꼴의 인생들이 모여있다는 점이다. 내가 살아온 인생은 책으로 몇 권 된다고 하는데 나만 그런 것이 아니라 다른 사람도 같은 생각을 한다는 점이다. 비슷한 것을 너무나 많이 보아왔다. 지상에 나와 있는 책에서 없는 나만의 특별한 삶을 살아온 것을 적는다는 것은 전문가가 아니면 어렵다. 자신의 인생은 자신에게만 중요하다는 점이다. 자신의 이야기는 자신에게만 흥미롭다는 점이다. 대중은 관심이 없다. 소설로, 드라마로, 영화로 그리고 개그의 소재로 다루어지지 않은 것은 거의 없다.

전문적으로 글을 쓰는 작가도 새롭고 독특한 소재를 찾아내는 것이 힘들다. 나만이 중요하고 나만이 독특한 인생을 살아왔다는 것을 어떻게 하면 대중이 인정하는 글로 쓸 수 있는가를 생각해야 한다. 두 가지를 이야기할 수가 있다. 하나는 자서전을 특화하는 방법이다. 비슷한 인생이지만 누구에게나 특별한 점이 한두 가지 있다. 특별한 것을 집중적으로 적는 방법이다. 예를 들면 어머니에 대한 그리움을 적는다고 하면 가족 중에서도 어머니와의 관계에서 일어났던 극히 개인적인 일만을 모아서 책으로 내는 것이다. 그것도 어느 시기를 정해서 일어났던 하나의 일관된 이야기를 찾아내서 자세하고 집중적으로 적는 방법이다. 치매에 걸리셨다면 치매로 인해 겪은 이야기로만 글을 쓰는 방법이다. 치매가 걸려 다시 어린아이가 되어가는 과정과 자신과 어머니와의 인연이 끊어져 가는 것을 실감나게 그리고 꼼꼼하게 적으면 감동이 온다. 누구나 있는 긴 인생 이야기를 적으면 실패할 가능성이 크다. 또 하나는 자신의 인생 중 자신만이 겪은 일을 생각해보라. 전문적인 일이면 더욱 좋다. 여행업이 직업이었다면 여행으로 겪은 것을 적으면 되고, 산업 현장에서 있었다면 산업 현장에서도 자신이 맡아한 업무의 특수성을 부각해서 적는 방법이다.

하나 더 권하고 싶은 것이 있다. 나만의 일이 될 수 있게 하는 방법으로 권할만한 것은 내가 겪은 일을 일반화가 아니라 특수화해야 한다. 그러기 위해서 필요한 게 나만의 일이 있어야 한다. 다시 예를 자세히 들어보자. 어머니의 치매 이야기를 적는다고 하면 어머니의 표정과 행동거지를 구체적으로 적는 방법이다. 이름을 잊었다고 하면 어릴 때 나의 이름을 불러주며 지었던 표정과 치매가 걸려 나의 이름을 물어도 몰랐을 때의 표정을 아주 세밀하게 묘사하는 것이다. 주름살 깊이와 모양 그리고 눈의 표정과 눈 안에 비치는 영상까지도 그리면 누구도 적을 수 없는 나만의 사건이 된다.

다른 사람은 볼 수 없는 것들이 아주 많다. 자세히 들여다보면 적을 것이 너무 많다. 옷의 색깔과 옷의 모양 그리고 신발에 대해서도 아주 자세하게 적을 수 있고, 걸음걸이 변화에 대해 다른 사람은 알 수 없는 자세함을 발휘하면 된다. 글은 보이는 대로가 아니라 그림을 그리듯이 구체적이어야 한다. 옷깃 모양도 어땠는가를 적을 수 있다. 얼굴 근육의 움직임도 적을 수 있다. 얼굴 근육의 떨림을 적으면서 자신의 마음의 변화되는 상태를 적어보라. 멋진 글이 탄생한다.

문학적 글쓰기를 배워야 하는 이유

글의 종류는 많다. 신문 기사부터 시·소설·수필도 있고, 논문도 있고, 수사기록도 있고, 판결문도 있다. 모두 글이다. 신문 기사에서는 논설과 칼럼 그리고 사건 기사가 있다. 광고도 있다. 성격이 조금씩 다르다. 쉽게 구별하면 우선 두 가지로 나눌 수 있다. 이성적인 글과 감성적인 글이다. 물론 둘은 확연하게 나뉘지 않지만 시·소설·수필은 감성적인 면이 강한 글이고, 논문이나 신문 기사, 판결문 같은 것은 이성적인 면이 강한 글이다. 물론 문학적인 글에 이성적인 내용이 안 들어갈 수가 없다. 마찬가지로 신문 기사나 판결문에도 문학적인 면이 들어가도 아무 문제가 없다. 오히려 글을 살게 하는 힘이 있다.

어떤 글을 쓰더라도 최고의 글은 문학적인 글이다. 문학적인 글이 글의 진수다. 글을 쓰다 보면 결국 문학적인 글이 쓰고 싶어진다. 사실을 적는 선에서 그치는 이성적인 글에다 감성적인 면과 상상력이 들어가서 문장을 휘어잡는 강력한 힘을 가지게 하는 문학적인 글의 힘이 들어간다면 명문장이 될 수 있다. 두 문장을 비교해보라.

- 종교는 평등하다. 모든 종교는 평등해야 한다.
- 예수도 부처도 공자도 하느님의 자식이다. 하느님이 만든 자식들이 각자 종교를 만들었다. 그래서 종교는 평등하다.

두 문장이 같은 종교의 평등을 이야기하고 있지만, 설득력에서는 현저하게 차이가 난다. 일반적인 문장으로 설득하는 것과 강력한 호소력을 불러올 수 있도록 '같은 하느님의 자식'이라는 등식을 가져다가 설득하는 것은 다르다. 이성적인 설득이 필요할 때는 이성적인 면으로 설득한다. 이번에는 문학적인 방법으로 공감할 수 있도록 한 문장을 찾아보자.

- 턱까지 차오른 그리움이 고요한 달밤에는 치솟는다.
- 턱까지 차오른 그리움이 늑대가 우는 고요한 밤의 달빛으로 으르렁거려도 무죄가 되는 날이 있다.

위는 일반적인 문장이다. 그리고 밑글은 문학적인 수사를 붙인 글이다. 어떤 글이 더 상상력과 그리움에 대해 절절한 느낌을 주는가. 문학적인 글이 필요한 이유다.

문학적 글쓰기는 최고의 글쓰기다. 어떤 글을 쓰더라도 필요한 공부다. 글쓰기에서는 문학적인 글쓰기 능력이 있고 없음에 따라 글의 맛과 향이 확연하게 달라진다. 단순하게 말하면 글은 단어의 나열이다. 세상에 떠도는 말들의 순서를 배열하기에 따라 글이 아름다울 수도 있고, 글이 거칠 수도 있다. 글의 순서와 글의 가감을 통해서 글에 상상력이 들어가기도 하고, 글이 꿈을 꾸기도 한다. 그것이 문학적 글쓰다. 다시 말하지만, 최고의 글은 문학적 글쓰다. 논문이나 사설에도 문학이 가미되면 글이 살아서 꿈틀거린다. 글을 읽는 지겨움이, 글을 읽는 즐거움으로 바꾸어 줄 수 있는 것이 문학적 글쓰기다.

문학적 글쓰기에는 일정한 규칙이 있다. 어찌 보면 일정한 규칙을 어기는 것이 문학적 글쓰다. 그런데도 규칙은 있고, 규칙을 어기되 어떻게 어겨야 상상력과 설득력 그리고 전달력을 줄 수 있을까 하는 것이 문학적 글쓰기의 핵심이다.

글은 맛이 있어야 하고, 멋이 있어야 하며, 풍류가 있어야 한다. 글에 감정이 들어가야 따뜻해지기도 하고, 차가워지고 한다. 글에 이성만 있으면 딱딱해서 마음을 파고들지 못한다. 글에는 역시 감정이 들어갈 수 있어야 글이 여유롭고, 넉넉하면서도 강한 호소력을 가질 수 있다. 이성이 원칙을 이야기하는 것이라면 감성은 분위기를 잡는 역할을 한다. 좋은 글은 이성과 감성이 주고받는 사이사이에 봄바람이 끼어들어야 한다. 갈바람도 끼어들어야 한다. 이성과 감성 그리고 그 사이에 들판을 휘저으며 가는 바람이 글에 들어가면 문학적 글쓰기가 된다. 문학적 글쓰기에는 낭만이, 여유가 들어가야 글로 완성된다. 이성이 글의 뼈라면 감성은 글의 살이다. 뼈와 살이 조화롭게 만난 것이 문학이다. 문학적 글쓰기에 이르러서 비로소 글에 생명이 들어선다. 문학적 글쓰기는 글의 완성이다.

1

단어와 문장에
상상력과 감성 길들이기

글쓰기의 자세

◉ 별이 된 자음과 모음

세상에 떠도는 자음과 모음으로 시를 지을 수도 있고, 수필을 쓸 수도 있고, 소설을 쓸 수도 있다. 반대로 욕을 만들 수도 있고, 비방할 수도 있다. 어떤 사람은 자음과 모음을 잘 배열해서 시를 만들고, 어떤 사람은 자음과 모음을 포악하게 다뤄서 욕을 만들기도 한다. 글을 잘 쓰려면 자음과 모음을 어떻게 배열하느냐가 관건이다.

　단어를 배치하는 것이 문장이다. 문장에는 순서가 있고, 질서가 있다. 순서와 질서를 지키는 것이 문법이고, 문장의 구성이다. 순서 하나를 바꾸어도 글은 상당히 다른 모습으로 변한다. 글의 순서를 바꾸고, 부호 하나를 더 찍어도 확연하게 달라진다. 문장은 논리적이어야 하나 비논리가 더 통할 때도 있다. 문학적 상상력이다. 문학적 상상력은 더욱더 새로운 세계로 마음을 끌고 가는 힘이 있다. 파격은 간단하지만 내공이 필요하다.

예를 들어 보자.

■ 사람과 사람 사이에는 섬이 하나 있다. 그 섬에 가고 싶다

사람과 사람 사이에는 공간이 있고, 그것을 '틈'이라고 한다. 무엇도 존재하지 않는다. 하지만 시인은 밑도 끝도 없이 던진다. 사람과 사람 사이에는 섬이 하나 있다고. 그리고 지른다. '그 섬에 가고 싶다'고. 둘이라고 하면 집중이 흩어질 듯하니 섬이 하나 있다고 하고 그 섬에 가고 싶다는 것이다. 정현종 시인의 「섬」이라는 시의 전문이다. 설명도 없다. 이유도 없다. 근거는 더욱더 없다. 그냥 섬이 하나 있다고 단정 지어서 선언한다. 묘한 것은 논리적이지 않지만, 사람의 마음을 확 끌어서는 상상력을 발휘하게 한다. 사람과 사람 사이에 섬이라는 말이 맴돌게 한다. 이것이 문학의 힘이다.

문학적 글쓰기는 논리적이고 체계적인 방법을 다 익힌 후 상상력과 창조력을 발휘해 완성한다. 하지만 두려워할 필요는 없다. 한국인이라면 글쓰기를 적게는 10년을 훈련받았다. 초등학교 때부터 고등학교 때까지 국어를 배웠고, 문학을 배웠다. 무려 12년의 수업 기간을 거쳤다. 그것으로 충분하다. 대부분의 사람들은 전문적인 문학적 글쓰기를 배워본 적이 없다. 무려 12년을 배웠으니 그것으로 충분하다. 하지만 어려워한다. 실습하지 않아서다. 분명한 것은 실습해야 접근할 수 있는 세계라는 점이다. 이론으로 접근이 어려운 세계다. 마음으로 자유롭게 상상할 수 있듯이 글로도 자유롭게 상상할 수 있다. 두려움을 버리고 공부해 보자.

◉ 글은 마음의 그림이다

마음에는 소리가 없다. 보이지 않는다. 마음에 소리를 입혀 담은 것이 말이다. 말이 최초의 모습이고, 말의 모양을 그대로 적어놓은 것이 글이다. 마음을 백지에 그리면 그림이고, 그림이 상징화된 것이 글자다. 최초에 말이 있었고, 말을 그대로 받아

적은 것이 글이다.

말은 흔적도 없이 사라져 자취를 남기지 않는다. 말의 한계다. 인류의 발전은 글의 축적이 절대적인 공헌을 했다. 한 사람의 인생도, 지식도 저장하지 않으면 흘러가 버리고 만다. 허망하다. 허망함을 지우려 만든 것이 글이다. 그래서 글은 기록으로 남고 인생도, 지식도, 정보도 글로 적을 때에 남는다. 인류는 글의 퇴적으로 발전이 있었다. 그리고 비로소 역사를 만들었다.

글의 힘은 천 년을 가지만 말의 힘은 앞에 있는 관중의 마음을 흔들고는 사라진다. 글의 힘은 천 리를 가고, 만 리를 가지만 말의 힘은 100m를 넘지 못한다. 말은 사라지지만 글은 천 년을 간다. 기록되지 않는 역사는 존재하지 않는다. 사막 위를 불어간 한때의 바람일 뿐이다. 역사 속에서 흔적도 없이 사라져 갈 뿐이다.

사람도 마찬가지다. 기록되지 않는 것은 존재하지 않은 것이다. 세월 속에 잊힌다. 『논어』와 노자의 『도덕경』도 기록되어 지금에 전한다. 셰익스피어의 걸작들도 기록되어 지금에 전한다. 단테의 『신곡』이 구전으로 가능할까. 어림없는 일이다. 기록의 힘은 어떤 힘보다 크다. 나의 존재를 세상에 알릴 방법은 기록이다. 그리고 사람의 마음을 흔들 수 있는 글이 문학적 글쓰기다.

쉽게 글쓰기

글을 쓰는 것에 대한 두려움을 극복하는 것이 우선이다. 친구와 수다를 떨거나 가족 간의 대화는 두려워하지 않는다. 마찬가지 원리로 글은 말을 그대로 옮겨 놓는 것이라는 생각을 하면 두려움에서 어느 정도 벗어날 수 있다. 처음 글쓰기를 할 때는 문법이나 문장 구조 같은 것을 고려할 필요가 없다. 생각이 흘러가는 대로 쓰면 된다. 자연스럽게 글이 만들어진다. 수다를 두려워 않듯이 대화를 두려워 않듯이 마음의 흐름을 적는 것이 필요하다.

몇 가지를 실천해보자.

- 여성들의 찻집 수다가 그대로 글이 되게 하고, 남성들의 술집 수다가 그대로 글이 되게 하는 것이 기본적이다.
- 글 쓰는 것을 어려워하는데 마음이 흘러가는 것을 그대로 옮긴다는 생각으로 글을 써라. 하고 싶은 말을 그대로 적는 것이 글쓰기의 초보 단계다.
- 잘 쓰려고 하는 마음의 짐을 내려놓아야 한다. 자연스럽게 글을 쓰는 것을 먼저 익혀야 글이 두렵지 않다.
- 말은 마음을 표현하는 것이고, 글은 말을 옮겨 놓은 것이다.
- 여기에 글쓰기의 기본구조와 문학적 감성을 만들어내는 작업을 더 하면 완성된다.

쉬운 듯 쉽지 않은 것이 글쓰기다. 마음의 흐름을 그대로 옮겨 놓은 글쓰기가 가장 고도의 글쓰기가 될 수 있다. 문법을 생각하고 글을 쓰지 말라는 것이 중요한 단서다. 문장 구조를 생각하고 글을 쓰면 도리어 글쓰기가 어려워진다. 다 쓰고 나서 읽어보면 스스로 알게 된다, 무엇이 부족한가를. 글을 쓸 때와 자신이 쓴 글을 읽을 때의 기준이 달라진다. 쓰면서 글쓰기 공부하고 읽으면서 글쓰기의 정답을 스스로 깨우치게 된다. 전문가의 도움보다 자신이 깨우치는 것이 훨씬 깊고 확실하다.

우리말의 원리

우리말의 원리를 이해해야 우리말의 맛을 낼 수 있다. 우리글의 원리를 알아야 우리글의 맛을 낼 수 있다. 말의 원리와 글의 원리는 같지 않다. 말이 생기고 이를 기록한 것이 글이다. 말은 원초적이고 글은 과학적이다. 원시 상태에서 말을 시작할 때 원칙이 없었다. 정해놓은 것이 있지 않은 상태에서 자연발생적이면서 불특정하게 말이 생겼다. 최초에 말의 원리가 있을 수가 없었다. 차츰 부족 내에서 다듬어지고, 정리되면서 지역별 언어로 성장했다.

그런데도 지역별로 언어 발생의 환경이 달라서 다른 언어를 가지게 되었다. 우리 언어, 우리의 한국말은 나름의 특성이 있다. 우리말의 특성을 이해하면 글쓰기에 도움을 가질 수 있다. 우리말의 기본적인 특성을 파악할 필요가 있다.

◉ 우리말의 신비

우리말은 중요하고 핵심적인 말은 한 글자로 되어 있다. 중요하고 핵심적인 글자는 한 글자로 되었고, 다음으로 중요한 글자는 두 글자, 세 글자로 분화되었다. 우선 살펴보자. 얼굴부터 살펴보면 '눈·코·귀·입·턱·목'등이다. 몸에서 근원적인 것은 '뼈·살·피'다. 밖으로 나가면 '강·메·들·물·꽃·씨·땅·꽃'으로 한 글자로 되어있다. 하늘에서 중요한 것은 해·달·별이다. 하늘에서 내리는 것도 한 글자다. 비와 눈이다. 싸라기눈, 진눈깨비 등은 예외적인 현상이어서 글자 수가 늘어난다. 예외 없는 규칙이 없듯이 예외적인 것이 있으나 큰 흐름으로 정확하게 중요하고 핵심적인 것은 한 글자이고, 다음으로 중요한 것이 두 글자, 세 글자로 말이 만들어진다.

한 글자에 대해 집요할 만큼 완벽에 가깝다. 인간과 같이 사는 동물과 인간과 같이 살지 않는 동물의 글자 수가 다르다. 인간과 같이 사는 동물을 가축이라고 한다. 가축의 글자 수는 한 글자다. 소·개·말·양·개. 모두 한 글자다. 돼지도 가축인데 두 글자로 이루어져 있다. 돼지는 고대에 '톳'이나 '톱'이라고 했다. 사람의 자식을 아기라고 하고 동물의 새끼를 아지라고 했다. 원래 돼지의 새끼로 처음에는 톳아지, 도야지, 돼지로 바뀌었다. 지금의 돼지는 처음에는 돼지 새끼라는 뜻이었으나 말의 뜻이 달라졌다.

예외적인 것이 있다. 하늘이 대표적이다. 땅은 한 글자인데 하늘의 대척점에 있는 하늘은 두 글자다. 더구나 하늘에 제사를 지내는 제천의식이 있는 우리나라에서 하늘이 중요하지 않아서 두 글자로 만들어져 있다는 것은 말이 안 된다. 너무 중요하고 신성시되는 것은 의미를 담기 위해서 두 글자로 만들어진 것이 있다. 대표적인 것이 하늘이다. 하늘은 원래는 한늘이었다. 한늘은 '한'과 '늘'의 합성어다. 한은 큰 하나라는 의미로 무한공간을 말한다. '늘'은 시간이다. 과거현재 미래로 이어지는 시간의 연속성으로서의 늘이다. 무한공간인 '한'과 무한시간인 '늘'이 만나서 만들어진 말이 한늘이다. '한늘'에서 발음이 불편해서 'ㄴ'이 탈락해 하늘이 되었다.

글자 수가 늘어나는 원리도 살펴보자. 얼굴에서 중요한 것이 눈·코·귀·입이라고 했다. 코가 한 글자다. 콧등·콧물·코털·콧망울·콧마루·콧구멍으로 만들어진다. 눈도 마찬가지다. 눈이 중심이고, 눈물·눈썹·눈동자·눈망울·눈두덩이 등으로 만들어진다.

◉ 말에 담긴 의미 찾기

우리말은 우선 소리글자다. 다음으로 음절 문자로 각 음절이 하나의 글자에 대응하는 체계의 문자다. 문자 구성이 독립적인 완성을 가지는 음절 문자다. 음절 문자로 이루어진 글은 한글뿐이다. 또한 하나의 글자가 자음 + 모음의 음가를 가지며, 이는 각 글자가 자음이나 모음을 구현하는 음소문자다. 그리고 문자의 구성이 초성·중성·종성으로 이루어져 있다. 장점으로는 우리글은 읽는 사람이 다 같이 정확하게 발음을 하고 의미를 정확하게 전달할 수 있다.

우리글은 모음은 발음에 중요한 역할을 하고, 자음은 의미에 무게를 두고 있다. 그리고 글자 구성으로 초성·중성·종성으로 이루어져 있는데 중성은 입의 벌림 모양을 담당하고, 자음은 뜻을 담고 있다. 예를 들어보자. 특히 종성이 뜻을 많이 담고 있다. 살펴보자. 가에 받침을 넣어보자. 각·간·갇·갈·감·갑·갓·강·갖·갗·각·같·갚·갛이다.

각 : 낱낱이라는 의미의 각各, 모서리 각角

간 : 소금이 들어간 정도

갇 : 갇히다의 어간

갈 : 가을, 가다의 미래형

감 : 감, 느낌感

갑 : 수를 세는 단위, 육지가 바다로 돌출해 나간 끝부분.

갓 : 모자의 일종, 채소의 일종, 막 태어난 어린것을 지칭(갓 난, 갓 태어난)

강 : 큰 물줄기

갖 : 소유한다는 갖다의 어간

같 : 동일하다는 의미

갚 : 갚다의 어간

살펴본 바와 같이 받침마다 다른 뜻을 담고 있다. 의미를 강하게 품고 있는 것이 자음이고 자음 중에서도 종성이 뜻을 많이 가지고 있다. 재미있는 예를 찾아보자. '반'이라는 말의 의미는 밝고 온전한 신성의 의미가 있다. 관계어를 살펴보면 의미가 드러난다. '반듯하다·반들반들·반드시'다. 어미에 붙어서 의미를 확연하게 만들어주는 것들도 있다. 장이와 쟁이 그리고 보 등이 있다. '보'는 바보·떡보·활보·울보·찔보·느림보다. 바보는 밥보로 밥만 많이 먹고 제 역할을 못하는 사람을 말하고, 활보는 신라 시대의 장군인 활을 잘 쏘았던 장보고의 별명이다.

재미있는 것으로 하나 더 살펴보자. 엉이다. '엉'은 정상에서 벗어난 것, 모자라고 완성되지 않은 것을 엉이라고 한다. 엉성하다·엉뚱하다·엉겁결·엉망진창·엉거주춤이다. 우리 몸에서 엉덩이가 있다. 엉덩이는 척추를 중심으로 중심에서 벗어난 부분의 살덩이라는 의미로 엉덩이다.

다른 것을 배치해 드러나게 하기

이번에는 실전에 들어가 보자. 실전이 문장력을 키운다. 대비법을 살펴보자. 상반되는 느낌이나 감정을 연결해서 강한 역설을 끌어내는 것이다. 그리고 단어의 정의를 뒤집어서 더욱 강한 의미를 만들어내는 방법이다. 지금까지의 고정관념을 뒤집어 놓는 역설로 더욱 각인되는 효과가 있다. 대중가요에 나오는 가사 내용이 절창이다. 죄는 비열하고 사회적인 기틀을 어긴 사람을 말하는데 사랑을 말하면서

'아름다운 죄'라고 한다. 또한 웃고 있지만 눈물이 난다고 한다. 서로 반대되는 의미나 단어의 의미와 어긋나는 것을 배치하는 것이 대비법이다. 예를 보자.

- 아름다운 죄(그 겨울의 찻집, 양인자)
- 웃고 있지만 눈물이 난다(그 겨울의 찻집, 양인자)
- 착한 당신 속상해도 세상은 따뜻한 거야
- 달팽이는 짧은 사랑도 길게 늘여 놓는다(달팽이의 사랑, 신광철)
- 달팽이는 시간을 더디게 끌고 가는 힘이 있다(달팽이의 사랑, 신광철)

달팽이는 느리다. 시간이 늦게 가도록 하는 것이 달팽이라는 억지를 부렸다. 비논리가 더 감동을 주고, 말도 안 되는 상상력이 이해력을 오히려 높이는 결과를 만들어내는 것이 문학이다. '착한 당신 속상해도 세상은 따뜻한 거야'도 마찬가지다. 착한 당신이 살기에 편한 세상이어야 하는데 착한 당신이 속상하니 세상이 내 뜻대로 흘러가지 않거나 거친 세상이다. 거친 세상이지만 세상은 따뜻하다고 한다. 앞뒤가 맞지 않지만 이해된다. 문학은 논리적이지 않아서 더 큰 공감을 만들어낸다. 문학의 힘이다.

새로운 발상으로 문장 만들기

이번에는 아주 기본적인 내용을 살펴보자. 다른 생각으로 다른 문장을 만들어본다. 우선 단어를 바꾸어보고, 다음으로 문장을 바꾸어본다. 생각하고 있던 것들을 다르게 생각하는 훈련이다.

◉ **실습해보기 1**

멋지고 짧은 카톡 문장 만들어보기다. 비가 온다는 것을 다른 방식으로 생각해보자. 해보고 즐거움을 느낀다면 문학도가 될 수 있는 자격이 충분히 있다. 사실 누구나 문학도일 수 있다. 젊은 날에 연애 편지를 쓰면서 가슴 두근거려 보지 않았다면 다른 별에서 온 사람일 것이다. 비가 온다는 말을 하늘의 추락 내지 몰락으로 생각할 수도 있다. 허만하 시인은 '비는 서서 죽는다'고 했다. 기발하지 않은가. 아래에 예가 있다. 살펴보시라.

기본문장 비가 내린다

- 비가 온다
- 비가 떨어진다
- 하늘과 땅을 잇는 비가 내린다
- 구름을 허물어 비가 내린다
- 하늘이 몰락한다
- 추락이 아름다운 비는 죽음의 순간에 긍정의 동그라미를 그린다
- 비는 수직으로 서서 죽는다 「프라하의 일기, 허만하 시인」

이번에는 많이 사용하는 말이다. 사랑한다는 말은 참 자주 쓴다. 연속극에서 많이 알려진 대사가 있다. 사랑한다는 말을 '내 안에 너 있다'라고 할 때 심쿵한다.

기본문장 사랑한다

- 내 안에 너 있다
- 사랑은, 너를 사랑하는 나를 너에게 선물하는 것
  『늑대의 사랑, 신광철』

◉ 실습해보기 2

상상력은 무한하다. 발상의 전환이 먼저 이루어져야 가능해진다. 일반적인 정의에

서 벗어난 다른 생각을 하는 훈련이 필요하다. 엉뚱하고 생소하지만, 뜻밖의 성과를 얻을 수 있다. 특히 문학에 관심이 있는 사람이라면 꼭 필요한 기본 훈련이다.

1차 다른 정의를 내려보기

꽃은 _____.

→ 우주다, 생식기다, 웃음이 핀 것이다, 절정이다.

2차 다른 생각 해보기
- 꽃봉오리가 열린다
- 아침 같은 꽃
- 아침이 방긋 웃는다

3차 연관성 있는 사물과 연결하기
- 모든 경계에는 꽃이 핀다 '함민복'
- 눈물이 떨어져 웃음으로 피는 꽃 '신광철'
- 천상의 별이 떨어져 지상에 핀다 '신광철'

◉ 단어 바꾸어 보기

생뚱맞은 단어로 바꾸면 다른 세상이 열린다. 놀라울 정도로 신기하다. 시를 쓰는 사람이라면 단어를 바꾸어 넣는 훈련이 효과가 있다. '인생길을 가는 것'을 '내 몸 안에 있던 길을 꺼내서 가는 것'이라고 표현할 수 있다. 상관없는 단어를 집어 넣어 보면 더 기발한 세계로 안내한다. 재미 삼아 하던 글 놀이가 문학으로 안내한다. 실시해보라.

기본문장 길을 간다

1차 단어(명사)를 넣어보기

_____(을,를,은,는,이,가,으로,로,에,에서) 간다

→ 꿈, 인생, 가을, 철수,

2차 연관성 있는 문장 넣어보기

_____(을,를,은,는,이,가,으로,로,에,에서) 간다

→ 구름 한 장 들고, 지구를 밟고

3차 다른 사물과 연결하기

_____(을,를,은,는,이,가,으로,로,에,에서) 간다

→ 내 몸에는 길이 있다. 몸 안의 길을 꺼내서 인생길을

◉ 상하좌우로 확대하기

고정된 틀을 벗어나려는 방법으로 반대되는 영역으로 들어가는 방법이다. 위를 이야기 했으면 아래를 넣어서 영역을 확장해보라. 안을 이야기했으면 밖과 연결해보라. 상하를 넘나드는 글이 완성된다.

기본문장 바람이 분다

위와 아래로 확장해 본다.

· 천상에 불던 바람 지상에도 분다.
· 눈썹을 흔들던 바람이 갑자기 거칠게 다리를 잡고 흔들었다.

앞과 뒤로 확장해 본다.

· 사람 앞에 바람 불고
· 사람 뒤에 바람 분다

안과 밖으로 확장해 보자.

- 사람 밖에 꽃이 피고
- 사람 안에 꽃이 핀다.
- 너는 내 안에 찾아와 꽃으로 핀다.

위치를 달리 바꾸어보자.
- 마주 안으면 심장은 서로 다른 곳에서 뛴다.

◉ 발상을 전환하기

좁은 사고를 넓게 만드는 방법으로 의도하지 않은 단어를 임의로 집어넣어보라. 새로운 상상의 세계가 열린다. 처음에는 단어를 바꾸어보고, 다음에는 문장을 만들어서 집어넣어 보라.

`기본문장` **나 그대에게 모두 드리리**

나 그대에게 _____을 드리리

단어를 바꾸어서 넣어보자.
- 사 물 : 별, 달, 꽃
- 비사물 : 마음, 꿈, 혁명, 사상, 종교

문장을 넣어보자.
- 곱게 다듬어 온 내 눈물을 엮어 드리리
- 엄마의 품속에서 가져온 사랑을 드리리
- 거친 파도를 거쳐 온 내 인생을 온전히 드리리
- 바다를 가로질러 가는 갈매기의 꿈을 드리리
- 사막에 삶을 불 지른 한 송이의 꽃의 간절함을 드리리

◉ 감성 길들이기

내가 전하고자 하는 것을 직접 그대로 적지 말고 다른 표현으로 바꾸어 표현하는 방법이다. 그리움에 관해서 쓰고 싶다고 하면 그리움이라는 단어를 직접 쓰지 않고 그리움에 대한 감성을 만들어내는 방법이다.

기본문장 그리움

1. 그리움이라는 말을 직접 쓰지 말고 그리움을 표현하는 것이 기본이다.

2. 단어 본래의 뜻을 들여다보라. 그리움을, 떨어져 있는 것에 대한 안타까움을 문장으로 만들어보라. 예를 들면 하나가 쪼개져 둘이 된 것에 대해 끌어당김이라는 의미를 보여주는 방법이다. 그리고 그리움을 만유인력과 연결해서 만들어보자. '우주는 하나였다가 빅뱅에 의해 쪼개져 원초의 하나로 복원하려는 안타까움으로 만유인력이 생겼다.'

3. 다른 사물에서 끌어오라. 그리움이라는 원형질을 '바다는 끝없이 파도로 뒤척이며 육지를 덮치고 있었다.'고 바다와 파도와 육지 간의 관계로 설정해서 표현할 수도 있다. 그리움을 한발 더 나아가서 '눈물은 떨어져 3%만 바다로 간다. 나머지는 땅으로 스며들거나 증발해 하늘로 다시 올라간다. 나의 97%는 너에게 날아서 간다. 그리고 나머지 3%는 흘러서 너에게로 간다.'는 문장으로 만들어도 좋다. 자연현상과 그리움을 연결해서 간접적이면서도 과학적인 원리를 동원해서 설명할 수도 있다.

대비법을 이용한 시 공부

성산포는
목사는 설교를 하고
바다는 설교를 듣는다
잔잔하게 펼쳐진 바다
꽃처럼 섬세한 바다
성산포에는
바다를 향해 설교하는
목사가 산다

 - 일반문장

성산포에서는
설교를 바다가 하고
목사는 바다를 듣는다
기도보다 더 잔잔한 바다
꽃보다 더 섬세한 바다
성산포에서는
사람보다 바다가 더
잘 산다

 - 설교하는 바다, 이생진

장미는 뜨거운 심장을
회오리바람으로 말아 올려
중심에 꽃을 피운
사랑의 성전이다

생명현상 중 가장 목마른 기적, 사랑
비를 맞고 있지만 목마르다
바람의 몸을 입고 있어
너는 내 안에 있지만 그립다
사랑에 도도한 장미는 가시를 기른다

휘몰아치는 회오리의 중심에
한 사람만을
들이겠다는 은장도다

　- 장미, 신광철

2

망원경과 현미경으로
세상 들여다보기

사물이 보이는 대로 적는 방법과 사물이 가진 특성과 저자가 가진 감수성과 상상력으로 표현하는 방법이 있다. 사물이 보이는 대로 적은 것을 기술, 사물이 가진 특성과 저자가 가진 정체성에 의해 표현하는 것을 묘사라고 한다. 기술은 누가 써도 같은 글이 되지만 묘사는 저자마다 특성에 따라 달라 공감을 일으키는 효과가 있다.

> 사람이 온다는 건 / 실은 어마어마한 일이다.
> 그는 / 그의 과거와 / 현재와 / 그리고
> 그의 미래와 함께 오기 때문이다.
> 한 사람의 일생이 오기 때문이다.
> – 정현종 시인의 '방문객' 중에서

이 멋진 문장을 일반적인 문장으로 보면 '사람이 오고 있다'는 사실이 전부다. 그것이 기술이다. 있는 그대로의 보이는 사실적인 면만을 적는 것이다. 하지만 역사와 과거·현재·미래라는 시간과 일생을 언급했다. 한 사람이 온다는 건 '한 사람의 일생'이 오고 있다고 했다. 글은 상상력과 철학을 넣는 순간 무한히 커지기도 하고, 작아지기도 한다. 무의미가 의미가 되기도 한다. 글을 쓸 때 생각해야 할 것들이 있다. 살펴보자.

망원경과 현미경으로 들여다보기

세상에 떠도는 단어와 문장을 선택하는 것에 따라 글의 내용과 깊이가 달라진다. 우선은 마음의 방향이 중요하다. 마음의 방향에 따라 같은 풍경과 같은 사람을 만나고도 글의 내용이 확연하게 달라진다. 경제적인 책을 낸다고 하면 경제적인 관점에서 바라보아야 한다. 철학적인 책을 준비하고 있다면 철학적인 관점에서 바라보고 해석해야 한다. 먼저 책을 내려고 준비할 때 고려할 것은 왜 책을 내느냐를 먼저 결정해야 한다. '왜'가 해결되어야 비로소 저술에 들어갈 수 있다. 세상에 그냥이란 것은 없다. '그냥'에는 반드시 이유와 목적이 있다. 생각해보지 않았다면 만들어서라도 책을 내는 정당성을 확립해야 한다.

처음 글을 쓰는 사람들의 경우 좌충우돌하게 된다. 생각나는 대로 쓰게 되면 생각되는 것이 상황에 따라, 시간대별로 다르다. 일관된 글을 써야 한다. 그러기 위해서는 책을 내는 이유가 명확해야 글의 방향이 같은 방향을 바라보게 되어 안정감이 든다. 그냥 글을 쓸 때와 책을 내기 위한 글쓰기는 분명 다르다. 글만을 생각하고 쓸 때는 쓰는 글마다 주제가 달라도 되지만 책을 내기 위한 글을 쓸 때는 명확하게 책을 내는 이유와 합치가 되어야 한다.

왜 책을 내는가가 결정되었으면 내고자 하는 책의 주제를 정해야 한다. 주제로 인생 전체를 쓰겠다는 것은 오만한 일이다. 알렉산드르 이사예비치 솔제니친

Aleksandr Isayevich Solzhenitsyn은 수용소의 하루를 책으로 엮었다. 수용소에서 하루 동안에 일어난 일을 『이반 데니소비치 수용소의 하루』라는 책으로 엮었다. 인생의 하루를 가지고 책을 한 권 내는데 인생 60년이 넘는 것을 한 권의 책으로 내겠다는 것은 착각이다. 살아온 인생의 행로에서 겉으로 드러난 일만을 적기에도 바쁘다. 그렇게 되면 재미없고, 의미 없는 작업으로 마무리될 수가 있다. 누가 일반인의 인생을 적은 책을 읽겠는가. 가족에게 줘도 읽지 않는다. 솔제니친처럼 특별한 인생의 어느 부분이나 지점을 그리고 나만이 겪은 것을 적어야 한다. 주제도 인생 전체를 관망하는 주제가 아니라 특정적인 한 부분이나 일관되게 인생을 이끌어온 전문적인 일이나 특별함을 표현할 수 있는 주제로 해야 한다.

세상에 떠도는 자음과 모음을 모아놓는 것은 중요하지 않다. 자음과 모음으로 나만의 세계, 나만의 경험을 적어야 한다. 중요한 것은 나에게 맞는 자음과 모음을 나만의 배열과 선택으로 글을 써야 한다. 자음과 모음으로 어떤 사람은 욕을 만들고, 어떤 사람은 칭찬하는 말을 만들고, 어떤 사람은 시를 만들고, 어떤 사람은 사유와 각성으로 깨달음의 말을 만든다. 거울은 사람의 몸을 비추지만, 글은 사람의 마음을 비춘다.

글은 마음이 닿는 곳까지 쓰기

사건 하나를 가지고 어떤 사람은 보이는 그대로 쓰고 어떤 사람은 안 보이는 것까지 쓰고, 어떤 사람은 핵심을 잡고 쓰고 어떤 사람은 산만하게 쓴다. 어떤 사람은 망원경으로 볼 수 있는 것을 쓰고 어떤 사람은 현미경으로 볼 수 있는 것을 쓰고, 어떤 사람은 일상의 일들을 쓰고 어떤 사람은 인생의 깨달음까지를 쓴다. 또한 어떤 사람은 정해진 규칙 안에서 쓰고, 어떤 사람은 규칙을 깨면서 쓴다. 눈으로 본 것과 마음으로 본 것을 함께 적는 것이 글이다. 분명한 목표는 안 보이는 것까지 써야 하고, 핵심을 잡고 써야 한다. 때로는 망원경으로 멀리서 보는 것처럼 쓰고, 현미경으로 세밀하게 파고드는 글쓰기도 필요하다. 그리고 눈으로 본 것과 마음으로 본 것을 함께 적어주어야 한다. 우선 굵은 대목만 살펴보자.

(1) 보이는 그대로 쓴다

① 객관적으로 사건의 상황을 적는다.

② 사실적인 상황을 적는다.

③ 밖으로 드러난 것을 적는다.

④ 모범적인 방법대로 적는다.

⑤ 이미 나와 있는 기준이나 관습대로 적는다.

⑥ 사전적이고 백과사전식으로 적는다. 감정이나 이성적인 판단의 기준을 적지 않는다.

(2) 안 보이는 것까지 쓴다

① 그림을 그린다고 생각하고 글을 쓴다.

② 세밀하고 구체적인 모습을 그린다.

③ 설명하는 것과 암시하는 방법이 있다.

④ 주제와 긴장 관계가 되는 것을 찾아서 쓴다.

⑤ 주제와 긴요하게 연결되는 문장으로 연결한다.

(3) 핵심을 잡고 쓴다

① 가장 먼저 주제가 되는 것을 잡는다.

② 주제와 관계가 없는 글은 과감하게 삭제한다.

③ 핵심을 잡지 못했다면 더 정보를 수집한다.

④ 요약할 수 있어야 문장에 힘이 들어간다.

⑤ 독자는 인내심이 없다는 것을 항상 되뇐다.

⑥ 독자의 관심에 내 관심을 맞춘다.

(4) 망원경처럼 확대해 본다
① 내가 본 것은 누구나 같이 본다. 남들이 보지 못한 것을 봐야 한다.
② 숲에서 산을 보지 못한다. 숲을 나와야 산을 본다. 숲에 머물지 말고 숲을 들락거려라.

■ 손톱 안에 초승달이 떠 있다.
■ 너의 눈동자에서 해가 지고 뜬다.
■ 사과 씨엔 사과나무 한 그루가 들어있다.

(5) 보고 있는 것의 원리를 상상하라
지구의 자전을 이야기하려면 지구를 떠올려야 한다. 먼저 정의를 살펴보고, 다음으로 원리를 생각한다. 이어서 내가 글을 쓰고자 하는 진행 방향으로 전문적인 지식을 확장해간다. 더욱 글의 영역이 넓어지고 확장되면서도 의도하는 방향으로 글이 진행하게 되는 것을 확인할 수 있다. 아래의 예와 같이 지구를 이야기하면서 글을 진행하고자 하는 방향으로 좁혀가면서 전문적인 내용과 연결해보라. 처음에는 지구의 위치를 설명하다가 우리가 엄청난 속도 속에 살면서도 인식하지 못하는 속도를 논리적으로 밝혀 실감 나게 하는 방법이다.

■ 지구는 행성이고, 우주의 한 귀퉁이다. 우리가 체감하지 못하는 속도 속에서 산다.
■ 우리 몸은 이미 시간에 익숙해져 있다. 지구의 자전 속도는 시속 1,674km, 지구의 공전 속도는 초속 약 29km다.

(6) 지금, 여기에 있는 것과 비교할 때 확장할 수 있는 요소를 찾아라. 그리고 일상 속에 만날 수 없는 자연물을 연결한다. 점점 확장해 간다.

- ■ 샛별이 빛났다
  - → 시간의 거리에서 샛별이 빛났다
  - → 만질 수 없는 시간의 거리에서 샛별이 빛났다
  - → 존재처럼 만질 수 없는 시간의 거리에서 샛별이 빛났다

현미경으로 보는 글쓰기

점점 세밀하게 파고 들어가는 글쓰기다. 들어갈수록 글에 흥미가 생기고, 예상하지 못한 세계를 만나게 된다. 진하게 써진 글들이 글을 확장해가는 부분이다. 실험적으로 해보라. 신기할 정도로 글의 맛이 살아난다.

- ■ 운명은 있다
  - → 네가 쥔 손안에 운명은 있다
  - → 운명선 생명선 감정선이 네가 쥔 손안에 있듯 운명은 있다

- ■ 한 사람이 걷고 있다
  - → 원소들이 합해져 근육을 만들고 뼈로 만들어진 한 사람이 걷고 있다
  - → 사람을 구성하고 있는 원자는 1,028개의 원소들이 합해져 근육을 만들고 뼈로 만들어진 한 사람이 걷고 있다
  - → 원자를 분해하고 결합하는 데는 어마어마한 에너지가 드는데 사람을 구성하고 있는 원자는 1,028개의 원소들이 합해져 근육을 만들고 뼈로 만

들어진 한 사람이 걷고 있다

인생의 깨달음을 쓰기

어찌 보면 가장 높은 단계의 글쓰기다. 삶 전체를 바라보고 삶 전체를 꿰뚫는 촌천
살인의 글을 만들어내는 것이 바로 인생의 깨달음을 찾아내는 글쓰기다. 원하는
방향으로 심화해서 글을 쓴다. 점점 철학으로 심화하여 가는 글쓰기다.

- 넥타이가 곱다
  - → 나비가 그려져 있어 넥타이가 곱다
  - → 불규칙하게 나는 나비가 그려져 있어 넥타이가 곱다
  - → 살아남기 위해 불규칙하게 나는 나비가 그려져 있(지만) 넥타이가 곱다
  - → 존재의 무게는 무겁다. 살아남기 위해 불규칙하게 나는 나비가 그려져 있(지만) 넥타이가 곱다

- 사람이 온다
  - → 한 사람이 온다, 인류가 온다
  - → 운명을 온몸으로 끌어안은 한 사람이 온다
  - → 검은 외투와 머플러를 잔뜩 감아올린 것처럼 바꿀 수 없는 운명을 온몸으로 끌어안은 한 사람이 온다
  - → 이미 먼 곳에서부터 달려온 사람임이 틀림없었다. 검은 외투와 머플러를 잔뜩 감아올린 것처럼 바꿀 수 없는 운명을 온몸으로 끌어안은 한 사람이 온다

- 햇빛으로 역사를 만들고, 달빛으로 야사를 만들고, 별빛으로 신화를 만든다
  『극단의 한국인』, 신광철
- 사는 것도 중독되는 거였다 『커피』, 신광철

규칙을 깨면서 쓰기

문장 규칙은 정확하게 전달하기 위해서 필요하다. 반대의 경우도 성립한다. 더 강렬하게 전달하려면 문장 규칙을 깨라. 당연한 것을 당연하게 주장하는 것도 방법이고, 내가 가진 상상력과 묘사만으로 독창적인 문장을 만든다. 글을 쓸 때는 내가 제왕이고, 신이다. 나의 상상력과 창조력은 당당함에서 온다. 내 글에서 내가 주인공이 되지 못하면 어디에서 주인 행세를 할 수 있겠는가.

아주 당당하게, 그리고 뻔뻔하게 문장 규칙을 여겨보자. 속 시원하게 반란을 일으켜 보자. 원래의 문장으로 보면 틀린 문장이지만 읽으면서 '어, 그래도 말이 되네' 한다. 낮에 섹시하다고 했으면 밤에는 다른 표현을 당연히 기대하게 된다. 그런데 낮에는 섹시하고, '밤에도'가 아니라 앞 문장과 같이 밤에는 섹시하다고 한다. 문장 법칙으로는 틀리지만 사람의 시선을 끈다. 오히려 강하게 인식하게 하는 강조법으로 사용했다. 문장 규칙을 어긋나게 해서 더 빛나는 문장을 만들어보자.

- 낮에는 섹시하고 밤에는 섹시하다
- 얌전할 때 야하고 야할 때 야하다
- 상황을 가려가면서 야하다

무슨 문장이 이래, 무슨 어법이 이래라고 할 수 있다. 하지만 내 글이다. 내가 주인이고 내가 경영하는 글밭이다. 내 글에서만큼은 자신 있게 시도해보라. 이번에

는 문장이 논리적으로 맞지 않는 것을 천연덕스럽게 무시하고 일반적인 주장을 하는 글을 보자. 사람은 아프다는 문장이나 아프기도 한 것이 사람이다라는 문장을 일방적으로 정의를 내린 글을 보자. '아프니까, 사람이다'. 말도 안 되는 논리다. '아프니까, 사람'이라는 말은 성립되지 않는다. 아프지 않아도 사람이고, 슬퍼도 사람이고, 안 아파도 사람이다. 하지만 어법상 틀리지만 '어, 이게 무슨 말이지' 하고 시선을 끈다. 그리고 다음 문장을 살펴보게 한다. 살아 있을 때 살라는 말도 논리적으로는 성립되지 않는다. 하지만 강한 울림이 있다. 살아있을 때 그 살아있음을 확실하게 살라는 말이다. 설명이 필요하지 않게 일방적인 주장과 논리로 일상적인 언어체계를 무너뜨린다. 문학에서 가능한 세계다.

■ 아프니까, 사람이다 『수선화에게』, 정호승

■ 살아있을 때 살아라, 그리고 산 것처럼 살아라. 신광철

이번에는 글을 만들어가는 방법을 찾아보자. 단문에 수식어를 달아보고, 단문을 중문으로 다시 단문을 복문으로 만들어보자. 가장 초보적인 단계인 사실을 그대로 적은 것에서 출발해 보자. '비가 내린다.' 확실하게 있는 사실을 그대로 적었다. 여기에 비의 종류를 앞에 붙이면 문장의 흐름이 바뀐다. 비의 종류 중에서도 이야기를 끌어가기 좋은 동물을 집어넣어 동물의 특성과 연결된 글로 끌어가 보자. 여우를 넣어보자. 그러면 '여우비'가 되었다. 그래서 여우비가 내린다. 다음으로 내 마음과 연결해서 '내 마음 안의 여우가 달려 나와'라는 생동감이 느껴지는 마음의 흐름을 표현하면 '내 마음 안의 여우가 달려 나와 여우비가 내린다'가 된다. 한결 달라진 문장이 완성된다. 일반적인 문장을 특성화시키기 위해서 내 마음과 연결시키는 시도를 할 필요가 있다. 내 마음 안에서도 더욱 구체화된 풍경을 만들어내고, 확장시키고, 때로는 축소를 시켜서 글을 만들어간다. 예를 보자.

- ■ 비가 내린다.
  - → 여우비가 내린다.
  - → 내 마음 안의 여우가 달려 나와 여우비가 내린다.
  - → 나는 한 사람으로 흔들리고 있었다. 변덕스러운 내 마음 안의 여우가 달려 나와 여우비가 내린다.
  - → 별들은 다른 빛으로 반짝이고 세상은 변화를 기다리고 있었다. 나는 한 사람으로 흔들리고 있었다. 변덕스러운 내 마음 안의 여우가 달려 나와 여우비가 내린다.

처음부터 쉽게 되지는 않지만 시도하는 것이 중요하다. 저지르지 않으면 아무 일도 일어나지 않는다. 일단 저질러 보라. 그러면 일단 새로운 것을 느끼게 되고, 발견하게 된다. 확장과 축소, 중심과 변방을 오가게 하는 시를 한 편 보면 지금까지의 설명이 이해가 갈 것이다. 어떻게 확장하고, 세밀하게 파고드는가를 살펴보면서 시를 감상해보라. 새 한 마리가 역사가 되기도 하고, 우주로 확장해가기도 하고, 철학과 연결해 변화무쌍하게 만들고 있다. '바람의 어금니'라는 표현도 나온다. 바람에 어금니가 있는지는 독자로서 받아들여 보라. 상상력에는 한계가 없다. 다만 개연성을 염두에 두고 말을 만들 필요가 있다.

새의 둥지에는 지붕이 없다
죽지에 부리를 묻고
폭우를 받아내는 고독, 젖었다 마르는 깃털의 고요가 날개를 키웠으리
라 그리고

순간은 운명을 업고 온다

도심 복판,
느닷없이 솟구쳐오르는 검은 봉지를
꽉 물고 놓지 않는
바람의 위턱과 아래턱,
풍치의 자국으로 박힌

공중의 검은 과녁, 중심은 어디에나 열려 있다

둥지를 휘감아도는 회오리
고독이 뿔처럼 여물었으니

하늘을 향한 단 한 번의 일격을 노리는 것
새들이 급소를 찾아 빙빙 돈다
환한 공중의, 캄캄한 숨통을 보여다오! 바람의 어금니를 지나
그곳을 가격할 수 있다면

일생을 사지 잘린 뿔처럼
나아가는 데 바쳐도 좋아라,
그러니 죽음이여
운명을 방생하라

하늘에 등을 대고 잠드는 짐승, 고독은 하늘이 무덤이다, 느닷없는 검
은 봉지가 공중에 묘혈을 파듯
그곳에 가기 위하여
새는 지붕을 이지 않는다
  - 새들의 페루, 신용묵

3

상상력과 엉뚱함으로
문장 만들기

인간 정신의 종류에 따라 세 가지 학문으로 구분했다. 학문적인 길을 분류한 틀이다. 첫째 기억에 기반하는 역사, 둘째 상상력에 기반하는 문학, 셋째 오성에 기반하는 철학으로 나누었다. 베이컨의 학문의 구분 방법이다.

역사와 철학은 생각을 옮겨 적으면 되지만 문학적 글쓰기는 상상력이 추가되어야 한다. 문학적 글쓰기에서 중요한 요소가 상상력이다. 상상력의 이성적 논리를 제시했다.

'문학이 독자를 즐겁게 하기 위해서는 '거짓된 것'을 묘사할 수 있다. '거짓된 것'은 현실에서는 일어날 수 없는 상상적 사건. 그러나 이성이 절대적 기준으로 작용하고 있던 계몽주의 시대에 거짓된 상상을 '개연성'이라는 개념으로 한계를 지었다. 철학적인 개념이 문학적 상상력을 정당화시키고는 있으나 상상력이 결코 개연성과 인과율의 한계를 넘어서지는 않는다.' 독일의 고전주의 문학가인 요한 크리스토프 고트셰트Johann Christoph Gottsched의 정의다.

상상력 해방하기

상상력의 해방을 주장한 사람들이 낭만주의자들이다. 낭만주의자들은 이성의 손아귀에 놓여 있던 상상력을 비로소 완전히 해방된 것으로 보았다. 낭만주의자들은 세계를 더 이상 이성에 의해 규정되는 것으로 보지 않는 정신적 태도를 가졌다. 낭만주의자들은 현실이 수수께끼와도 같은 것이며 신비스러움으로 차 있다고 했다. 낭만주의자들은 현실을 떠나 또 다른 세계로 진입하며 멀리 있는 것, 낯선 것, 무한한 것을 동경하면서 상상의 날개를 폈다. 보이지 않는 사물을 보이게 함으로써 마치 그것이 현실인 것처럼 묘사하는 창조자들이었다. 그래서 상상력을 눈에 보이지 않는 것을 눈에 보이는 것처럼 묘사하는 힘으로 정의했다. 가능한 세계를 묘사하되 불가능한 것을 마치 현실인 것처럼 나타낼 때 시인은 비로소 창조자로 인정했다.

말도 안 되는 세계를 말이 되게 하는 것이 상상력이다. 상상력에는 공감과 동의가 필수적이다. 독자가 공감해주고 동의해주지 않으면 문학으로 인정받을 수 없다. 모든 창조는 모방으로 출발한다. 전혀 없는 것에서 창조하는 것이 아니라 있는 것을 한 단계 고양해서 새로운 것을 만드는 것이다. 다시 말해 상상력도 처음엔 모방으로 출발한다. 정호승 시인의 '아프니까, 사람이다'라는 글을 모방한 것이 『아프니까, 청춘이다』다. 첫 사용자는 누가 뭐라고 해도 정호승 시인이다. 김난도 교수의 책 제목이 '사람'을 '청춘'으로 바꾼 것만이 다르다. 모방의 예다. 시적인 감흥이나 시적인 표현을 한순간에 익힐 수는 없지만, 훈련으로 가능하다. 모방을 통해서 창작의 길을 닦는 것이 자연스러운 과정이다.

시적인 표현에는 한계가 없다. '네가 보고 싶어서 바람이 불었다'는 안도현의 시 중의 한 구절이다. 말도 되지 않는 내용이다. 한 개인이 한 개인을 보고 싶은데 자연현상인 바람이 왜 불겠는가. 하지만 시인은 강하게 그것도 주저 없이 주장한다. 이 문장을 합리적으로 하면 더 이상한 문장이 된다. '내가 너를 보고 싶어 하니 때마침 바람이 불어주었다' 인데 역시 말이 안 되기는 마찬가지다. 보고 싶어 한다고 해서 바람이 불어줄 리가 없기 때문이다. 애초에 말이 안 되는 비논리를 가지고 있다. 시인은 모든 것을 알고 모든 것을 할 수 있는 존재다. 적어도 글 안에서는 전지전능한 존재다. 그런 배짱으로 글을 써야 한다. 문학적 글쓰기의 특성이다.

경계 허물기

하나를 더 살펴보자. '가을에는 그리움으로 / 집 한 채 짓고 살아도 좋다' 역시 논리적으로 성립되지 않는 문장이다. 하지만 확고한 신념을 바탕으로 적듯이 아주 단정적이다. 문학에서 사용이 가능한 영역이다. 상상력과 엉뚱함은 형식을 깨야 나온다. 글을 쓸 때는 두려움을 벗어라. 아래의 예를 더 살펴보자.

- 행복 안경을 써봐, 순간 세상이 행복해져 신광철
- 바람 신발을 신어 봐. 날 수 있어 신광철

문학적 글쓰기는 정확할 필요가 없다. 문학적 글쓰기는 모호함을 인정하지만 중요한 것은 개연성을 지나쳐서는 안 된다. 누구나 옳다고 고개를 끄덕일 수 있는 글이라는 전제가 깔려 있다. 문학이 만들어낸 것에는 상상력과는 다소 차이가 있지만, 중의성이 있다. 문학은 중의성이라는 모호함에 바탕에 두고 있다. 다의성多義性이라고도 한다. 중의重義와 다의성多義性이 상상력을 풍부하게 한다. 하나의 표기로 몇 개의 의미와 상상을 할 수 있게 하는 장치다. 서주영 시인의 시를 살펴보자.

- 바다의 눈물 능선에 걸터앉은 가을 대낮 『나를 디자인하다』, 서주영
- 북쪽을 바라보던 시선이 홀연히 사라졌어 『나를 디자인하다』, 서주영
- 나의 디자인실은 32일에도 활짝 열려있다 『나를 디자인하다』, 서주영

'눈물 능선'이라는 조어 속에 많은 뜻이 떠오른다. 사람에 따라 다른 상상력을 발휘하게 하는 힘이 있다. 능선은 산이나 들의 높은 줄기다. 눈물에 능선이 있을 리가 없다. 눈물에 능선을 넣으면서 눈물의 절정을 떠올릴 수도 있고, 길게 이어지는 슬픔이나 눈물을 그릴 수도 있다. 그리고 눈물 능선이라는 표현으로 눈물에는 없는 능선을 떠올려지면서 형상화되는 것을 느낄 수도 있다. 이것이 중의적인 표현이다. 그러면서 시적 상상력을 풍부하게 해서 감성의 활동을 원활하게 해 준다. '북쪽을 바라보던 시선이 홀연히 사라졌어'라는 표현도 상상력에 힘을 실어준다. '시선이 사라졌어'라는 표현에서 있던 것이 문득 사라지는 부재의 현장을 간결하면서도 절도 있게 표현했다. '32일'이라는 것도 시인이 만들어낸 없는 날에 대한 현재다. 상상력은 읽는 사람마다 다르게 읽힌다. 자신의 인생과 인생관에 의해 해석되는 특성이 있다.

뒤집어 생각하기

예를 하나 더 보자.

> 한 알의 모래 속에서 세계를 보고
> 한 송이 들꽃에서 천국을 본다.
> 그대 손바닥 안에 무한을 쥐고,
> 한순간 속에 영원을 보라

윌리엄 블레이크William Blake의 시 「순수의 전조」다. 몇 줄의 글에 참 많은 것을 담았다. 한 알의 모래에 우주가 들어있고, 한 송이 들꽃에서 천국을 찾아낸다. 질서가 들어있다. 손바닥 안에 무한이 있고, 순간에 영원이 있다. 시인의 유한과 무한을, 존재와 부재 간의 소통을 만드는 시인의 무한능력을 보게 한다. 다른 시에서 조금 더 살펴보자.

- 하르르 지는 꽃잎과 지구 사이에 서려 있는 아득한 그리움을 시는 본다. 그리움은 틀림없는 물질이다. 허만하의 「그리움은 물질이다」 중에서
- 호박넝쿨 시든 줄기 끝에 노란 지구 한 덩이 멈춰 있다. 김찬옥의 「가을 병동」 중에서

허만하 시인과 김찬옥 시인의 시어에서 생경한 세계를 읽을 수 있다. 정말로 '그리움이 물질일까' 의심하게 된다. 시인은 더욱 단정적으로 '그리움은 틀림없는 물질'이라고 한다. '틀림없는'을 넣어 확신하듯 말한다. 하지만 시인 자신은 그리움이 물질이 아닌 것을 확실하게 안다. 그래서 더욱 강조했다. 의심하게 만들고 상상하게 만드는 것이 시인의 몫이다. 그래야 그리움에 대한 일반적인 정의를 허물어버리고 새로운 느낌의 그리움을 만들어낼 수 있다. 다의적인 생각을 하게 만드는 것이 문학적 글쓰기다.

독일의 시인이자 철학가인 노발리스Novalis의 낭만화에 대한 설계에 대하여 설파했다. 낭만화의 핵심은 상상력이다. 여기서 낭만화의 상당 부분 상상력으로 해석하면 틀리지 않는다.

'세계는 낭만화되어야 한다. 낭만화란 평범한 것에 고귀한 의미를, 일상적인 것에 신비스러운 외양을, 낯익은 것에 낯선 위엄을, 유한한 것에 무한한 외모를 부여하는 것이다.'

노발리스는 낭만화에 대하여 확신에 차서 정의했다. 현재의 상태를 한 단계 고양하는 것이 낭만화로 정의했다. 낭만화는 상상력을 통해서 강화되고 완성된다. 고정된 것에 생명을 불어넣는 것이 낭만화고 상상력이다. 낭만화가 글을 살아서 꿈틀거리게 하고, 죽은 언어에 생명을 불어넣어 언어가 꿈꾸게 한다. 낭만화가 시를 살아있게 한다.

- 엄마가 따뜻해서 / 따뜻한 아기를 낳는 거야 「엄마의 온도」, 신광철

■ 앞은 방향이 아니야 / 차라리 희망이 방향이야 「앞은 방향이 아니야」, 신광철

엄마가 따뜻해서 따뜻한 아기를 낳는다는 것에 대해 굳이 반기를 들 필요가 없다. 논리적인 근거가 만들어내는 것이 낭만화가 아니다. 감정적인 동의가 더 중요한 것이 문학적 글쓰기다. 앞이 방향이 아니라는 것은 확실하다. 하지만 앞을 보고 가는 것이 바른길이라고 생각하지만, 앞만 보고 가면 길을 잃게 된다. 서는 방향에 따라 방향은 달라지고 그 방향은 수시로 바뀐다. 정의되지 않은 자신의 전면을 앞이라고 하면 목표 없이 걷는 것이 된다. 앞이 방향이 아니라 목표의 방향이 진정한 방향일 수 있다. 그래서 목표가 있어야 길을 잃지 않는다. 상상력은 도리어 바른길을 알려주는 역할을 하기도 한다.

엉뚱함으로 들어가기

문학적 글쓰기는 '상상력과 엉뚱함의 활발한 운용과 균형 잡힌 절제'라고 할 수 있다. 상상력과 엉뚱함을 말하지만, 균형 잡힌 절제라는 덕목이 발목을 잡는다. 균형 잡힌 절제는 누가 읽어도 인정할 수 있는 당위성이다. 당위성이 인정되지 않으면 글로서 완성되지 못하고 인정받을 수도 없다. 심정적이든 논리적이든 동의와 감동을 불러일으켰을 때 문학적 글쓰기로 완성된다. 글쓰기는 복잡한 이론체계보다 한 번이라도 더 직접 글을 써보는 것이 좋은 작품을 만드는 지름길이다.

　좋은 글을 쓰는 조건으로 삼다三多의 원칙이 있다. 즉 다독多讀, 다작多作, 다상多想으로 남송 시대의 구양수의 주장이다. 과거와 현재에도 그대로 적용되는 원칙이다. 미래에도 예외 없이 적용될 것이다. 글쓰기의 기본이고 든든한 원칙이다. 또한 현장감 있는　지적이고, 실천이다. 많이 읽고, 많이 쓰고, 많이 생각하는 것보다 더 좋은 방법은 없다. 낭만적인 사고와 상상력을 보여주는 글이 있다. 내 몸 안에 있는 욕망과 동물성을 기발한 상상력으로 표현한 시다. 감상해보시라.

늑골에 숨어 살던 승냥이
목젖에 붙어있던 뻐꾸기
뼛속에 구멍을 파던 딱따구리
꾸불꾸불한 내장에 웅크리고 있던 하이에나
어느 날 온몸 구석구석에 살고 있던 짐승들이
일제히 나와서 울부짖을 때가 있다
우우우 깊은 산
우우우 울고 있는 저 깊은 산
그 마음 산에 누가 절 한 채 지어주었으면

　- 내 몸에 짐승들이, 권대웅

　기발한 상상력이다. 몸을 동물과 관계 지어 동화를 만들어내듯 시 한 편을 완성했다. 마지막 한 줄이 떠들썩하게 하는 욕망의 화신인 짐승들을 제압하게 한다. 시인의 승리가 통쾌하면서도 완전한 평정을 가져오게 한다. '그 마음 산에 누가 절 한 채 지어주었으면'으로 마무리 짓는다. 마음 산이 제압하는, 고요한 마음일 수 있게 하는 것이 절 한 채고, 교회 한 채다. 시의 맛은 언어로 세상을 만들고 없앨 수 있는 상상력에 있다. 마음의 모양이 없지만 형상화해서 '마음 산'이라고 정의하면서 생긴 마음의 풍경이 생겼다. 풍경 안에 절 하나 지을 수 있는 토대는 마음을 형상한 작업에서 출발한다.

　시 안에서 시인은 절대지존이고, 소설 안에서 작가는 무소불위의 권한을 갖는다. 시인은 세상을 한 손에 쥐게 할 수도 있고, 세상에 겨우 매달려 살게 할 수도 있다. 상상력으로 마음에 집 한 채 짓는데 누가 뭐라고 시비를 걸 것인가.

4

문장을 늘리고
호흡을 길게 하기

문장은 살아있는 생명체다. 글에 생명력을 불어넣어 문장을 늘이고 호흡을 길게 하는 방법에 대하여 공부해보자. 장문의 글을 써보지 않은 사람의 경우는 글을 늘이는 것을 힘들어한다. 문장을 늘이기 위해서는 확장과 축소가 중요하다. 확장하는 방법은 더욱 더 큰 것과 연결해서 문장을 만들어가는 것을 말한다. 옷에 달린 단추 하나를 살펴보라. 단추의 모양과 색깔을 이야기하고, 색깔과 자연을 연결하는 것을 떠올려보라. 그리고 자연물 중 단추의 생김새와 관계되는 새를 연결할 수도 있고, 꽃과 연결할 수도 있다.

반대로 축소하는 것은 더욱 자세하고 깊이 있게 관찰하면 답이 나온다. 단추의 구멍과 연결해서 성찰할 수도 있고, 단추와 실의 관계와 연결해서 인간관계를 설명할 수도 있다. 찾으면 무한하고 쓸 내용이 많다. 중요한 것은 주제와 벗어나지 않는 이야기로 이끌어 나가야 한다는 점이다. 잠시 다른 이야기를 하지만 결국은 주제와 깊은 관계가 있는 것으로 마무리 지어야 한다.

글을 늘리는 방법은 확대와 축소를 통해서 이야기의 확장을 해야 한다. 이야기를 확장해갈 때 유념해야 할 것은 글의 내용은 주제를 향해 일관되게 달려가야 한다는 점이다. 그리고 글의 내용은 저자와 독자의 관계에서 보면 두 가지다. 저자가 쓰고 싶은 내용과 독자가 읽고 싶은 내용으로 모인다. 저자가 쓰고 싶은 내용이 독자가 읽고 싶은 내용이라면 최고의 글이 될 것이다. 저자의 깊이와 전문성에 독자의 독서 욕구까지 합해지니 최고의 책으로 태어날 것이다. 그것을 찾아내는 것은 글쓰기를 시작하기 전에 할 일이다. 중요하고 어려운 점이기도 하다.

글은 쓸 때는 저자의 것이지만 읽는 것은 독자의 몫이고 독자의 해석에 달렸다. 글은 저자가 쓰고 글은 독자가 읽는다. 쓰고 나면 저자와는 멀어진다. 독자의 몫이다. 장기적으로 볼 때 내가 쓰고 싶은 것에 집중하는 것보다 독자가 읽고 싶은 것에 집중할 필요가 있다. 지금은 생산의 시대가 아니고 소비의 시대다. 생산보다 소비가 더 중요하다. 책의 내용을 선정할 때 고려할 사항이다.

지금은 쓰는 것에 집중할 때다. 우리가 처음 글을 쓸 때 힘들어하는 것은 쓸 내용이 없다는 점이다. 편지 몇 줄 쓰고 나면 할 말이 없다는 말을 듣곤 한다. 반대로 생각하면 너무나 쓸 것이 많다. 하루에 일어난 일이 너무나 많기 때문이다. 반복되는 일상이지만 날마다 느낌이 다르다. 초등학교 때의 글쓰기로 돌아가 보자. 글쓰기는 대부분 일기로 시작했다. 내 이야기를 쓰는 것이어서 할 말이 없다고 하면 할 말이 없고, 많다고 하면 밤을 새우고 이야기해도 모자란다. 정말 그런가 살펴보자. 어린 날 일기의 첫날 내용은 한결같다.

■ 나는 학교에 갔다 왔다. 집에 와 책가방을 마루에 던져놓았다. 그리고 친구들과 놀았다. 저녁때 엄마가 불러서 집에 들어왔다. 그리고 밥을 먹었다.

그리고 더 쓸 것이 떠오르지 않아 애먹는다. 한 번 살펴보자. 무엇이 문제이고 힘들게 했는가를. 문제를 알면 답이 나온다. 하루 일을 뼈대만 적었다. 줄거리라고 할 수 있다. 일기는 날마다의 일을 적는 것이 아니라 핵심적인 일을 적는 것이라는 생각을 가져야 한다. 그렇지 않으면 적을 것이 없다. 반복되는 내용을 다시 적을 수밖에 없다. 날마다 학교에 가고, 날마다 집에 온다. 날마다 친구들과 놀고 날마다 엄마가 불러서 밥을 먹는다. 똑같은 일을 날마다 적으라고 하니 난감하다.

우선 쓰는 방법을 살펴보자. 많이 들어서 귀에 익은 말이지만 살펴볼 필요가 있다. 내가 쓰는 내 일기장에 '나'를 날마다 쓸 필요가 있을까, 없다. 날마다 일어나는 일을 날마다 다시 적을 필요가 있을까, 없다. 반복되는 일을 적는 것이 일기장 아니다. 하루 중에 일어난 일 중에 특별한 것을 적는 것이 일기다. 한 가지를 정해서 집중적으로 한 가지 사건에 집중해서 적어야 한다. 수필도 마찬가지다. 일어난 일 중에서도 특별한 것만 적는 것이 수필이다.

다음으로 특별한 일이란 것도 한 줄로 적으면 더 적을 내용이 없다. 그 시절엔 그랬다. 생각을 바꿔보면 너무 많아서 걱정이다. 예를 들어보자. 어느 날 특별하게 참외 서리를 했다. 이렇게 적었을 것이다.

■ 나는 친구들과 참외 서리를 했다.

쓰지 말라는 '나는'을 다시 썼다. '나는' 날마다 같은 생각과 같은 일을 하며 산다고 하면 더 이상 적을 것이 없다. 생각을 바꿔서 날마다 다른 나를 적겠다고 하면 답이 나온다. 참외 서리를 했는데 적을 것이 없다고 했다. 정말로 더 적을 것이 없는가 살펴보자.

우선 참외 서리를 한 이유가 있을 것이다. 이유를 해결하고자 한 것이 목적이다. 참외 서리를 한 목적만으로 책을 한 권 쓸 수도 있다. 먹고 싶은 욕심만으로 했을 수도 있지만, 가난에 핑계를 댈 수도 있다. 서리한 것을 인간 욕망과 연결할 수도 있고, 친구들 간의 치기로 연결할 수도 있다. 또한 가난도 집안의 가난을 이야기할 수도 있지만 시대의 가난과 연결할 수도 있다. 당대의 일반적인 어린아이들의 놀이로 연결할 수도 있다. 어떤 가난을 선택하든 깊이 파고들면서 쓰면 이야기는 무한 확장된다. 적을 것이 없는 것이 아니라 너무 많아서 절제하며 써야 할 상황이 온다.

다음으로 참외 서리를 하면서 작당하는 과정이 흥미진진하다. 누구와 했느냐,

참여한 인원들 각자의 개성을 이야기하다 보면 참외 서리로 한 단원을 다 채우고도 모자랄 수 있다. 참외 서리를 할 때 찬성과 반대하는 친구들이 있고, 말할 때의 표정과 집안 내력까지 설명하면서 하면 밤을 새워야 한다. 술을 마시면서 떠들 때는 이야기가 넘치는데 마음잡고 앉으면 할 이야기가 없어 고민하는 것이 글쓰기다.

생각을 바꾸라고 했다. 쓸 것이 넘친다고. 많아서 걱정이라고. 조금 더 들어가 보자. 친구들이 모여 서리하러 출정하는 과정이 얼마나 흥미진진한가. 과정만 가지고도 나폴레옹의 출정식과 다르지 않게 쓸 수 있다. 이순신 장군의 노량해전과 다르지 않다. 긴장되고 긴박함으로 심장이 뛴다. 왜 쓸 것이 없다고 하는가. 찾아보면 너무 많이 골라 써야 하는 고민이 생긴다. 어떤 일이든 마찬가지다.

전문가들은 말한다. 오히려 쓸 내용이 많아서 골라서 써야 한다고. 그래서 집중하라는 말이 있다. 선택하고 집중해서 한 가지 이야기로 몰아가는 것이다. 출정하는 것에 중점을 둘 것인가, 모의하는 과정에 중점을 둘 것인가 아니면 친구들의 입장과 성격에 중점을 둘 것인가를 고민해야 한다. 친구들의 입장도 다를 수밖에 없다. 참외밭주인의 아들일 수도 있고, 빈부의 차이에 의해, 집안 어른의 엄격함에 차이가 있을 수도 있다. 쓸 내용이 없다는 말을 하지 마라. 이야기는 넘친다.

그림처럼 서술과 묘사하기

세상에 떠도는 소리로 어떤 사람은 소음을 만들고 어떤 사람은 음악을 만든다. 선택과 집중이다. 많은 말이 있어도 그 말로 칭찬할 수 있고, 욕을 할 수도 있다. 욕을 만드는 사람과 시를 짓는 사람은 다르다. 세상의 많은 말 중에서 선택하는 것이다. 같은 말을 다르게, 아름답게 때로는 격렬하게 조합하는 것이 문학이다. 글을 적을 것이 없는 것이 아니라 생각하지 않아서다. 글을 쓰는 것에 익숙하지 않아서다. 이번에는 글을 쓰는 방법을 생각해보자. 같은 내용을 극단적으로 다르게 적었다.

■ 이름 : 홍길동, 나이 : 20세, 직업 : 취업 예비군, 전공 : 성균관 입학시험 합격. 도술 자격증(축지법 1급), 목표 : 호형호부, 특기사항 : 서자로 태어남을 아쉬워함

■ 홍길동, 그는 시대의 아픔이요 부조리다. 누가 서자로 태어나고 싶었을까? 같은 사람일진대 홍길동은 아버지를 아버지라 부르지조차 못한다. 심지어 벼슬을 할 수도 없다. 홍길동의 나이 약관 20세이고 학문은 남아수독오거수男兒須讀五車書요, 도술은 신통방통이라 도에 통하여 재주가 보배와 같은데, 뜻을 세울 수 없어 머슴처럼 소일한다. 사람답게 호형호부하며 살 수 있다면 당장에 간장이 끊어져 죽어도 좋을 것이다. 서자도 하늘이 내린 사람이다.

같은 글임에도 확연히 다르다. 무엇이 다르게 만들었는가. 글은 선택이다. 어떤 글을 쓸 것인가를 먼저 고민해야 한다. 그래야 일관된 글을 쓸 수가 있다. 두 개의 예문은 다르다. 어떤 글을 쓸 것인가를 먼저 결정하고 시작해야 한다. 홍길동에 관해 쓸 수 있는 소재는 많다. 외모에 관해서 쓸 수도 있다. 이번에는 외모로 쓰는 홍길동에 대해 시도해 보자.

■ 약관의 나이에 인생을 도통한 듯 의젓하고 얼굴은 뽀얗고 맑아서 선경에 든 사람 같다. 얼굴에 슬픔을 지녔으나 슬픔은 도통 보이지 않고 가슴에만 새겨 놓았다. 독서를 할 때는 깊고 적막에 싸인듯하고, 사람을 만날 때는 진중하기가 산 같다. 말을 할 때는 깊은 강물과 같아서 조용하면서 느릿하다. 서자로 태어난 슬픔을 길과 함께 걷고 공부하고 무술을 연마하는 데 쓰는 홍길동은 처녀들이 꿈꾸는 청년이다.

내용이 다르면 다른 내용을 선택하면 된다. 내가 쓰고자 하는 것을 집중적으로 파고들어 자료를 모으고, 때로는 넓게 때로는 깊게 파고들어 쓰면 된다. 과장하면 홍길동의 얼굴을 가지고 책 한 권을 쓸 수 있다. 홍길동의 얼굴과 관련지어 홍길동

의 인생을 풀어 가고, 서자로서의 눈물로 풀어가고, 홍길동을 사모하는 여인들로 풀어 보라. 눈썹부터 눈매, 콧날, 턱선, 구레나룻, 주름살과 목선 그리고 얼굴의 화색 등으로 얼마든지 풀어갈 수 있다. 다시 홍길동의 얼굴과 관련해서 운명을 들이댈 수도 있고, 저마다 가진 개성과 연결할 수도 있다. 다시 이야기하지만 쓸 내용이 없는 것이 아니다. 펼치고, 파고들어보라. 얼마든지 글의 소재를 찾을 수 있다. 중요한 건 실험적으로 해보라는 것이다. 마음으로 가진 것을 실천하지 않으면 글은 늘지 않는다.

만연과 간결로 종합하기

◉ 만연체로 글쓰기

글을 쓸 때 글체를 정하라고 했다. 일관되게 써야 한다. 쉬운 방법은 일단 문장을 짧게 쓰는 것이 좋다. 글에 익숙해지기 전에는 주어와 서술어만으로 이루어진 단문을 사용하는 것이 좋다. 글을 이어서 길게 쓰는 만연체와 짧고 간결하게 쓰는 간결체 중에서 간결체를 선택하라는 말이다. 만연체는 위험하다. 주어와 서술어가 멀리 떨어져 있어 엉뚱한 서술어를 갖다 붙일 수 있다. 먼저 한국 문단에서 독특한 문장을 만들어내는 김훈 작가의 글을 살펴보자.

"내 어깨에는 적이 들어와 살았고, 허리와 무릎에는 임금이 들어와 살았다. 활을 당겨 표적을 겨눌 때 나는 내 어깨에 들러붙은 적을 느꼈고 칼의 세를 바꾸려고 몸을 돌릴 때 나는 내 허리와 무릎 속에서 살고 있는 임금을 느꼈다. 시린 무릎으로 땅을 온전히 딛지 못할 때도 내 몸은 무거웠다.

적과 임금이 동거하는 내 몸은 새벽이면 자주 식은땀을 흘렸다. 구들에 불을 때지 않고 자는 밤에도 땀은 흘렸다. 등판과 겨드랑과 사타구니에 땀은 흥건히 고였다. 식은땀은 끈끈이처럼 내 몸을 방바닥에 결박시켰다. 나는 내 몸이 밀어낸

액즙 위에서 질퍽거렸다. 잠에서 깨어나는 새벽에, 나는 내가 어디에 와서 누워 있는지 알지 못했다. 밤에 바다로 나아가는 새들의 울음소리가 들렸다. 겨드랑 밑에서 땀이 식는 한기에 소스라칠 때 내 의식은 식은땀과 더불어 내 바닷가 수영 숙사로 돌아왔다.

군법을 집행하던 날 저녁에는 흔히 코피가 터졌다. 보고서 쪽으로 머리를 숙일 때, 뜨거운 코피가 왈칵 쏟아져 서류를 적셨다. 코피가 터지고 나면 머릿속에서 빈 들판이 펼쳐지듯이 두통이 났고 열이 올랐다. 종을 불러서 옷을 갈아입고 자리에 누우면, 실신하듯이 밑 빠진 잠이 쏟아졌다. 나는 바닥 없는 깊이로 떨어져 내렸고, 잠에서 깨어나는 새벽에는 식은땀에 젖었다. 의식이 다시 돌아올 때 나는 어둠 속에 걸린 환도 두 자루를 응시하고 있었다. 임금의 몸과 적의 몸이 포개진 내 몸은 무거웠다."

김훈의 『칼의 노래』의 일부분이다. 의도적으로 긴 문장을 선보였다. 무엇이 다른가 생각해보자. 김훈 작가의 글이 가진 힘과 강렬함 그리고 주제로 몰아가는 법을 보라는 말이다. 살벌할 만큼 몰아치기도 하고 느슨하게 풀어놓기도 한다. 국가 대사의 일을 개인의 일상과 연결하는 법을 보자.

'내 어깨에는 적이 들어와 살았고, 허리와 무릎에는 임금이 들어와 살았다.' 이순신의 몸에 들어온 병을 적과 연결했고, 임금과의 불신으로 깊어진 마음의 앙금으로 아픈 몸을 비유했다. 하나 더 보자. '적과 임금이 동거하는 내 몸은 새벽이면 자주 식은땀을 흘렸다.' 한 문장으로 전체의 상황을 설명한다. 시가 담당해야 할 부분을 산문에 들여놓았다. 대단한 역량이다. 한 문장을 더 보자. '임금은 장수의 용맹이 필요했고 장수의 용맹이 두려웠다. 사직의 제단은 날마다 피에 젖었다.' 임진왜란 당시의 조선 전체 상황을 한 줄의 글에 담았다. 선조와 이순신 간의 관계에서 상호 대척점에서 밀고 당기는 대결 구도를 박진감 있게 적었다.

한 번에 이 문장이 만들어졌을 리 없다. 인생의 질곡을 겪고, 글로 밤을 지새우며 고민한 흔적이 드러난 것이다. 인생에 내공이 있어야 글에도 내공이 드러난다. 글은 쓰기에 따라 참 다르다. 이와는 반대의 글을 살펴보자. 우리나라 수필 문학의 거봉이었던 피천득 선생의 글과 비교해 보자.

● 순수로 글쓰기

오월은 금방 찬물로 세수를 한 스물한 살 청신한 얼굴이다. 하얀 손가락에 끼어 있는 비취가락지다. 오월은 앵두와 어린 딸기의 달이요, 오월은 모란의 달이다. 그러나 오월은 무엇보다도 신록의 달이다. 전나무의 바늘잎도 연한 살결같이 보드랍다. 신록을 바라다보면 내가 살아 있다는 사실이 참으로 즐겁다. 내 나이를 세어 무엇 하리. 나는 오월 속에 있다. 연한 녹색은 나날이 번져가고 있다. 어느덧 짙어지고 말 것이다. 머문 듯 가는 것이 세월인 것을 유월이 되면 원숙한 여인같이 녹음이 우거지리라. 그리고 태양은 정열을 퍼붓기 시작할 것이다. 밝고 맑고 순결한 오월은 지금 가고 있다.

피천득 선생의 「오월」이란 글이다. 맑고 순수하다. 따뜻하고 간결하다. 또한 긍정적이면서도 오늘과 내일도 투명해진다. '잘 가. 오월아, 고맙다'라고 말하고 싶다. 그리고 '오월아! 잘 가.'라고 속삭이고 싶다. 그만큼 친해지고 싶고, 소곤거리고 싶어지게 하는 인간미가 넘치는 글이다. 글이 참 다르다. 전체를 한 번에 휘어잡는 힘과 언어의 마술사 같은 김훈 작가와 오밀조밀하고 아기자기하면서 인간미가 넘치는 피천득 선생의 글맛은 다르다. 어느 것이 옳고 그른 것이 아니고 다른 것이다. 어느 글이 좋은 글이 아니라 다른 것이다.

내 몸에 맞는 체로 글쓰기

글은 나에게 맞는 글을 써야 한다. 글도 의상과 같다. 첨단의 유행을 따르는 옷을 입는 사람과 평범하면서도 수수한 옷을 입는 사람이 있듯 글도 내 취향에 맞는 글을 찾아내서 써야 한다. 글을 많이 쓰다 보면 내가 내 글이 어느 순간 만들어지게 된다. 더욱 빨리 내 글을 만들려면 기본적인 원칙을 지켜야 한다. 글을 간결하게 쓸 것인가, 길게 이어지는 만연체로 쓸 것인가. 분석적으로 쓸 것인가, 감성적으로 쓸 것인가 등을 결정하고 쓰다 보면 빠르게 내게 맞는 글을 쓸 수 있다. 글은 성격이다. 글 쓰는 사람의 마음을 닮는다. 부드러운 글을 쓰는 사람은 부드럽다. 강한 글을 쓰는 사람은 강하다. 초기에는 자신과 닮은 사람의 글을 따라서 쓰는 것도 도움이 된다.

실전에 들어가 보자. 글을 늘려가는 방법을 실전을 통해서 해본다. 이야기의 소재로 늘려가는 것을 지금까지 이야기했다. 이번에는 글의 내용으로 늘려가는 방법의 실전이다. 굵은 글씨가 새로 늘린 내용이다. 어떤 내용으로 늘릴지 생각한 다음 넣어보라. 엉뚱한 글이 더욱 창의적인 글이 될 수 있으니 새로운 것을 넣는 것을 두려워 말고 시도해보라.

◉ 다른 생각으로 글 길이 늘이기

- ■ 사람 안에는 많은 게 들어있다.
- ■ 사람 안에는 많은 게 들어있다. 사랑도 들어있고, 눈물도 들어있고, 그리움도 들어있고, 후회도 들어있다.
- ■ 사람 안에는 많은 게 들어있다. 가슴 안에서 별이 된 사랑도 들어있고, 이별로 엮은 눈물도 들어있고, 너와 나 사이에 뜨던 그리움도 들어있고, 한 겨울 날 폐부를 가로질러 가는 후회도 들어있다.

'사람 안에 많은 게 들어있다'로 끝내는 것이 아니라 구체적으로 생각해서 넣는 것이 필요하다. 사랑, 눈물 그리움을 넣어라. 그리고 다음으로는 사랑, 눈물, 그리움의 상태를 떠올려보라. 점점 이야기를 심화시키기도 하고, 확장하기도 하면서 늘려가는 방법이다. 사랑이 마음 안에 들어있다면 어떤 사랑인가를 생각해 보는 것이다. '가슴 안에서 별이 된' 사랑도 들어있다고 상상해 본다. 무한 확대, 무한 축소를 글 쓰는 사람 마음대로 실험해보면 글맛이 생긴다. 글에 생기가 도는 것을 직접 느낄 수 있다.

이번에는 좀 더 큰 차원으로 확장해 가는 방법을 생각해보자. 사람 안에는 많은 게 들어있는데 도대체 어떤 것과 연결해야 하는가를 실전으로 해보자. 일반적으로 생각나는 것들이 꿈이나 희망 같은 것을 떠올리지만 다른 차원의 생각을 생각해 보자. 사람 안에 들어있는 근원적인 인류가 살아온 유전자의 집적체라는 생각이다. 생각하기에 따라 글은 일상을 떠나 무한히 과거로 갈 수도 있고, 무한히 미래로 갈 수도 있다. 그리고 근원으로 파고들 수도 있다. 사고의 영역을 파괴하는 연습을 해라. 누구는 되고 누구는 안 되는 것이 아니다. 시도하면 열린다.

◉ 사고의 확장으로 글 길이 늘이기

- 사람 안에는 많은 게 들어있다.
- 사람 안에는 인류의 흔적이 그대로 들어있다. 지구의 역사가 35억 년이라면 35억 년의 역사가 그대로 유전자 속에 각인되어 있을 것이다. 사람은 오랜 역사로 만들어진 하나의 지구 역사박물관이다.

이번에는 사유의 세계와 감각기관과 연결시켜 본다. 위대한 철학이 들어있는 것도 옳고, 찌질하게 살아가는 평범한 한 인간이 들어있는 것도 옳다. 인간의 위대함과 인간의 소소함이 같이 들어있는 것이 우리의 몸이고, 우리의 삶이다. 그런 것을 떠 올려서 내가 원하는 곳으로 옮겨갈 수 있다. 직접 해보는 것이 능력을 키운다.

- 사람 안에는 위대한 철학과 관능과 깨달음이 들어 있다면 사람 안에는 또한 소소함과 찌질함 그리고 조잡하기 이를 데 없는 성능을 가진 감각기관을 가지고 있다. 개보다도 코의 후각이 떨어지며 제비보다도 낮은 시력을 가지고 있다. 또한 땅속에서 견디는 굼벵이의 참을성보다도 모자란 능력을 가졌다.

다시 한번 시도해보자. 연습이 필요하다. 범상한 것을 범상치 않게 하는 것은 남이 생각하지 못한 것을 찾아내 글로 옮기는 것이다. 조금만 생각을 바꾸면 전혀 다른 세상과 만날 수 있다. 일상적인 소소한 것에도 중요한 것이 있다는 생각에서 멈추면 글이 사막화된다. 남들의 글과 다르지 않으니 질린다. 그래서 사고의 깊이를 한 단계씩 파고들어 보다 자세한 것을 그려내야 한다. 글을 이어가면서 보다 구체적인 내용을 적는 것이 중요하다. 일상적인 것에도 아침이 오는 것이라는 현상을 구체적으로 직시하면 느낌이 한결 생경하고 산뜻하다. 아침이 오는 것이 신선한 느낌을 주지만 '눈을 뜨면 눈썹 끝에 아침이 와 있는 것'이라고 하면 또 다른 느낌을 준다. 반복적인 연습으로 글이 살아나고 깊어지는 것을 확인할 수 있다. 세상에 공짜는 없다. 노력 없이 그냥 얻어지는 것은 없다. 남보다 나아지려면 남보다 더 노력하는 방법 외에 없다.

◉ 새로운 발상으로 글 길이 늘이기

일반적인 글에 의미를 더하거나 세밀한 묘사를 위해 더하는 방법을 찾아보자.

- 일상적인 소소한 것에 중요한 것이 들어있다.

- 일상적인 소소한 것에는 아침이 오는 것, 호흡, 바람, 꽃. 어느 것도 신비롭지 않은 것이 없다. 하지만 없어서는 안 될 소중한 것이 들어있다.

- 일상적이어서 소소한 것에는 눈을 뜨면 방안까지 찾아든 아침이 오는 것, 살아있게 하는 중요한 것임에도 느끼지도 못하는 호흡, 언제 불어갔는지 알 수 없는 바람, 무심하게 피고 지지만 결국은 열매를 만드는 징검다리를 만들고 있는 꽃. 어느 것 하나 신비롭지 않은 것이 없다. 하지만 눈을 떴으나 아침이 오지 않는 것을 상상해보라. 갑자기 숨이 쉬어지지 않는 답답함, 소리 없이 왔다가는 바람이 없이 계절이 올까. 꽃이 피지 않고 열매가 맺지 않으면 지구는 어떻게 될까. 없어서는 안 될 소중한 것들이 들어있다.

이러한 방법들이 필요한 이유는 글을 읽는 사람이 글에 질리지 않고 글에 빠지도록 하는 장치다. 재미가 없거나 재미가 없으면서 배울 것마저도 없는 글이라면 책을 덮어버릴 수밖에 없다. 독자가 글에서 눈을 뗄 수가 없도록 재미와 변화와 유익한 글로 엮어야 한다. 독자가 즐겁게 하는 것은 저자의 의무고 저자의 책임이다.

독자를 생각하고 글쓰기

글 길이를 늘리려면 독자가 지치지 않고 읽을 수 있도록 하려면 상상력이 필요하다. 상상력을 가지려면 첫째 정상적인 곳에서 탄생하지 않고 엉뚱한 곳에서 태어난다.

둘째 범재는 교육으로 키우고 천재는 교육 현장에서 버린 존재에게서 태어난다고 했다. 중심에서 벗어나는 것도 한 방법이다. 교과서나 기존의 것들에 많은 시간을 보내지 말고 혼자서 독창적인 생각과 여행 등을 통해 자신의 세계를 만들어나가야 한다. 좋은 방법으로, 누구나 알고 있는 엉뚱한 방법으로 글을 만들어보는 것이다. 방법들은 앞에서 여러 가지 적었다. 무엇보다 실습이 중요하다. 작은 것이지만 실전을 통해 깨우치면 자신감이 생긴다. 이번에는 글 길이를 늘리는 방법을 연습해 보자. 일반적인 문장의 명사 앞에 다른 단어를 넣는 연습을 해보자.

쉬운 방법을 연습해보자. 쉽지만 효과가 큰 방법이다. 특히 시를 공부하는 사람에게는 큰 도움이 될 것이다. 명사 앞에 엉뚱한 단어를 넣어보는 것이다. 쉽지 않지만, 효과가 크다.

나는 _____신발을 신고 걸었다.
→ 바람, 신화, 눈물, 추억, 구름

'나는 신발을 신고 걸었다'라는 평범한 문장에 '바람' 하나를 넣어주면 정말 번뜩이는 세상이 펼쳐진다. '바람신발'이 주는 상상력이 크다. 피터 팬이 떠오르고 낭만적인 상상력이 날개를 편다. '나는 신발을 신고 걸었다'와 '나는 바람 신발을 신고 걸었다'는 전혀 다른 세계다. 명사 앞에 의외의 단어를 넣어서 색다른 분위기를 만드는 방법이다. 보다 방향성을 주기 위해서 나는 신화의 신발을 신고 걸었다고 하면 신화를 탐구하겠다는 의도가 보인다. 의미를 담은 단어를 일반적인 단어 앞에 넣어보는 시도를 해보라. 한결 새로운 글이 시작된다.

상상력으로 글 길이를 늘리기를 시도해보자. 일반적인 문장의 명사 앞에 단어뿐만이 아니라 문장을 만들어 넣어보자.

인생에서는 _____ 맛이 난다.
→ 쓴맛과 단맛
→ 골목길을 돌아 들어간 어둠의
→ 샘물에서 막 건져 올린 밝은 아침
→ 누적된 역사에서 떨어져 나온 한 조각 진실의

'인생에서는 ___맛이 난다'는 문장에 '쓴맛과 단맛'을 넣으면 조금 진일보한 느낌이다. 조금 더 글 양을 늘려 문장을 넣어보라. '인생에서는 골목길을 돌아 들어간 어둠의 맛이 난다'고 하면 이야기의 흐름이 비장한 쪽으로 흘러간다. 하지만 '인생에서는 샘물에서 막 건져 올린 밝은 아침의 맛이 난다'고 하면 밝고 경쾌한 방향으로 글을 끌고 갈 수 있다. 이야기를 전개하고 싶은 내용의 글을 만들어 넣으면 쉽게 저자가 의도한 방향대로 이야기를 이끌어갈 수 있다. 글은 정보를 짜깁기하는 것도 있지만 상상력으로 글이 딱딱해지는 상황을 타개해 어려운 고비를 넘어갈 수 있게도 한다.

같은 방법으로 조금 더 연습해 보자. 연습만이 살길이다. 익숙해지면 달인이 된다. 처음부터 글 잘 쓰는 신동이 아닌 다음에야 누구나 겪을 수밖에 없는 힘든 과정을 지나가야 한다. 상상력을 발휘해 보자.

나는 _____ 여행을 했다

→ 페루, 혼자, 인생

→ 다시 돌아오기 위해 떠나는

→ 맨발의 사유로 떠나는

→ 군중 속에서 잃어버린 고독한 나를 찾기 위한

'나는 __ 여행을 했다'는 일반적인 문장에 인생이란 단어를 넣으면 다르다. 낭만을 넣어도 달라진다. 차원을 달리해서 상상력을 발휘해서 문장을 만들어 집어 넣어보라. '나는 다시 돌아오기 위해 떠나는 여행을 했다.'고 하면 철학적으로 보이면서 여행의 의미를 다시 생각하게 하는 효과가 있다. 하나 더 해보자. '나는 군중 속에서 잃어버린 고독한 나를 찾기 위한 여행을 했다.'고 하면 글이 깊어지면서 일반 여행과는 차원이 다른 여행이 된다. 글의 맛을 즐겨야 명문장이 된다. 나는 잘 안된다는 말을 하지 말자. 누구도 힘든 과정을 건너뛰어서 문필가가 된 경우는 없다.

당연한 것을 당연하게 보기

이번에는 당연한 것을 당연하게 인정하고 들어가는 문장을 만들어보자. 상당히 고단수의 글쓰기다. 신기하게도 당위성에 도전하면 이야기가 생산된다. 당연한 것을 당연하게 인정해보라. 글의 힘도 생기고 철학적인 글이 된다. 고도의 글쓰기 중 하나다. 당연한 것을 당연하게 한다는 것은 그만큼 철학적인 내공이 있어야 한다.

- 살아있을 때 살아라. 죽기 전에 죽어라.
- 웃음에는 웃음이 들어있다. 웃어야 웃을 수 있다.
- 사랑은 이별로 완성되지 않고 잊히는 과정도 사랑의 한 부분이다.

너무나 당연한 것을 인정하면서 당연함의 철학을 넘어서 고차원으로의 이동을 할 수 있는 기법이다. 살아있지만 살아있음을 느끼기 전에 살아가기 바쁜 사람이 대부분이다. 이러한 통속적이고 종속적인 삶에 경종을 울리기 위한 방법으로 당연함이 절대 당연하지 않다는 것을 알려주는 기법이다. '살아 있을 때 살아라' 분명 울림이 있다. 살아있지만 산 것처럼 살라는 의미다. 밥 세 끼 먹는 것으로 만족하지 말고 목표에 도전하든, 열정을 가지든 하라는 말이다. '웃음에는 웃음이 들어있다. 웃어야 웃을 수 있다.'도 마찬가지다. 설명이 필요한 것이 아니라 직관적인 느낌으로 아하, 하는 느낌이면 성공한 것이다. 어렵다고 하지 말고 도전해보라. 분명 자신의 방법으로 글을 써갈 수 있는 길이 열린다.

분위기를 바꾸어서 '전후좌우'와 '안과 밖'으로 사고의 세계를 변화시켜 주는 방법이다. 문장의 폭이 넓어지고 확대된다.

- 산에 들어가면 산이 보이지 않고 산에서 나오면 산이 보인다.
- 눈물 안은 슬픔이고, 눈물 밖은 기쁨이다.
- 내 안은 맑고, 내 밖은 흐리고.

안과 밖으로 사고영역을 넓혀줌으로써 한결 글이 유연해지고 넓어지는 것을 확인할 수 있다. 들어가서 보는 것과 밖으로 나와서 보는 것을 대비시키면 극적 효과를 보이면서 글이 빛난다. '눈물 안은 슬픔이고, 눈물 밖은 기쁨이다'도 마찬가지다. 안과 밖을 분리해서 대비시켜보라. 사소한 듯하지만, 글이 주는 느낌은 사뭇 다르다.

하나만 더 시도해보자. 제주에 가면 바다를 만난다는 너무나 당연한 문장을 당연하지 않게 만들어보자.

- 제주에 가면 바다를 만난다.
- 제주에서는 **바다를 피하다 결국은 바다에 빠진다.**

- 제주에서는 눈을 감으면 바다가 더 가까이 있다.
- 제주에서는 손만 흔들어도 바다가 출렁인다.
- 제주에서는 바다가 아침보다도 먼저 찾아온다.

제주에 가면 어디를 가도, 어디를 바라보아도 바다가 보이니 '제주에서는 바다를 피하다 결국은 바다에 빠진다.' '제주에서는 눈을 감으면 바다가 더 가까이 있다'로 표현할 수 있다. 또는 바다가 너무 가까이에 있는 듯하다는 표현을 '제주에서는 손만 흔들어도 바다가 출렁인다.' 할 수 있다. 그리고 언제 어디에서나 만나니 '나보다 바다가 먼저 와있다.'고 해도 표현이다. 그리고 '제주에서는 바다가 아침보다도 먼저 찾아온다.'는 문장도 좋다.

이번 장에서 마지막으로 바다의 시인 이생진 님의 시를 한 편 감상해 보자.

> 배낭 하나 메고 나왔다는 거 그리고 낯선 타향이라는 거 여관방에 머물며 자판기 커피를 마시는 궁색을 떨지만 그래도 그것이 내겐 값비싼 자유라는 거 피 흘려 얻은 것은 아니지만 자유는 소중하다 아껴 써야 한다. 자유도 소모품이니까 밤늦게 창문을 열어 바다의 비밀을 볼 수 있고 나간다는 말 없이 나갈 수 있고 라면을 끓이든 누룽지를 끓이든 상관없고 어디로 가든 간섭이 없는 자유 세수를 하든 면도를 하든 세수를 않든 면도를 않든 거지같이 싸매고 다녀도 아무도 말하지 않는 그런 값진 자유를 배낭 하나로 얻었다는 거 노숙 직전이지만 그것도 쟁취다
>
> - 가출기家出記, 이생진 시인

아주 일상적인 것들의 소중함을 적은 시다. 작은 자유가 큰 자유가 있어야 가능하다는 것을 보여주는 시다. 일상적이지만 범상치 않으려면 돌연 파격을 구사해야 한다. 자유는 소중하다는 너무나 당연한 말이다. 여기에 자유는 '아껴 써야 한다.'는 부분에서 자유를 아껴 써야 한다는 표현의 색다름에서 글이 눈이 반짝이며 일

시에 살아난다. 평범한 문장을 평범하지 않게 만드는 비결은 색다른 관점에서 나온다. 다음 글에서 확연하게 좋은 글로 안내한다. 아껴 써야 하는 이유로 '자유도 소모품'이라고 하는 부분이다. 얻은 자유가 구차하고 사소한 것들이어서 노숙과 같은 것이지만 '그것도 쟁취'라고 선언한다. 일상이 일상적이지 않게, 평범함이 평범하게 하지 않게 하는 이유는 관점의 파격에서 찾아야 한다. 파격으로 격조 있는 시 한 편을 완성하는 대가의 모습이 보인다.

5

수사법 활용하기

수사법을 공부하는 시간이다. 수사법을 활용하면 글이 풍부해진다. 어떤 사람의 글은 건조하고 어떤 사람의 글은 기름지고, 어떤 사람의 글은 초라하고 어떤 사람의 글은 화려하다. 글에도 힘이 있고 없다. 글에 생명이 있기 때문이다. 격렬하게 몰아치기도 하고 순하게 잦아들기도 하는 것이 글이다. 수사법의 활용에 따라 글은 다른 모양의 생명을 가지게 된다.

수사법에는 비유법, 직유법·은유법, 제유법·환유법, 의인법·활유법·풍유법, 의성법·의태법, 점층법·점강법 등이 있다. 처음부터 잘하는 사람은 없다. 하나씩 배워 가면 된다. 글을 그냥 써 내려가는 것도 힘든데 수사법까지 고려하다 보면 더 힘들 것 같지만 하나씩 익숙해지기 시작한다.

수사법을 사용할 때 대상에 대해 심상心象 또는 이미지 그리고 빛깔이나 모양(시각)·소리(청각)·냄새(후각)·맛(미각)·느낌(촉각)으로 비유하면 심상을 더욱 돋보이게 한다. 적극적으로 권하고 싶은 방법이다.

은유법과 직유법

설명하면 더 어려워지는 것이 수사법이고, 문법이다. 그런데도 달리 방법이 없는 것이 아쉽다. 길게 설명하는 것은 별 의미가 없다. 은유와 직유는 두 대상, 비유 대상과 비유의 매체 사이의 유사성에 의해서 작용한다. 직유는 무엇을 말할 때 어떤 것을 다른 것과 직접 비교해서 말하는 것으로, 비유하는 것과 비유되는 것이 '마치·처럼·같은·마냥·듯이' 등의 요소에 의해 직접 대응시켜 비교해서 유사성類似性을 나타낸다.

조금 부연하면 직유는 '처럼'이나 '같이'를 동반하여 직접 비유하는 것을 뜻한다. '내 마음은 호수처럼 잔잔하다'는 직유다. 은유는 간접적인 경우를 말한다. '내 마음은 호수다'는 은유다. 은유는 연결해주는 것이 없이 직접 비유한다. 실전이 중요하다. 설명이 길어질수록 확연히 드러나는 것이 아니라 복잡해지고 이해가 어려워진다. 전문용어가 나오기 시작하면 더 해석이 어렵다. 유치환 시인의 대표작인 「깃발」을 음미해보자.

이것은 소리 없는 아우성
저 푸른 해원海原을 향하여 흔드는
영원한 노스탈쟈의 손수건
순정은 물결같이 바람에 나부끼고
오로지 맑고 곧은 이념의 푯대 끝에
애수는 백로처럼 날개를 펴다.
아아 누구던가
이렇게 슬프고도 애닯은 마음을
맨 처음 공중에 달 줄을 안 그는

'물결같이'와 '백로처럼'은 직유라는 것이 한눈에 보인다. 순정=물결같이, 애수=

백로같이로 드러난다. 직유는 보이지만 은유는 숨어있다. 은유는 원관념=보조관념의 관계를 갖는다. 주제가 된 깃발과 무관한 것들이 비유어로 자리 잡는다. 본질과는 다른 사물이나 뜻밖의 관념들이 아무런 설명 없이 비유된다.

은유는 원관념=보조관념의 관계를 갖는다. **깃발=아우성, 깃발=손수건, 깃발=애수**哀愁는 동떨어진 사물이나 관념이다. **깃발=아우성**이라는 두 가지 사물의 유사성이 설명되지 않는다. 직관적으로 결합하여 있다. 특별한 것은 유사성의 발견을 독자의 상상력에 맡기고 있다는 점이다. 예를 더 들어보자.

- 사랑은 꽃이다 (은유 원관념=보조관념)
- 사랑의 꽃 (은유 원관념=보조관념)

사랑=꽃의 관계로 둘 다 은유다. '의'로 이어지는 '사랑의 꽃'도 은유다. 앞(사랑:원관념)과 뒤(꽃:보조관념)가 같다. 서로 비유되는 관계를 갖게 되면 은유다. 같은 '의'로 이어졌지만 다른 것도 있다. '의'로 이어지는 은유가 다른 조사 '의'와 무엇이 다른 점을 살펴보자.

나의 책, 나의 옷 소유를 나타내는 조사

나의 각오 내가 하는 각오, 주체가 됨을 나타내는 조사

특별한 경우의 직유를 찾아보자. 세상에 모든 것을 포괄하는 문법은 거의 없다. 예외는 항상 존재한다. 문법보다 말이 먼저 생겼기 때문이다. 그리고 말은 끝없이 변하고, 새로 만들어지기도 하고 소멸하기도 해서 새로운 문법을 만들어야 하는 이유로 해서 예외는 존재한다.

얇은 사 하이얀 고깔은

고이 접어서 나빌레라

— 조지훈의 승무

직유인데 모든 직유법에서 보이는 '마치·처럼·같은·마냥·듯이'가 보이지 않는다. 그런데도 '나빌레라'는 '나비 같구나'로 해석되므로 직유로 보아야 한다.

상징법, 대유법

상징이란 '평화'와 같이 눈에 보이지 않고 말로 표현하기 힘든 것을 '비둘기'와 같이 구체적인 사물로 나타내어 머릿속에 쉽게 떠오르도록 하는 표현 방법이다. **비둘기=평화, 칼=무력**처럼 상징이 되는 사물은 오랜 세월 동안 반복적으로 사용되면서 특별한 뜻을 가지게 된다. 은유도 상징이지만 비유가 없이 직접 사용하는 것이 상징법이다. 상징법은 의미가 널리 알려져 있어서 일반적으로 원관념을 나타내지 않는다. 그냥 비둘기, 십자가, 태극기, 붉은 악마 하면 무엇을 이야기하는지 상식화된 것을 상징이라 한다. 대유법代喩法을 보자. '대유代喩'는 원관념을 나타내기 위해서 보조 개념으로 나타내는 표현이다. 대유 안에 환유와 제유가 있다. 환유는 나타내고자 하는 대상과 밀접한 관련이 있는 관념이나 특징을 통해서 표현한다. 어떤 대상의 속성이나 밀접하게 관련된 특징을 이용해 대상을 나타내는 것이다. 다시 설명하면 관념이나 특징 하나로 전체를 표현하는 것이다. **펜=언론 / 칼=무력 / 요람=탄생 / 무덤=죽음 / 백의의 천사=간호사 / 왕관=왕 / 별=장군** 등이다.

제유는 나타내고자 하는 대상의 부분이나 대표성을 띠고 있는 대상으로 표현한다. 부분으로 전체를 나타내는 기법이다. 사람은 빵만으로는 살 수 없다는 말은 **음식=빵, 술 전체=약주** 이다. 실오라기 하나 안 걸친 알몸에서 **실오라기=옷**을 말한다. 어떻게 사용하는가에 따라 글의 분위기가 확연하게 달라지는 것을 볼 수 있다. 환유법의 예를 더 들여다보자.

애초에 너와 나는 유목민이어서 / 사람의 피에서는

진한 바람의 냄새가 난다. / 바람의 사내는 바람을 잃어버리면

그는 더 이상 늑대가 아니다. / 늑대를 홀리는 건 언제나 여우였다.

여우는 야성을 잃어버린 늑대를 / 그리워하지 않는다.

－「늑대의 사랑」, 신광철

늑대와 여우=남성과 여성이라는 평범한 비유지만 늑대와 여우를 남자와 여자로 놓고 글을 읽어보라. 긴장감이나 박진감이 사라진다. 그리고 야성이 느껴지지 않는다.

형상화形象化, 사물화

형상이란 사람이나 사물의 모양 즉, '꼴'이다. 형체가 없는 것을 언어를 이용하여 현실 세계로 바꾸어 놓는 것으로 예술세계와 상상력의 세계에서 일반화되어 있다. 문학적 글쓰기에서 형체로는 분명히 나타나지 않은 것을 어떤 방법이나 매체를 통해 구체적이고 명확한 형상으로 나타내는 것이다.

문학에서의 형상화란 언어를 이용하여 현실 세계를 더욱 실감 나게 글로 바꾸어 놓는 것이다. 보이지 않는 것들인 꿈·사랑·소리·느낌 같은 것을 형체가 있는 것으로 표현한다는 점에서 사물화 또는 구상화라고도 한다. 넓은 의미로는 작가가 의도한 바를 전달하거나 문학적 목적을 수행하기 위해 작가가 선택한 재료에 예술적 형태를 부여하는 모든 과정이다.

형상화는 문학에서는 글로 표현하고, 미술에서는 그림으로 그려서 표현하고, 음악에서는 소리로 표현한다. 문학에서는 소리도 사물로 표현한다. 수사법 중에서 형상화는 고도의 작업이다. 은유와 직유 그리고 환유와 대유 같은 것들이 있지만 형상화는 한 단계 높은 문학적 수사다. 창의적이어야 해서 더욱더 어렵다. 보이지

않는 것을 보이는 물체로 표현하는 작업이어서 고도의 능력이 필요하다. 다른 수사법들은 재사용이 가능하지만, 형상화는 창조적인 작업이어서 남이 사용한 것을 사용할 수 없다. 새로이 만들어내야 한다.

조선 시대에 기생이며 여류시인인 황진이의 시에서 형상화의 절정을 볼 수 있다.

동짓달 기나긴 밤의 한 허리를 둘러내어
춘풍 이불 아래 서리서리 넣었다가
어룬님 오신날 밤이어든 굽이굽이 펴리라

밤을 형상화한 것이 이 시가 가진 형상화의 절정이다. 임을 기다리는 시간이 길기만 한 동짓달의 밤을 표현한 것이다. 밤의 한 부분을 '밤의 한허리'라고 표현하면서 동짓날의 차가운 밤을 봄바람이 불 때 이불 아래 넣어 따뜻하게 데우겠다고 한다. 데워두었다가 임이 오시는 날에 이불에 데운 따뜻해진 밤을 이불을 펴듯이 펴겠다는 것이다. 길고 차가운 밤을 사람의 몸으로 형상화했다.

이번에는 우리나라 현대 시에서 중요한 시인 정지용의 향수를 살펴보자. 형상화가 어떻게 이루어지고 있는가를 찾아보자,

해설피 금빛 게으른 울음을 우는 곳
뷔인 밭에 밤바람 소리 말을 달리고
엷은 졸음에 겨운 늙으신 아버지

울음을 '해설피 금빛 게으른' 울음이라고 표현했다. 울음에 금빛이 있을 수 없고, 울음이 게으를 수가 없다. 하지만 시인은 분명하게 금빛 게으른 울음이라고 했다. 해설피는 해가 설핏하다는 의미다. 설핏은 해가 져 밝은 빛이 약한 모양을 말한다. 해 질 무렵 햇빛이 엷어지거나 약한 모양을 말한다. 졸음도 표현하기 어렵다. 졸음에 '엷은'을 앞에 놓았다. '엷은 졸음'이라는 표현은 말이 안 된다. 하지만 시인

은 적었다. 어색하면 실패한 것이고 수긍할 수 있으면 성공한 것이다.

향수에서 형상화에 성공한 또 다른 지점은 '밤바람 소리 말을 달리고'다. 밤바람 소리가 말을 달린다고 한다. 밤바람이 세차게 흐르는 것을 말이 달리는 것으로 표현했다. 짧은 부분에 많은 형상화를 했다. 좋은 시의 공통점은 형상화의 성공 여부에 달린 경우가 많다.

이번에는 우리나라 소설 중에서 대표적인 작품인 이효석의 「메밀꽃 필 무렵」을 살펴보자.

> ■ 산 허리는 온통 메밀 밭이어서 피기 시작한 꽃이 소금을 뿌린 듯이 흐뭇한 달빛에 숨이 막힐 지경이다. 붉은 대궁이 향기같이 애잔하고 나귀들의 걸음도 시원하다. 길이 좁은 까닭에 세 사람은 나귀를 타고 외줄로 늘어섰다. 방울소리가 시원스럽게 딸랑딸랑 메밀 밭게로 흘러간다.

달빛을 어떻게 했는가를 살펴보면 된다. '소금을 뿌린 듯이 흐뭇한'이라고 했다. 달빛을 소금으로 형상화한 것이다. 형상화는 보이지 않거나 표현할 수 없는 것을 사물로 전환해서 표현하는 기법이라고 했다. 달빛과 소금과의 관계는 멀다. 연관성이 적다. 하지만 작가는 소금을 표현하면서 소금을 뿌린듯하다고 했다. 소금의 흰 빛과 달빛을 연관시켰다. 그리고 달빛과 '흐뭇한' 것과는 관계가 없다. 작가는 흐뭇한 달빛이라고 했다. 하지만 누구도 표현이 잘못되었다고 이의를 달지 않는다. 어색하지 않다는 것이다. 적어도 한국인의 정서상으로는 형상화에 성공한 것이다. 서양인에게 이 표현을 그대로 적용한다면 이해 못 하고 어색하다고 할 수도 있다. 살아온 환경과 사고체계가 다르기 때문이다. 같은 공감을 끌어낼 수 있는 마음의 공동체가 가동될 때 상상력을 키워주고, 중의적인 생각을 하게 한다면 성공한 것이다.

이효석 작가는 시인이기도 하다. 시에서도 형상화된 것을 찾아보자.

> ■ 돌을 집어 던지면 깨금알같이 오도독 깨어질 듯한 맑은 하늘

「산」이라는 시의 한 부분이다. 맑은 하늘을 형상화하면서 '오도독 깨어질 듯한'이라고 했다. 맑은 하늘을 소리로 표현했다. '오도독 깨어질 듯한'은 사물이 아니지만, 사물이 있어야 깨어진다. 그리고 깨어지는 소리가 난다. 결국 사물을 형상화한 것으로 볼 수 있다.

상상력

문학적 글쓰기의 핵심은 상상력이다. 상상력을 현실화하는 것이 문학적 글쓰기의 요체다. 이론보다 실전이 실력을 키우는데 앞선다. 상상력이란 없는 현실을 작가나 시인이 개인적인 경험이나 상상을 통해서 문학적으로 완성하는 것이다. 작가는 꿈꿀 수 있고, 창조할 수 있지만, 개연성이 있어야 한다. 개연성을 무시하면 문학적 글쓰기는 실패하고 만다. 옳고 그름의 경계지점에서 상상력이 완성되기 때문에 상상력을 문학적으로 완성하는 것이 어렵다. 예를 들면 정현종 시인은 사람과 사람 사이에는 섬이 있다고 했다. 사람과 사람 사이에는 분명하게 섬이라는 실체가 없다. 하지만 섬이 있다고 한다. 하지만 말도 안 되는 이야기를 하고 있다고 시인을 질책하지 않는다. 시인의 상상력에 감탄한다. 시인이 꿈꾸는 것은 무죄다. 시인이 엉뚱한 상상을 하는 것은 상 줄 일이다.

◉ 상상력 길들이기 1

엉뚱한 상상력 하기를 일상화해보자. '엄마의 온도는 몇 도일까'. 이런 상상을 해본 적이 있는가.「엄마의 온도」라는 시의 한 부분이다. 사람의 인체 온도를 재는 것은 익숙하지만 사람이라는 존재로서의 온도를 재는 것은 상상하기 어렵다. 더구나 사람 중에서 엄마라는 존재의 온도를 상상해 보기는 쉽지 않다. 엉뚱해야 엉뚱한 상상력이 나온다. 언덕을 그냥 언덕이라고 하면 밋밋하다. 앞에 엉뚱한 단어를 집어넣어 보자. 눈물을 넣으면 눈물 언덕이다. 눈물 언덕이라는 말에 많은 의미가 함축되어 있다. 인생의 언덕을 떠올리면서 수많은 곡절을 떠올리게 하는 방법으로 언덕에 눈물을 넣으면 쉽게 풀린다. 인생이 힘든 것을 설명으로 하면 지치거나 질린다. 인생의 고됨을 눈물 언덕이라는 조어를 통해서 상상력과 함께 여러 가지를 상상하게 한다. 문학의 힘이다. 문학의 힘은 길들여진 것에서 나오지 않고 새로운 것에서 나온다.

다음으로 당연한 것을 당연하지 않게 하기다. 연습해 보자. 남자는 여자가 낳았다. 너무나 당연한 것을 적었다. 하지만 전혀 당연해 보이지 않는다. '남자는 여자가 낳았다'는 시의 한 부분이면서 시의 제목이다. 여자가 애를 낳는다. 여자가 사람을 낳는다로 한 단계 진전시킨다. 여기에서 한 단계 더 진전된 것이 '남자는 여자가 낳았다'다. 당연하지만 당연한 것을 너무나 당당하게 적은 것이 눈길을 끈다. 이게 뭐지 하는 마음이 든다. 무슨 의미지, 하는 마음이 들게 하는 순간 지루함과 당연함에서 탈출해 신선한 충격을 준다. 당연한 것을 당연하게 하지만 무언가 다른 충격을 주는 것을 찾아보자.

이번에는 복합적인 수사법을 활용해보자.

■ 죽은 듯이 고요한 속에서 짐승 같은 달의 숨소리가 손에 잡힐 듯이 들리며, 콩 포기와 옥수수 잎새가 한층 달에 푸르게 젖었다.

이효석의 「메밀꽃 필 무렵」에 나오는 문장이다. 명문이다. '죽은 듯이 고요함 속에서 짐승 같은 달의 숨소리'에서 다가오는 적막과 적막을 뒤집는 격렬함. 숨이 넘어갈 듯한 숨소리가 손에 잡힐 듯하다고 했다. 그리고 '콩 포기와 옥수수 잎새가 한층 달에 푸르게 젖었다.'에서 독자를 한숨 쉬게 한다. 푸르게 젖었다는 표현도 문학의 정점을 만나게 한다. 직유와 은유가 있고, 의인화와 활유법까지 망라되어 있다. 좋은 글은 다양하고 복합적인 수사법을 활용할 때 나온다.

◉ 상상력 길들이기 2

첫 번째로 거대담론 끌어들이기 작업이다.

> ■ 인간은 햇빛으로 역사를 만들고, 달빛으로 야사를 만든다. 별빛으로 신화를 만들었다. 징그러운 애벌레가 나비가 되어 날아오는 경이로움을 본 사람이라면 삶이 고난뿐이라는 등식을 만들지 않을 것이다. 삶을 노동으로 채우면 고통스럽고, 욕망으로 채우면 조바심으로 살게 되지만, 삶을 낭만으로 채우면 찰랑찰랑 즐거움이 넘친다.

신광철의 『극단의 한국인 극단의 창조성』 서문 중 일부다. 역사와 신화라는 거대담론을 자연과 연결해 문장을 빛나게 하는 방법이다. 역사·야사·신화를 설명하는데 간단하고 명료하게 **역사=햇빛, 야사=달빛, 신화=별빛**으로 정의해서 각자 가진 특성을 단순화시켰다.

다음으로 철학적 내용 도입하기다.

> ■ 나비가 바람을 차고 오르듯이 인생은 평범하고 나른한 일상으로 만들어진다. 나비가 의지할 것 없는 바람만으로 날아오르듯 인생은 지루하게 보이는 평범한 일상으로 세상을 창조할 수도 있고 찬란하게 만들 수도 있다. 나비가 날아가는 길은 불규칙하고 난해하지만 결국은 목적지로 간다.

신광철의 『극단의 한국인 극단의 창조성』 서문 중 일부다. 나비를 통해서 사람의 삶을 설명하고 있다. 나비가 사람의 삶을 그대로 보여준다. 허공을 날개 저어서 날아오르는 것이 신비하듯 사람이 빈손으로 인생을 만들어가는 것이 비슷하다. 또한 나비가 날아갈 때 살펴보면 불규칙하게 날아간다. 인생의 굴곡을 설명하지 않아도 알 수 있다. 직접 사람의 삶을 정의하면 여러 번 들은 이야기이거나 문장이어서 지루하다. 생경함을 불러오기 위한 방법의 하나다.

커피라는 시의 한 부분이다.

  달면서 쓰고 그러면서 중독되는 맛
  사는 것도 중독되는 거였다

「커피」라는 시다. 사는 것도 커피처럼 중독된다는 문장이다. 과연 사는 것도 중독된 걸까 하는 의문을 제기하게 하면 성공한 것이다. 옳고 그름의 문제가 아니라 문제 제기로 철학적 명제에 대해 생각을 하게 되면 된다.
　이번에도 시에서 살펴본다.

  인연에서는 푸른 종소리가 난다.
  식물성의 푸른 종소리가 난다.
  운명의 냄새가 난다.

　살펴보자. 「푸른 종소리」라는 시의 일부분이다. 인연을 설명하기가 어렵다. 인연을 사전적 정의로 설명하면 감동이 오지 않는다. 그래서 선택한 것이 시의 형상화와 감각적 비유를 꾀했다. 인연에서는 소리가 나지도 않고 색도 없다. 하지만 시인은 과감하게 표현했다. 인연을 '푸른 종소리'라고 했다. 색으로는 푸르고 소리로는 종소리라고 표현했다. 더구나 '식물성의 푸른 종소리'라고 했다. 결론은 이렇게 맺는다. '운명의 냄새가 난다.'고. 운명과 결부시켜 어쩔 수 없는 것임을 강조했다. 감각적으로는 색으로는 푸른색, 소리로는 종소리, 그리고 성질로는 식물성이라고 정의하면서 인연을 설명하고 있다. 복합적인 수사법을 끌어들여서 인연을 설명하고 있다. 수사법은 문학의 표현방법이다.
　시의 한 부분을 내려놓는다. 느껴보시라.

술을 한 잔 하면
내 몸의 지평선에서는
별이 뜨거든요.

　－「여행」, 신광철

달빛도 차가운 날에
시가, 알을 깨고 나오는 동안
시인은 몽유병환자였습니다.

　－「가을」, 신광철

바다는 뿔뿔이/달아나려고 했다.
푸른 도마뱀떼같이/재빨랐다.
꼬리가 이루/잡히지 않았다.
흰 발톱에 찢긴/산호보다 붉고 슬픈 생치기!
가까스로 몰아다 붙이고/변죽을 둘러 손질하여 물기를 씻었다.

　－「바다 9」, 정지용

　몸에 지평선이 있을 리 없다. 지평선은 너른 들판에서 마지막으로 보이는 부분으로 일직선으로 나타난다. 지평선을 끌어들여 인체의 신비와 함께 술을 한잔했을 때의 몽롱하고 아득한 신비스러운 느낌을 표현했다. 병아리만 알을 깨고 나오는 것이 아니라 시도 알을 깨고 나오는 것으로 비유했다. 더욱 구체적인 화면을 제공해주면서 시의 탄생을 구체화해주는 역할을 한다. 정지용 시인은 바다를 동물로 표현했다. 구체적인 느낌을 줄 수 있게 한 방법이다. 수사법의 활용을 적극적으로 시도해 보라. 의외의 성과가 나타난다. 수사법을 하나하나 다 살펴보려면 지루해진다. 실전을 통해서 직접 경험해 보는 것이 글쓰기에 도움이 된다.

의인법擬人法과 활유법活喩法

생명이 없는 무생물을 생명이 있는 것으로 표현하는 것이 활유법이다. 비슷하지만 다른 의인법은 한 문장 속에서 인격이 없는 대상에 인격을 부여하여 표현하는 방법이다. 또한 『토끼전』, 『장끼전』, 『이솝우화』처럼 한 작품 전체가 의인화된 것도 있다. 의인법과 활유법의 구별이 엄격하게 나누어지지 않는다. 의인법은 활유법의 하위 개념으로 본다.

활유법은 무생물을 생물로 표현하는 방법으로

모든 산맥들이
바다를 연모해 휘달릴 때에도

이육사의 「광야에서」의 한 부분이다. '산맥들'이 생명화 되어 있다. 활유법은 무정물에 인격을 부여해 생명화하고 한 단계 더 발전해서 사람으로 표현하는 방법이다. '울부짖는 바람', '파도가 으르렁거리며 달려들었다'는 활유법에 해당한다. 반면 의인법은 사람이 아닌 무생물이나 동식물에 인격을 부여하여 사람의 의지, 감정, 생각 등을 지니도록 하는 방법이다. 무생물과 생물을 사람처럼 표현한 것이다. 예를 본다.

- 샘물은 훨씬 더 맑은 소리로 노래 부르며 흘러간다.
- 마을 어귀의 느티나무가 어서 오라고 손짓하며 반긴다.
- 빨간 장미가 수줍은 미소를 머금었다.

활유법은 생명이 없는 무생물을 생명이 있는 생물처럼 표현하는 방법이다. 단순히 생물적 특성만을 부여하면 활유법이고, 인격적 속성이 부여되면 의인법이다. 예를 조금 더 보자. 인격까지는 부여하지 않은 상태가 활유법이다.

- 강물이 으르렁거린다.

- 산이 긴 날개를 폈다.

- 소리를 지르며 달리는 냇물.

- 바람이 울부짖는다.

- 어둠은 새를 낳고, 돌을 낳고, 꽃을 낳는다.

- 꿈틀거리는 봄이 소리도 없이 온다.

- 크레파스들이 일제히 뛰어나와 나뭇잎을 타며 놀고 있다.

풍유법諷諭法

우의법이라고도 하며 보조관념을 통해 원관념을 간접적으로 드러내는 방법으로서, 주로 속담이나 격언에 쓰인다. 비유가 일보 전진한 것으로서 엉뚱한 다른 말인 듯하면서 그 말속에 어떤 뜻을 담게 하는 수사법이다. '뱁새가 황새 따라가다 가랑이가 찢어진다.', '개구리 올챙이 적 생각을 못 한다.', '빈 수레가 더 요란하다.' 등과 같이 교훈을 주는 속담이나 격언은 대부분이 풍유법이다.

한 편의 글 전체가 의인화의 수법을 이용해 풍자 내지는 교훈의 성격을 보이는 우화도 풍유법에 속한다. 『토끼전』, 『장끼전』, 『이솝우화』 등이 속한다. 한 편의 글 전체가 풍유의 기법으로 쓰인 예다. 또한 한 편 전체가 의인화된 사례다.

풍유법은 일반적으로 의인화의 과정을 거친다. 하지만 숨겨진 원관념이 있고, 원관념에 풍자적 의미를 담고 있다는 점이 단지 무생물의 생명화 내지는 생물의 인격화에서 끝나는 의인법과는 다른 점이다. 성공적인 풍유를 위해서는 무엇보다도 비유되는 보조관념이 흥미 있는 것이라야 하고, 흥미에 비례해 담긴 풍자적 의미에 공감될 수 있도록 해야 한다. 예를 보자.

- 똥이 무서워서 피하냐 더러워서 피하지.
- 손바닥으로 하늘을 가릴 수 있으랴.

강조법과 과장법, 영탄법, 반복법

강조법은 표현하려는 대상이나 내용을 더 강렬하게 나타내려는 기법으로, 주로 대상에 대해 지니고 있던 익숙한 느낌에서 오는 단조로움과 평이함을 깨뜨리는 데 목적이 있다. 강조법에는 과장법·영탄법·반복법·미화법·점층법·점강법·열거법·억양법·연쇄법 등이 있다.

과장법은 사물을 실제보다 작게 표현하거나 작은 것을 크게 표현하는 방법이 있다. 실제보다 작게 표현하는 '눈곱만큼 작다'와 '쥐꼬리만 한 봉급' 등이 있고, 작은 것을 크게 하는 '하늘이 무너지는 슬픔'과 '고래 등 같은 기와집'이 있다.

영탄법은 고조된 감정에서 나오는 격정을 그대로 표현하는 방법이다. 주로 감탄사, 감탄형 어미, 감탄 부호 등이 쓰인다.

- 아아, 님은 갔지만 나는 님을 보내지 아니하였습니다.
- 돌아설 듯 날아가며 사뿐히 접어 올린 외씨 보선이여!

반복법은 의미를 강조하거나 흥취를 돋우기 위해 단어·어구·문장을 되풀이하는 방법이다.

- 산에는 꽃 피네 꽃이 피네 / 갈 봄 여름 없이 꽃이 피네
- 보고지고 보고지고, 한양낭군 보고지고.

미화법은 추한 것을 아름답게, 평범한 것을 뛰어나게, 불완전한 것을 완전하게 표현하는 방법이다.

- 도둑 → 밤손님, 양상군자梁上君子
- 개 → 견공犬公

그리고 점층법은 내용을 점차 강하고 힘 있는 것으로 확대하는 방법이고, 점강법은 내용을 점차 약하고 작은 것으로 좁혀가는 방법이다.

- 가족을 위하여, 사회를 위하여, 국가를 위하여
- 저 끝에선 황소만 하게 밀려오더니 방파제께로 올수록 작아져 강아지만 해지고, 곧 암탉으로 되더니

그리고 열거법은 비슷한 내용이나 성격을 지닌 단어·어구·문장을 나열하는 방법이다.

- 놀부는 오장 칠보를 지녔으니 그 하나는 심술보라, 호박에 말뚝박기, 똥 누는 애 주저 앉히기, 애 밴년 배 차대기, 옹기전에 말달리기, 우는 애기 볼기 치기

6

문장문체 만들어보기

글쓰기 전에 정해야 할 것 알아보기

글쓰기 전에 정해야 할 것이 있다. 정하고 글을 쓰기 시작하는 것과 정하지 않고 글을 쓰기 시작하는 것은 차이가 난다. 글쓰기는 체계적이어야 한다. 자유롭게 쓰는 수필이라고 해도 체계가 있고, 구성이 있으며, 문체가 일관되게 쓰여야 글이 깔끔하고 정갈하다. 산뜻한 맛이 난다. 일관성이 없으면 글을 읽으면서 불편하다. 혼란스러워 보인다. 무엇이 잘못되었는지 몰라도 독자는 읽으면서 불편함을 느낀다. 예를 들면 영화를 보면서 무엇이 잘 되었고, 잘못되었는지 구체적으로 설명할 수는 없지만, 재미가 없는 것과 같다. 전문성이 있다면 콕 집어내겠지만 전문성이 없더라도 흥미가 없거나 어색한 것을 느끼는 것과 같다.

영웅담을 쓸 때는 글이 강하고 긴박감 있게 쓰고, 연애담을 쓸 때는 글이 부드럽고 감칠맛이 나야 한다. 그리고 칼럼을 쓸 때는 간결하면서도 단문으로 써야 글과 문체가 어울린다. 글을 쓰기 전에 일단 정한다는 것부터 의미가 있다. 정하고 쓰면 글이 달라진다. 기본적인 사항을 먼저 정한다. 먼저 정해야 할 것들이다.

- 문장의 형식을 결정해야 한다.
- 문체를 결정한다.
- 문장·문단·단락의 길이를 정한다.
- 글의 핵심을 놓을 위치를 정한다.
- 글을 현재형과 과거형 중에서 선택해서 써야 한다.

문장의 형식 결정하기

글을 쓰기 전에 문장의 형식을 결정해야 한다. 단순문과 복합문 중에서 어떤 것을 주로 선택해서 쓸 것인가를 결정해야 한다. 단문과 중문 또는 복합문 중 어느 것을 위주로 할 것인가를 결정하지 않으면 글이 정돈된 느낌이 들지 않는다. 글을 전문적으로 쓰지 않는 경우에는 단문으로 쓰는 것이 좋다. 주어와 서술어가 멀어지면 글을 이해하기 어려워진다. 문장을 만들어가는 능력이 있으면 중문이나 복합문을 사용해도 좋지만 간결하게 해야 주제 전달이 잘 된다. 예를 들어보자.

■ 머리에 풍선을 달고, 우리들을 기르느라 굵어진 팔에는 바람개비가 들려 있었고, 들로 달려가는 엄마의 눈에는 가을 하늘이 맑고 투명하게 열려있었으며, 엄마의 가을맞이를 낭만으로 받아들이고 멀리서 엄마를 바라보는 아버지의 눈에도 가을 하늘이 가득했다.

쉽게 전체가 이해가 올까. 그렇지 않다. 하나의 문장에 많은 내용이 들어있어 정확하게 행동이나 풍경이 구분되지 않는다. 초보자의 글쓰기는 욕심이 앞서서 많은 이야기를 한 번에 하려고 하는 경향이 있다. 한숨을 죽이고 짧고 명확하게 문장을 만드는 습관을 지녀야 한다. 단문에 익숙해지면 중문이나 복합문으로 옮겨 가도 늦지 않다. 위의 문장을 단문으로 바꾸어보자.

- 머리에 풍선을 달았다. 팔에는 바람개비가 들려 있었다. 우리들을 기르느라 팔이 굵어져 있었다. 엄마는 들로 달려나갔다. 엄마의 눈에는 가을 하늘이 맑고 투명하게 열려있었다. 엄마의 가을맞이였다. 아버지는 엄마의 행동을 낭만으로 받아들이고 있었다. 멀리서 엄마를 바라보고 있었다. 아버지의 눈에도 가을 하늘이 가득했다.

단문으로 정리하면 내용이 더 확연히 드러난다. 그리고 더 많은 내용을 깔끔하게 넣을 수 있다. 행위나 사건이 진행되는 것을 명확하게 전달할 수 있다. 중문이나 복문을 사용하면 문장이 더 깊이 있고, 문학적인 구사를 할 수 있지만, 전달에 문제가 생길 수가 있고, 문장이 꼬여서 초보자는 피하는 것이 좋다.

문체 결정하기

작가의 사상 또는 감정을 글의 인상印象, 즉 어떤 대상을 보거나 듣거나 했을 때 그것이 사람의 마음에 주는 느낌이나 그 작용을 효과적으로 나타낼 수 있는 표현이 문체다. 문체는 작가의 개성적 표현이 된다. 문체는 여러 가지가 있다. 간결과 만연 / 강건과 우유 / 건조와 화려 / 운문과 산문 중에서 어떤 것을 선택할 것인가를 결정해야 한다. 전쟁이나 사건 진행이 빠른 탐정소설 같은 경우는 강한 문체를 사용하고, 연애소설이나 동화 같은 경우는 부드러운 문장을 선택하는 것이 좋다.

만연체는 잘못하면 문장의 핵심이 무엇인지 헷갈리게 한다. 체언과 서술어가 멀어서 중간에 나오는 문장으로 해서 정확한 의미를 짚어내기가 쉽지 않다. 시는 짧기 때문에 간결한 문장을 주로 선택하지만 드물게 시에도 만연체를 쓰는 경우가 있다. 대표적인 경우가 백석의 시에서 많이 보인다. 짧은 시에 만연체를 쓰는 것이 쉽지 않아 보이는데, 있다. 백석 시인의 대표적인 경우 하나를 본다. 정말 한 문장이 길다. 긴 시임에도 4문장으로 구성되어 있다. 우선 문장이 어디서 시작되고 끝나는 가를 확인해 보자.

① 어느 사이에 나는 아내도 없고, 또, 아내와 같이 살던 집도 없어지고, 그리고 살뜰한 부모며 동생들과도 멀리 떨어져서, 그 어느 바람 세인 쓸쓸한 거리 끝에 헤매이었다.

② 바로 날도 저물어서, 바람은 더욱 세게 불고, 추위는 점점 더해 오는데, 나는 어느 목수木手네 집 헌 삿을 깐, 한 방에 들어서 쥔을 붙이었다. 이리하여 나는 이 습내 나는 춥고, 누긋한 방에서, 낮이나 밤이나 나는 나 혼자도 너무 많은 것 같이 생각하며, 딜옹배기에 북덕불이라도 담겨오면, 이것을 안고 손을 쬐며 재 우에 뜻없이 글자를 쓰기도 하며, 또 문밖에 나가디두 않구 자리에 누워서, 머리에 손깍지 벼개를 하고 굴기도 하면서, 나는 내 슬픔이며 어리석음이며 소처럼 연하게 쌔김질하는 것이었다.

③ 내 가슴이 꽉 메여 올 적이며, 내 눈에 뜨거운 것이 핑 괴일 적이며, 또 내 스스로 화끈 낯이 붉도록 부끄러울 적이며, 나는 내 슬픔과 어리석음에 눌리어 죽을 수밖에 없는 것을 느끼는 것이었다.

④ 그러나 잠시 뒤에 나는 고개를 들어, 허연 문창을 바라보든가 또 눈을 떠서 높은 천정을 쳐다보는 것인데, 이때 나는 내 뜻이며 힘으로, 나를 이끌어 가는 것이 힘든 일인 것을 생각하고, 이것들보다 더 크고, 높은 것이 있어서, 나를 내 마음대로 굴려 가는 것을 생각하는 것인데, 이렇게 하여 여러 날이 지나는 동안에, 내 어지러운 마음에는 슬픔이며, 한탄이며, 가라앉을 것은 차츰 앙금이 되어 가라앉고, 외로운 생각만이 드는 때쯤 해서는, 더러 나줏손에 쌀랑쌀랑 싸락눈이 와서 문창을 치기도 하는 때도 있는데, 나는 이런

저녁에는 화로를 더욱 다가 끼며, 무릎을 꿇어 보며, 어니 먼 산 뒷옆에 바우 섶에 따로 외로이 서서, 어두어 오는데 하이야니 눈을 맞을, 그 마른 잎새에는, 쌀랑쌀랑 소리도 나며 눈을 맞을, 그 드물다는 굳고 정한 갈매나무라는 나무를 생각하는 것이었다.

　　－ '남신의주 유동 박시봉방南新義州 柳洞 朴時逢方'백석 시인

　모두 4개의 문장으로 이루어져 있다. 쉽게 내용을 파악할 수가 없다. 시인의 글임에도 어렵다. 독자가 읽어서 이해가 되어야 하는 것이 문장의 기본 요소다. 여기에 토속 사투리가 들어가 있어 더욱 이해가 어렵다. 만연체로 쓸 경우 초보자의 경우는 자신이 쓴 글임에도 스스로 이해하기 어려운 상태가 될 수도 있다.
　이번에는 간결체와 만연체의 비교해서 보자. 먼저 간결체다.

■　인생의 날 중 맑은 날만을 고집하면 사막이 된다. 흐린 날이 많은 곳은 울창한 밀림이 된다. 맑은 날이 계속되는 곳은 사막이 된다. 인생의 성공은 맑은 날로 만들어지는 것이 아니다. 고난이라는 맑지 않은 날로 만들어진다. 고난을 두려워하면 아무것도 이루어 낼 수 없다. 성공은 고난을 넘은 곳에서 기다리고 있다. 아무나 성공할 수 없는 것은 이 때문이다.

이번에는 같은 내용의 만연체다.

■　인생의 날 중 맑은 날만을 고집하면 사막이 되고, 흐린 날이 많은 곳은 울창한 밀림이 되지만 맑은 날이 계속되는 곳은 사막이 되며, 인생의 성공은 맑은 날로 만들어지는 것이 아니라 고난이라는 맑지 않은 날로 만들어질 뿐 아니라 고난을 두려워하면 아무것도 이루어 낼 수 없고 성공은 고난을 넘은 곳에서 기다리고 있어서 아무나 성공할 수 없는 것은 이 때문이다.

간결체를 사용해도 내용 전달에 문제가 없다. 오히려 더욱 분명하게 내용을 전

달할 수 있다. 읽는 독자가 막힘 없이 글을 읽을 수가 있다.

이번에는 강건체와 우유체를 비교해보자. 강하게 몰아치는 강건체 문장과 강물 흘러가듯이 부드러운 우유체 문장을 비교해 보자. 의도적으로 문장을 만들어가는 훈련이 필요하다. 다음은 강건체로 만들어진 『칭기즈칸 리더십』 서문의 일부다. 강하게 느껴지도록 하기 위해서 문장이 짧고 강렬한 의미를 가진 단어들로 만들었다. 먼저 강하게 몰고 가는 강건체다.

■ 인생을 가만히 두지 말고 폭풍 속으로 뛰어들게 하라. 폭풍의 한가운데에는 산들바람 같은 잔잔한 바람이 일렁인다. 오히려 폭풍의 한가운데에는 뜻하지 않은 고요와 평화가 있다. 도전하는 자를 위한 선물이다. 인생을 두려워하거나 낭비하는 자는 죽어도 좋다. 특히 젊음을 낭비하는 것은 죄악이다. 살아 있음을 부르르 떨어라.

이번에는 반대의 경우다. 유연하고 부드럽다. 우유체다. 소설 『해바라기』 중에 나오는 부분이다. 매끄럽고 아기의 살결처럼 부드러운 말들로 만들어졌다. 의도적으로 문장을 만들 때 한 방향으로 몰고 갈 필요가 있다. 연애소설을 쓰면서 강하고 도전적인 문장들로 하는 것이 어울리지 않는다.

■ 일관되게 침묵을 고수하던 그가 조용히 일어나 춤을 추기 시작했다. 그것은 누구도 예측하지 못한 돌발이었다. 침묵 속에 갇혀 사는 사람이라 생각했던 그의 일탈. 새가 멀리서 날아오르듯이 느린 몸사위에서 점점 빨라지기 시작하더니 이내 잦아들어 잔잔해지기도 하면서 고른 숨을 죽이기도 했다. 너울너울 타는 불빛 주위를 신들린 듯, 혼이 빠진 듯한 그의 춤은 막무가내로 사람들의 시선을 빼앗았다. 불을 배경으로 한 그의 춤은, 그의 배면에서 함께 살아 움직이는 묵직한 그림자와 함께 황홀경을 드나들고 있었다.

되는대로 쓰는 것이 아니라 계획하고 준비해야 한다. 어떤 문장으로 만들 것인가를 결정하고 쓰면 글에 일관성이 주어져 독자가 편하게 받아들인다.

이번에는 정의를 저자가 직접 내리는 경우를 살펴보자. 사전적인 정의나 일반적인 사회통념으로 정의 내리지 않고 저자 자신의 철학과 가치관으로 세상에 대해 정의를 내리는 경우다. 가난을 정의하면 '수입이나 재산이 적어서 살림살이가 넉넉하지 못하고 어려운 상태'다. 하지만 사회적인 구조를 대입하면 가난의 정의가 달라질 수 있다. 가난에 대한 다른 해석의 문장을 보자.

■ 가난은 아프다. 가난은 죄를 짓지 않고 벌 받는 기분이다. 가난한 사람이 죽으면 보리밭에 묻어야 한다. 시퍼렇게 겨울을 견뎌서는 푸르게 살아 알 통통하게 오른 보리밥을 배부르게 먹을 수 있도록.

다른 해석이다. '가난은 죄를 저지르지 않은 사람이 벌을 받는 것'이라고 해석하고 있다. 죽어라고 열심히 살아도 실패로 인해 가난해지는 사람도 있고, 부모의 유산으로 부자가 된 사람도 있다. 운이 따라서 쉽게 부자가 된 경우도 있다. 노력해도 가난을 벗어날 수 없는 경우에 분명 가난은 죄가 아니지만, 죄를 저지른 사람보다도 더 참혹한 어려움을 겪게 된다.

가난에 대해 더 강한 해석을 한 경우도 있다. 부자는 많은 가난한 사람의 재산을 모아서 가진 것에 불과하다는 해석도 있다. 뒤집으면 가난은 부자들에게 착취당한 것이라는 견해다. 해석은 다양할 수가 있다. 분명한 것은 사전적 정의로는 독자가 공감하는 경우가 드물다. 저자만의 독자적인 해석이 필요하고, 해석에 따라 문장을 이끌고 가는 힘이 생긴다.

산문과 운문을 비교해보자. 글에 율동을 넣고, 글에 문학적 요소를 집어넣으면 글이 매끄럽고 시원하다. 일반 산문과 운문을 비교해 보라.

산문
노고산에 올랐다.
달이 휘엉청 밝았다.

큰 사발에 소주를 따라 마셨다.
세상이 가볍게 느껴지고
봄 같은 느낌이 들었다.
내 안에 있는 욕망들이
가벼워지는 기분이었다.
오늘이 즐거웠다.

운문

노고산에 올라
휘엉청 밝은 보름달을
넉넉한 사발에 천사의 눈물 같은 소주를
담아 마셨다
세상이 나비의 날개처럼 가벼워져서는 인생의 봄이 마악 피는 동백꽃처럼
왔다
들끓던 욕망들이 나비가
되어 날아오르고
오늘이라는 생장점에 꽃이 피었다

문장·문단·단락의 길이를 정하기

글을 쓰다 보면 어디에서 단락을 나누어야 하는가 싶을 때가 있다. 일반적으로 단행본으로 만들어진 책의 경우에 한 단락을 4, 5줄 정도 좋다. 좀 길게 쓴다고 해도 10줄 이내로 해야 한다. 너무 길면 독자가 답답한 느낌이 들게 된다. 3줄은 짧다는 느낌이 들지만 괜찮다. 하지만 한두 줄로 이루어진 것들은 문장이 약해 보인다. 더구나 한두 줄 자리가 몇 단락이 이어지면 문장으로서의 깊이를 갖기 어렵다. 여기

서 말하는 글량은 A4용지, 10 Point 크기로 할 때의 기준이다.

우선 4줄로 만들어진 문단을 보자.

- 우리는 어느 별에선가 착하게 산 상품으로 지구여행 티켓을 한 장씩 받았다. 착하게 산 사람들만이 상품권을 받을 수 있었다. 지구를 찾아오는 사람들은 모두 착한 사람이다. 아기 때의 배냇 웃음은 상품권을 받았을 때에 가졌던 착한 웃음이다.

단독으로는 문제가 없지만 위에서 본 4줄보다 짧은 문단으로 계속되면 전체적으로 빈약해 보인다.

이번에는 7줄로 만든 문장을 보자.

- 지구여행 티켓은 선행의 여행상품권이다. 우리가 퀴즈나 열심히 일한 대가로 여행권을 선물 받듯이 지구여행 티켓을 받고 흥분된 마음으로 찾아온 곳이 지구별이다. 지구별은 더없이 아름답고 가슴 벅찬 놀라움이 가득 찬 곳이지만 어느 곳보다도 힘이 들고 여행하기에 어려움이 많은 곳이다. 앞서 말한 대로 모두 처음으로 가보는 곳이기 때문이다. 그래서 지구를 찾아올 때는 안내자가 필요하다. 그것이 부모다. 지구여행을 먼저 온 두 사람이 새로운 여행자들을 안내한다. 아버지와 어머니는 지구여행 안내자이다.

훨씬 안정감이 있다. 하나의 내용으로 이끌어가는 힘이 느껴진다. 내용을 수용할 정도의 길이로 문단을 나누는 것이 효과적이다. 무난한 길이로 추천하고 싶은 문단 길이는 4줄에서 9줄 정도가 효과적이다. 예외는 언제나 존재하지만, 글을 쓰면서 최고를 지향하려면 조정해야 한다. 쓸 때는 글 쓰는데 푹 빠져서 전체를 파악하기 힘들다. 하지만 글을 많이 쓰다 보면 자연스럽게 나누어지는데 초보자의 경우는 다 쓰고 나서 문단의 길이를 조정해야 한다.

각각의 문단마다 독립된 하나의 주제와 완결된 구조를 갖추도록 해야 한다. 문단에 하나의 내용으로 적고 가능하면 완결된 형태로 완성해야 정돈된 느낌이 난다. 전체 문장이나 다음 문장으로 분산되면 문장의 완성도가 떨어져서 정리되지 않아 보인다. 다시 말하면 글을 쓰다 하나의 내용을 적고, 다음 내용을 적을 때 문단을 나누어야 한다. 문장마다 독립성을 부여하면 안정감이 든다.

글의 핵심을 놓을 위치 정하기

귀납과 연역 또는 기승전결 형식으로 할 것인가를 정한다. 초보자는 가능하면 두괄식으로 쓰고 글의 시작부터 끝까지 힘과 리듬을 잃지 말아야 한다. 사소해 보이지만 글이 힘이 있어 보인다. 결론을 뒤에 두는 것은 앞에서 글을 끌어가는 힘이 강할 때 사용하는 것이 좋다. 파격적인 내용이거나 문장으로 승부할 수 있는 능력이 있다면 미괄식도 권장할 만하다. 초보자에게 두괄식을 권하는 것은 결론부터 내고 전개해 가는 것이 한결 쉽다. 결론을 내게 된 상황이나 논리로 풀어가는 것이 쉽다. 전체를 용의주도하게 틀어잡고 논리적으로 설명하면서 마지막에 결론을 내는 것도 있지만 초보자에게는 첫머리에 결론을 놓고 전개하는 것을 권한다. 결론으로 다가가는 것보다 결론을 풀어나가는 것이 쉽다.

핵심을 어디에 두는 것이 좋은가와 어떠한 방법으로 논리를 이끌어갈 것이냐를 결정하고 쓰는 것이 글을 쓰는데 쉽다. 생각나는 대로 쓰는 것보다는 미리 정해놓고 써야 한다. 초보자에게 기승전결에 의해서 글을 구조적으로 쓰라고 하면 오히려 글을 쓰기 어렵다. 결론 부분을 어디에 놓을 것인가에 관해서만 결정하고 글을 쓰는 것이 무리가 없다. 중간에 결론이나 핵심적인 내용을 두는 것은 쉽지 않다. 기술적으로 어려움이 따른다. 결론이나 핵심의 앞부분과 뒷부분의 전개도 쉽지 않고 글의 분량도 조절해야 해서 쉽지 않다. 글을 쓸 때 두려움이 있으면 글을 풀어나가기가 어려워진다. 마음이 가는 대로 흘러가야 한다.

연역법과 귀납법이 있다. 공부할수록 복잡해진다. 문법은 지금 내가 현재 알고 있는 범위 내에서 지켜 쓰면 된다. 문법이나 글 쓰는 방법을 생각하고 글을 쓰면 글이 쉽게 진행되지 않는다. 분명한 것은 말이 먼저 생겼고, 다음으로 글이 생기고, 문법이 생겼다는 점이다. 두려움 없이 글을 쓰는 것이 중요하다. 친구에게 이야기를 주고받듯이 편하게 글을 쓰는 것이 먼저다. 수다가 글이 된다고 생각하면 글에 대한 두려움이 사라진다. 실제로 친구에게 하고 싶은 말을 적는다고 하면 이야기 전개가 쉬워진다. 그리고 논문의 경우도 마찬가지로 내가 생각하고 있는 논리를 친구에게 설명한다고 생각하고 쓰면 쉬워진다. 문법적으로 옳고 틀리고는 다 쓴 다음에 고려하면 된다. 글의 양이 많고 적음도 다 쓴 후에 조절하면 된다.

자연스러운 글 이상의 글은 없다. 자연스러운 글은 물 흐르듯이 쓰는 글이다. 할머니들이 느티나무 아래서 반나절 수다를 떨면서도 글을 쓰라고 하면 난색을 표한다. 글에 대한 두려움 때문이다. 글에 대한 두려움이 없애는 것이 먼저다. 다시 한번 말한다. 친구에게 수다를 떨 듯이 글을 쓰면 된다. 쓴 후에 문법을 고려하고 문단을 나누어도 된다. 글쓰기에서 중요한 것은 이것이다. 일단 써라.

현재형과 과거형 선택하기

글을 쓰다 보면 현재형으로 써야 할지 과거형으로 써야 할지 망설여질 때가 있다. 현재형과 과거형으로 쓸지 미리 정하고 시작하면 한결 편하다. 현재형으로 쓰면 글이 단정하고 깔끔하다. 현장감이 산다. 과거형은 확정적이고 결정적이다. 신문이나 기사 내용은 대부분 이미 벌어진 일이다. 현재형으로 써도 과거형으로 써도 무방하다. 역사소설 같은 경우는 과거형으로 쓰는 경우가 많다. 지난 과거의 사건들이기 때문에 자연스러워 보인다.

글을 쓸 때 대과거형은 가능하면 사용하지 않는다. '했다'가 과거형이라면 '했었다'는 대과거형이다. '그랬다'의 대과거형인 '그랬었다'는 표현은 어색하다. 사용하지 않는 것이 더 자연스럽다. 대화에서도 대과거형을 사용하면 어색하다. 문법적으로 문제가 되지 않지만, 요즘은 잘 사용하지 않는다.

그리고 과거형으로 글을 쓴다고 해도 진리나 당연한 원리 같은 경우는 현재형으로 써야 한다. 유념할 것은 현재형과 과거형 중에서 선택해서 일관되게 써야 한다는 점이다. 시점이 왔다 갔다 하면 글이 정리되지 않아 보인다. 과거형으로 정하고 쓰더라도 진리나 역사적인 사실인 경우는 현재형으로 써야 한다. 초심자들의 경우 글을 보면 대부분 현재형과 과거형을 섞어서 사용하는 경우가 많다. 일관된 시제를 사용하도록 해야 한다.

글쓰기는 고도의 기술이다. 말을 정리한 것이 글쓰기라지만 글은 각자의 취향에 따라 다르다. 글을 쓰다 보면 자신이 좋아하는 문체가 있음을 알게 된다. 저절로 자리를 잡아가지만 처음 글을 쓰기 시작할 때 정하고 쓰는 버릇을 들이다 보면 한결 글이 정연하고 안정적으로 변한다.

고은 시인의 글쓰기는 자리에 따라 다른 글을 쓴다. 책상 별로 다른 글을 쓴다. 예를 들면 시를 쓰는 책상, 소설을 쓰는 책상, 잡문을 쓰는 책상으로 분리해서 쓴다. 글의 종류에 따라 앉는 자리를 달리해 몰입하기 좋은 분위기를 만들어서 글을 쓰려는 의도다. 익숙한 분위기를 만들어서 글쓰기를 하는 유형이다. 김훈 작가의 글쓰기는 하루에 시간을 정해놓고 쓴다. 소설을 쓰려고 섬으로 들어가기도 한다. 예를 들면 무리하지 않고 하루에 3시간씩 글을 쓴다. 그리고 오직 글에만 매달린다.

글쓰기는 중요하다. 자신의 마음의 얼굴이다. 마음을 보여줄 수 있는 것이 말과 행동이다. 말과 행동을 적는 것이 글이다. 사회생활, 직장 또는 사업을 하면서 꼭 필요한 것이 글이다. 요즘은 과거보다 더 글쓰기가 중요해지고 있다. 카톡이나 문자를 보내는 것도 글이다. 글의 효용 가치가 늘어나고 있다. 문학적 글쓰기는 글쓰기 중에서 가장 상위의 글쓰기다. 실용적 글쓰기는 누구나 쓸 수 있지만, 문학적 글쓰기는 노력이 필요하다. 앞서 설명한 것들을 실행하면 문학적 글쓰기의 능력을 키울 수 있다. 마지막으로 봄을 바라보는 시각을 바꾼 글을 소개한다. 꽃이 피는 것이 반란의 횃불로 보고 초록이 세상을 점령한 것을 혁명의 완수로 본 시각이다. 시도하면 새로운 글이 열린다. 글은 쓴 만큼 는다는 말을 믿는다. 오늘부터 당장 쓰시라!

봄은 반란처럼 와서는
혁명으로 완성한다.

군데군데 꽃으로 불지르며 찾아와서는
일순간에 초록으로 세상을 점령한다.
점령군은 인자해서 생명들은
점령군을 반기는 기색이 역력하다.
썩고 남루한 세상을 거부하고
꽃을 앞세워 봉기한 세력은
초록깃발을 높이 들었다.

겨우겨우 버텨 온 어둠의 세력은 가라.
눈물과 곡절의 궁핍은 물러가라.
찬란하고 새로운 것들만 오라

혁명군의 초록깃발에
불처럼 동조하는 생명들은 발기하라.
봄은
빛나라
맑아라
밝아라

  - 「혁명의 봄」, 신광철

7

왕초보 글쓰기
실전과 작품평

이제 왕초보들의 글쓰기를 실제로 한 것에 대하여 살펴보는 시간을 가져보자. 타인이 쓴 것을 제삼자의 눈으로 바라보는 훈련도 필요하다. 여기에 소개하는 글들은 책과 글쓰기 학교에서 직접 초보자 회원들이 직접 써온 글들이다. 회원 중에는 수필가도 있고 책을 20권 이상 쓴 베테랑도 있다. 그러나 여기에 쓴 글은 글을 처음 써보는 초보자들이 자신이 쓴 글을 사전에 제출하고 수업 시간에 내가 직접 강평하고 수정해 준 실제 글들이다.

글쓰기는 하루아침에 되는 게 아니다. 내공이 있어야만 한다. 그런 의미에서 글쓰기 공부를 하는 과정에서 남이 써온 분들의 글을 통해서 어떤 점이 문제이고, 일반적으로 저지르기 쉬운 점들을 찾아 확인해보자. 나도 이런 실수를 하고 있지 않은가에 유념하면서 살펴보는 과정에서 실력이 는다.

특히 문학적 글을 잘 쓰려면 부단한 노력이 필요하다. 한 번에 글이 부드럽고 깊이 있는 글을 쓴다는 것은 무리다. 많이 쓰고, 많이 읽고, 많이 생각하는 훈련을 통해서 글은 익어가고 성숙해 간다. 어떤 대가라도 글을 배우던 때가 있었고, 글쓰기를 겨우 쓰기 시작하던 때가 있었다. 두려움 없이 전진하는 것이 최선의 길이다.

시도해 보시라. 쓴 만큼 늘고, 읽은 만큼 넓어지고, 생각한 만큼 깊어진다. 인생이 깊어진 만큼 글도 깊어진다. 글은 마음의 거울이기 때문이다. 여기에 소개하는 초보자들의 글을 읽어보고 잘된 점과 잘못된 점을 살펴보도록 하자. 스스로 먼저 판단해보고 다시 한번 자신이 바라본 것과 전문가의 판단을 비교해 보도록 하자.

글쓰기의 실제 1

◉ 결혼과 첫날밤 실수

1972년 8월 15일 지금의 아내인 박영희를 친구의 소개로 처음 만난 날이다.

아주 긴 생머리카락을 날리며 동그란 얼굴에 약간 조그마한 입, 쌍꺼풀 눈이며, 저렇게 예쁠 수가 있을까? 물론 제 눈의 안경이지만 첫눈에 저 여자를 사로잡는 방법은 없을까 생각하였다. 친구들 모임에 가끔 같이 가면 봉 잡았다, 땡잡았다며 놀려대기도 하였고 미인을 사귄다고 친구들에게 부러움을 사기도 했다.

그 시절에는 20대 중반이면 결혼을 많이 하던 시대라서 연말이 가까워져 오자 시골에 계시는 부모님께 자초지종 말씀을 올리고 지금 사귀는 여자와 결혼하고 싶다는 뜻을 전하였다.

그해 12월경 시골에서 아버지가 상경하셔서 회사(청계천 고가도로가 시작되는 입구에 삼일빌딩이 있었다. 삼일빌딩 근처에 회사가 있었음) 근처의 여관에서 잠시 휴식을 취하고 계셨다. 퇴근하자마자 아버님을 뵙고 여자 친구인 박영희와 함께 인사 겸 식사를 모시고 싶다고 말씀드렸더니 대뜸 안 만나면 안 되냐고 하시는 것이었다. 겁이 덜컥 났다.

갑자기 왜 그러시냐고 물어보았다. 아버지께서 장거리 여행의 피곤을 푸느라 잠시 잠을 청한 사이 꿈을 꾸셨는데, 어느 마을에 엄청난 홍수가 나서 모든 것을 다 쓸어버렸는데 유달리 한 논의 벼들은 홍수가 지나간 다음에도 고개를 쳐들고 있더랍니다. 여관 주인에게 아들 혼사 때문에 상경하였는데 조금 전 꿈 얘기를 했더니 근처에 용한 점쟁이가 있다고 하여 같이 가셨단다. 한마디로 결혼 운이 좋지 않다고 하더란다. 남녀가 중매로 만날 경우에는 서로의 사주팔자를 본다고 들었지만, 남녀가 자연스럽게 만나 사귀다 결혼할 경우에는 그 자체가 천생의 인연이라 했다.

박영희도 회사 근처에 와 있는데 참으로 당황스러운 일이 발생하였다.

"아버지 잘 알아듣겠는데요. 광화문 정부청사 건너편에 김봉수 철학관이라고 있는데 장안에서 유명하다고 소문이 자자합니다. 그기에 가서 물어보고 아니라면 생각해 보겠습니다" 그리하여 회사 근처에 있는 식당에 들어가서 아버지, 나, 박영희와 함께 불고기로 저녁 식사를 하면서 아버지께 박영희를 소개하였다.

당시만 하더라도 최고의 대접이 불고기였다. 그 후에 주물럭이라고 하여 두꺼운 고기를 잘게 썰어 석쇠에 구워 먹는 것이 유행하다가 이후에 등심이 유행하였다.

최근에는 불고기가 다시 유행하는 걸 보니 그때의 사람들이 향수에 깃들어 많이 찾는 것인지, 아니면 그 시절 사람들이 지금 나이쯤이면 치아가 문제니까 먹기에 편해서인지 잘 모르겠다.

가끔 아내가 그때를 회상하면서, 핀잔을 준다. 아내에게 정말 미안하고 왜 내가 완벽한 준비를 하지 못하였나 후회막심하다. 시골에서 재래식(구식) 결혼을 해야 하니까 미쳐 신경 쓰지 못한 것이 지금도 후회스럽다.

일요일 아침 시골에 도착하자마자 아내는 연지곤지 찍고 족두리 쓰고 결혼식을 거행하였다. 날씨가 추웠지만 많은 하객을 대접하느라 정신이 없었다. 무엇보다도 아내가 경상도 사투리 말을 잘 알아듣지 못하는 것이 안쓰러웠다. 그리고 결혼을 한 후에 바로 다가오는 아내의 첫 생일날에는 시갓집에서 한 상을 채려 준다는데 이것도 잘 몰랐다.

경상도에서는 이런 방식이 없는 것 같은데... 아니면 내가 중학교 때부터 부산 서울로 객지 생활을 하다 보니 그런 관습을 몰랐는지도 모르겠다.

이후 그때의 후회스러움이 자극제가 되었는지 스케줄이나 자료 등을 꼼꼼히 챙기는 버릇이 생겼다.

2013년 2월 10일 결혼 40주년을 맞이하였는데 그때가 마침 설날 연휴와 겹치는 날이었다. 나는 이날을 뜻깊게 보내고 싶은 마음에 아내 몰래 워커힐호텔 숙박을 예약하였다.

목동에 사는 형님댁에 모여 제사를 치르고 난 후 호텔에 가서 옛날 얘기하며 하룻밤을 보내고 돌아왔다. 그러나 40년 전 꿈 많던 시절에 실수한 일을 만회 해보고 싶었지만 이미 지난 일 만회될 리가 있었겠나.

결혼 이후 아내의 생일이나 결혼기념일은 잊지 않고 되도록 챙겨주려 노력했다. 나름대로 같이 식사를 하거나, 당일 부득이한 약속이 있으면 사전 양해를 구하고 귀가할 때는 꽃으로 대신한다든지 하여 날짜를 잊어버린 기억은 거의 없다.

요즘은 인터넷이 발달하여 어떤 사항에 대해 모르면 척척 답변해 주는 소위 인터넷 박사가 있으니까 모든 것이 편리한 세상이다.

앞으로 결혼할 젊은이들은 앞뒤를 잘 살피고, 특히 결혼기념일, 아내의 생일 등은 꼭 챙겨서 자기 형편에 맞는 성의를 표하는 것을 습관화하여 훗날 후회하지 않도록 해야 할 것이다. 형편이 여의치 못하면 장미 한 송이를 전하는 것도 무방하지 않을까 생각한다.

변함없이 아내를 생각하고 있다는 자체가 무엇보다 중요하니까.

부부란 전혀 다른 가정에서 자란 사람이 인연을 맺어 새로운 삶을 사는 것이니까 이 나이쯤 되어 연륜이 쌓이다 보니 자기의 방식이나 고집대로 살면 안 된다는 것을 자연스레 터득이 된다.

요즘 다문화가정이 많은데 상대방 나라의 풍습이나 관습을 이해해 주어야 하는 것과 다를 바 없지 않은가

특히 여성은 감성적이니까 이 점도 잘 헤아려 한 번의 실수나 잘못이 아내에게 상처를 줄 수 있고 특히 심한 막말을 할 경우 대못을 박는다는 것도 알아야겠다.

'여보, 그동안 내가 잘못한 것 잘 알고 있으니까 이해해줘. 앞으로 잘할게.'

지금도 나는 이 말을 아내에게 하지 못하고 살고 있다.

자존심인지 용기가 없는 것인지 가슴속에 아껴두고 있다.

언제쯤이나 말할 수 있을지...

◉ 실전 작품 평

초보자로서 주제 선정과 이야기를 끌고 가는 힘이 있다. 수필을 쓰겠다는 다짐과 실제로 수필을 쓰기 시작했다는 점에서 글을 쓸 수 있는 소질이 다분하다. 작은 문제지만 구체적으로 살펴보자.

1. 주제는 핵심적인 것 하나만 쓴다. 선보는 이야기, 결혼식 이야기, 현재 사는 이야기, 교훈적인 이야기가 중복되어 있어 집중도가 떨어진다. 하나의 이야기를 심도 있게 적고, 자세하고 일반적인 이야기가 아니라 나만이 겪은 이야기를 쓴다.

2. 교훈적인 이야기는 자제한다. 당시의 이야기에서 애틋하고 그리웠던 것으로 마무리한다. 교훈이나 감동 받는 것은 독자의 몫으로 남겨두어야 한다. 설명하는 순간 수필의 맛이 떨어지고 훈장의 훈시 같은 느낌의 글이 된다.

3. 독자의 입장에서 친절하게 쓴다. 아내의 이름이 불쑥 나온다거나 처음 사용하는 '우귀' 같은 말은 설명을 해 준다. 독자에게 친절해야 한다.

4. 글을 읽는 데 방해가 되는 장치를 제거한다. ( )를 쳐서 설명을 넣는 것보다 본문에 녹여 적는다. 가능한 본문에 자연스럽게 풀어서 적는다. 기호가 많이 들어가거나 장치가 있으면 독자는 읽는 것을 포기한다. 도표 하나에 독자가 5% 감소한다는 말도 있다.

5. 구체적이고 일반적인 내용은 적지 말고 나만의 특별함을 적는다. 전체를 설명하려 하지 말고 부분을 자세하게 적는다. 일상적인 것에서의 특별함을 적는 것이 수필이다.

6. 나에게만 중요한 것은 적지 않되 적으려면 특별함을 설명하라. 선을 본 날이나 결혼식 날은 나에게만 중요하다. 모든 사람이 결혼을 하고 선을 본다. 굳이 적으려면 선의 의미와 역사성과 연계된 사례를 적어라.

7. 상황보다 마음의 움직임을 적는다. 외적인 상황이나 기술보다는 그림을 그리듯이 마음의 움직임을 적는다. 예를 들면 선을 볼 때의 본인의 마음과 결혼식 올릴 때 벌벌 떠는 신랑을 처음 봤다고 했는데 벌벌 떠는 불안한 마음과 심리 상태를 자세하게 적는 것이 중요하다. 그리고 본인의 마음 상태를 적어야 실감 난다.

8. 맞춤법

시갓집은 시가집.

터득이 된다는 터득된다.

글쓰기의 실제 2

◉ 왜 이웃을 돕는가!

인간은 혼자서는 살 수 없는 존재다. 사람의 신체적 능력은 어느 하나 다른 동물들보다 뛰어난 것이 없다. 인간이 자랑하는 지능조차도 혼자서는 큰 의미가 없다. 인간이 홀몸으로 자연 상태에 내던져진다면 혹독한 자연환경에서 살아남기는 쉽지 않을 것이다. 인류가 생존에 성공하고 위대한 문명을 이루어 낼 수 있었던 것은 의사소통능력, 협업능력, 결집력 등에 있다고 한다. 그래서 일찍이 아리스토텔레스는 '인간은 사회적 동물Social Animal'이라고 하였다.

사회성이 없이 자기 가족만 알고 이웃사람과 소통, 협력이 없었던 네안데르탈인은 인간보다 더 큰 신체와 더 큰 두뇌를 가졌음에도 불구하고 현생 인류 호모사피엔스에 의해 멸종되었다고 한다. 따라서 호모사피엔스가 협동하고 서로 도와주는 능력을 가지고 있어 지구의 당당한 주인이 되었다는 이론이 주목을 받고 있다. 이스라엘 히브리대 역사학자 유발 하라리는 호모사피엔스가 집단적으로 협력할 줄 아는 유일한 동물이기 때문에 경쟁자를 멸종시켰다고 주장했다.

사람들은 왜 이웃을 돕는가? 여기에 철학적인 답이 있다. 남을 도우면 결국 나에게도 도움이 돌아오기 때문에 내 자신을 생각해서 남을 돕는다는 것이다. 영국의 정치 철학자 토마스 홉스는 인간은 근본적으로 이기적 존재로 여겼다. 그래서 '자연 상태에서는 만인의 만인에 대한 투쟁 상태'라고 하였다. 하루는 홉스가 길을 가다 구걸하는 거지에게 동냥을 주었다. 그러자 지인이 묻는다. 홉스 자네는 평소 인간을 이기적이라 주장하지 않았는가. 그런데 "조금 전 한 행동은 인간은 이기적이라는 자네 철학에 스스로 반하는 것이 아닌가." 라고 말했다.

이때 홉스의 답변이 걸작이다. 거지를 위해 도운 것이 아니네. 도움을 받고 기뻐하는 거지의 모습에서 내가 즐거움을 찾으니 나를 위한 것일세! 결국 남을 돕는 것은 나한테 이익이 되니까 한다는 것이다. '중용' 에서는 '자신을 희생하여 남을 도와주고 타인을 배려하는 사람'을 '군자君子' 라고 한다. 유교 사상에서 '군자'는 이상적인 인간형으로 사회에 반드시 필요한 사람이자 모두의 지향점이기도 하다.

그러면 서양의 시각은 어떨까 베스트셀러로 유명한 애덤 그랜트의 저서 '기버 앤드 테이커Giver and Taker' 는 자기가 받은 것보다 더 많이 주는 것을 좋아하는 사람인 '기버Giver' 가 자신의 이익만을 생각하고 더 받기를 원하는 '테이커Taker' 보다 조직에 더 큰 이익을 가져오며 관계가 지속될수록 '기버' 개인에게도 많은 보상이 따라 온다는 것은 실증적으로 보여준다.

즉 동양철학 속 '군자' 와 서양의 실증사례 속 '기버Giver' 가 합치되는 것으로 보인다. 그리고 베푸는 사람이 되면 도덕적으로 이상적일 뿐 아니라 실용적 차원에서도 성공한다는 말이 된다. 그러나 어느 때보다 치열한 경쟁 속에서 살고 있는 현대인에게는 배려와 베풂이 사치처럼 다가오기도 한다. 그럼에도 불구하고 '먼저 베풀고 주는 것' 은 복잡다단한 사회에서 성공하고자 한다면 더욱 절실한 덕목이기도 하다.

독일출신 저널리스트인 슈테판 클라인도 자신의 저서 '이타주의자가 지배한다' 에서 다음과 같이 적었다. "이기주의자가 단기적으로 볼 때는 잘 살 것 같지만 장기적으로 보면 타인의 행복을 위해 노력하는 이타주의가 훨씬 앞선다. 21세기처럼 긴밀하게 연결된 사회에서는 타인의 성공이 나에게 도움이 되고 타인의 불행이 나에게도 재앙이 된다. 결국 미래사회는 이타주의가 지배하게 될 것이다"고 말했다. 인간은 가정과 사회를 통해 이타적으로 발전해 나간다는 것이 학자들의 주장이다. 어리석은 사람은 자기 이익에 매달리고 지혜로운 사람은 남의 이익에 헌신한다는 말이다.

먼 옛날부터 인류는 식량이 부족한 세상에서 협력을 통해 위기를 극복했다. 원시인들의 공동 사냥은 집단 구성원의 상호 의존도를 높이고 새로운 경제 기반을 마련했다. 오늘날의 인간도 비슷한 상황에 처해있다. 이제는 손으로 일하는 사람보다 머리로 일하는 사람이 더 많고 더 큰 가치를 창출해 낸다. 하지만 지식은 아무리 나눠주어도 줄어들지 않는다. 오히려 함께 노력할 때 더 큰 성과로 돌아온다. 그리고 성과를 아무리 혼자 간직하려 해도 소용이 없다. 이런 지식의 속성은 나눔 문화를 장려한다.

미래경제에서 나눔 정신과 이타심의 재능이 주목받는 것은 이러한 이유에서다. 사람들은 이기적인 것 같으면서도 인간애에 대한 믿음의 숨겨진 힘에 의해서 인류 공동체를 지향하고 있다. 그것은 공감과 소통의 능력 때문이다. 몇 사람이 웃으면 따라 웃게 되는 까닭은 감정이입 때문이며 감정이입은 타인을 이해하는 통로로서 너와 나의 경계를 허물어 버린다. 인간은 공감을 잘하면 더 잘 배우고 더 잘 협력하게 된다. 미래는 이타주의자의 것이다.

◉ 실전 작품 평

글의 주제가 무거운 내용인데 무난하게 이야기를 전개하고 있다. 자기주장을 하는 부분에서도 무리수가 없이 논리적으로 설명해 부드럽게 받아들일 수 있다. 철학과 일상생활의 글을 잘 버무렸다.

1. 글은 저자가 단정적으로 쓸 때 독자에게 믿음을 준다. 추측이나 가능성으로 쓰는 태도는 고쳐야 한다. '쉽지 않을 것이다.' '의사소통능력, 협업능력, 결집력 등에 있다고 한다.'

2. 현재형과 과거형을 섞어서 쓰지 말고 통일해야 한다. 부득이한 경우는 당연히 혼용해서 쓸 수 있지만 분명하게 먼저 과거형과 현재형 중 선택해서 사용

한다. 과거형 문장을 사용하기로 결정했어도 문장의 내용이 진리나 단정적인 내용일 때는 현재형으로 써야 한다.

3. 문장에서 큰말따옴표 " "와 작은말따옴표' '의 사용을 확실하게 한다. 큰말 따옴표는 말을 따올 때 사용하고 작은따옴표는 강조하거나 말 안에서 다시 말을 인용할 때 사용한다.

4. 결국 남을 돕는 것은 나한테 이익이 되니까 한다는 것이다. '중용'에서는 '자신을 희생하여 남을 도와주고 타인을 배려하는 사람'을 '군자君子'라고 한다. 유교사상에서 '군자'는 이상적인 인간형으로 사회에 필요한 사람이자 모두의 지향점이기도 하다. '나한테 이익이 되니까 한다는 것이다.', '지향점이기도 하다.'처럼 자신 없게 표현하지 말고 '나한테 이익이 되니까 한다.', '지향점이다.'처럼 단정적으로 쓴다.

5. 중용 같은 책의 제목은 『』안에 적는 것이 원칙이다.

6. '타인을 이해하는 통로로서'는 사람이나 인격, 자격을 쓸 때는 '으로서'고, 물건이나 직무를 쓸 때는 '으로써'다.

글쓰기의 실제 3

◉ 병어조림의 전설

"따르릉"

아내한테서 전화가 왔다. 근무시간 중에 특별히 통화할 일이 없는데 전화가 와서 예감이 안 좋았다. 무슨 일 일까 하고 머리를 빠르게 굴리며 전화를 받았다.

"친구들과 점심을 먹고, 멋있는 카페에서 커피 한잔하자고 2층 계단을 올라가다가 넘어졌는데 오른팔이 부러졌대요. 너무 아프고 움직일 수가 없어서 가까운 정형외과를 찾아갔더니, X-Ray를 찍어보고는 자기들이 치료하기 어려우니 큰 병원으로 가라고 해서 지금 삼성병원 응급실로 가고 있어요."

"알았어요. 내가 바로 갈게."

'예감이 안 좋더니만 기어코 일이 벌어졌구나.' 추석 전 주말이라 여러 가지로 바빴지만 하던 일을 덮어 놓고 급히 나왔다. 응급실에 들어가 보니 아내가 친구들 몇 사람과 같이 서 있었다. 응급실에 병상이 없어서 X-Ray 찍고 나와서 전문의 판독을 다리라고 있다는 것이다. 조금 있으니 아들 내외도 애들을 데리고 병원으로 쫓아왔다. 사고가 난 얘기를 한창 듣고 있는데 간호사가 들어와 보라고 해서 아내와 같이 정형외과 의사를 만났다.

"오른팔 맨 위쪽 어깨 바로 밑의 뼈가 부러졌는데, 네 조각으로 복잡하게 부러져서 깁스만 해서는 안 되고 수술을 해야 될 것 같습니다."

그런데 정형외과 교수님한테 수술을 받으려면 한 달 이상 기다려야 한다고 했다. 그러나 그렇게 오래 기다리면 안 되니, 삼성병원과 협치 지정병원이 있으니 그 병원에 가서 가능한 한 빨리 수술을 하라는 것이다. 어깨 바로 밑에 팔뼈가 여러 조각으로 부러졌다고 하면 간단한 수술은 아닐 것이라는 생각이 들었다. 자주 쓰고 또 힘도 많이 받는 부분이기 때문에 수술을 잘 못 하면 부작용도 많이 생길 수도 있고, 죽을 때까지 고생을 오래 할 것만 같은 걱정이 앞섰다. '골절이 되었으면 염증이 생기기 전에 가능한 한 빨리 수술을 해야 할 텐데.' 한 달 이상 기다려야 수술을 할 수 있다니 정말 난감했다.

다행히 아들이 병원과 관련된 사업을 하고 있기 때문에 병원에 있는 사람들을 많이 알고 있다. 아들이 여기저기 전화를 해서 알아보고 자문을 구했다. 벌써 7시가 넘은 금요일 저녁이기 때문에 모두들 연락이 잘 안 되니, 월요일에 알아봐야 한다는 것이다. 할 수 없이 월요일에 알아보기로 하고, 우선 반 기부스를 하고 응급약만 받아 들고 집으로 왔다.

아들이 서둘러서 4일 후인 추석 다음 날 연휴 중에 담당 교수가 직접 나와서 특별히 수술을 해주었다. 다행히 아내가 아직 체력이 좋고, 수술이 잘 되어 1주일 만에 퇴원을 했다.

퇴원은 했다지만 병실만 아니지 오른팔을 전혀 움직일 수 없는 중상환자다. 기브스를 한 상태이기 때문에 전혀 움직이지도 못하고, 통증이 심해서 고생을 많이 하고 있다. 더더구나 오른팔을 묶어 놔서 왼손으로 밥을 먹어야 하니 숟가락질도 잘 못 한다. 며칠 지난 다음부터는 아내가 오른팔은 전혀 못 움직이지만, 왼팔로 해 온 음식은 챙겨 먹을 수는 있는 정도였다. 퇴원하는 날 며느리가 국과 반찬을 여러 가지 준비해서 집에 가져왔기 때문에 챙겨 먹기만 하면 되었다. 3일 동안 며느리가 매일 분당에서 서울까지 와서 밥을 챙겨 주고 갔다. 그러나 고등학교 다니는 딸과 초등학교 다니는 아들을 키우고 있는 며느리가 그렇게까지 하면 너무나 바빠서 힘들 것 같았다.

"우리가 어떻게든 해 볼 테니, 이제 매일 오지 마라"

"그래도 아직 불편하신데 어떻게 해요"

"괜찮아. 이제 어머니가 밥은 챙겨 먹을 수 있으니까, 우리가 할 수 있다."

"그러면 제가 이틀에 한 번씩 반찬은 해다 드리겠습니다."

아내는 오른팔을 전혀 못 쓰기 때문에 밥을 해 먹기는커녕 설거지도 전혀 못 하는 상태였다. 그래서 설거지는 당연히 내 몫이 되고 말았다. 설거지도 처음 해 보니 쉽지 않았다. 우선 설거지를 하려면 고무장갑을 끼워야 하는데, 내 손이 좀 더 커서 그런지 고무장갑이 잘 들어가지를 않는다. 겨우 손이 들어가서 설거지를 하고 난 다음에 고무장갑을 빼려고 하니 설거지하는 동안에 난 땀이 고무장갑에 들러붙어서 잘 빠지지 않는다. 한참 실랑이를 한 다음에야 겨우 손을 뺄 수가 있었다.

솔직히 그동안 결혼한 지 40년이 넘었지만, 나는 집에서 밥을 해 본다던지 설거지를 해 본 적이 단 한 번도 없다. 요즘 젊은 사람들이 들으면 어떻게 그럴 수가 있느냐? 의리도 없고 부인을 사랑하는 마음이 전혀 없는 못된 남편이라고 할 것이다. 그러나 변명이 아니라 우리가 자랄 때는 "남자가 부엌에 들어가면 '뭐' 가 떨어진다."고 했다. 남자는 밖의 일을 하고 여자는 집안일을 하는 것으로 역할 분담이 되어 있기 때문에, 그 시절엔 남자는 물론 여자들도 그것이 당연한 것으로 알고 살았으며 불평을 하는 사람도 없었다.

이삼일 설거지를 하고 나니 이제 아내에게 내가 따뜻한 밥도 해 주고 싶은 욕심이 생겼다. 퇴근하고 와서 쌀을 씻었다. 그러자 아내가 말린다.

"햇반을 전자레인지에 돌리기만 하면 되는데 뭐 하러 고생스럽게 밥을 하려고 해요"

"뭐하긴 당신한테 따뜻한 밥을 해 주고 싶어서 그러지"

"그럴 필요 없어요. 그냥 햇반 먹어요."

아내가 하는 잔소리를 뒤로하고 중학교 다닐 때 자취하면서 해 봤던 기억을 되살려 쌀을 씻어 솥에 넣고 손등이 잠길 만큼 물을 붓고 전기밥솥에 스위치를 넣었다.

그날 저녁 아내는 밥을 맛있게 먹었다. 내가 한 밥이지만 정말 햇반 하고는 비교가 안 될 만큼 맛있게 잘 되었다. 그날 저녁 아내는 며느리한테 전화를 걸어 "너의 시아버지가 밥을 해 주셨단다. 내일은 아침에 해가 서쪽에서 뜰지도 모르겠다."고 야단을 떨었다.

한 열흘 동안 밥도 하고 설거지를 하다 보니 아내에게 맛있는 반찬도 한번 해 주고 싶은 생각이 들었다. 기왕에 하는 일이라면 아내를 더 기쁘게 해주고 싶었다.

토요일에 친구들과 산에 갔다 오면서, 생선 가게에 들러 큼직한 병어를 한 마리 사가지고 왔다. 병어조림을 한번 해 보고 싶었다. 병어조림은 생선이기 때문에 영양가도 좋고, 맛도 있고 잘만하면 그 모양도 먹음직스럽기 때문이다. 그동안 맛있게 먹어봤던 병어조림의 기억을 되살려 최대한 멋있고 맛있게 만들어 보기로 했다.

우선 생선의 비린내를 없애기 위하여 병어를 소주와 식초를 섞은 물에 담가 놓고 양념을 준비했다. 그런데 주방에서 양념이 어디에 어떤 양념이 들어 있는지 알 수가 없어, 주방의 찬장 문을 전부 다 열어 놓고 찾기 시작했다. 마늘과 생강을 다지고 또 내 생각에 최대한 맛있게 될 것 같은 레시피를 생각하며 조리를 시작을 했다. 중간에 간도 여러 번 봤다. 싱거운 것 같아서 간장을 좀 더 넣었다가, 또 짠 것 같아서 물을 좀 더 넣기도 하고 여러 번을 거쳐서 드디어 완성을 했다. 아내 같으면 30~40분이면 충분히 만들 것을, 병어조림 하나 만드는데 2시간이 넘게 낑낑거리며 만들었다. 그래도 아내가 이 병어조림을 맛있게 먹고 좋아하고 빨리 쾌차하였으면 좋겠다는 생각만 들었다.

저녁을 먹으면서 식탁에 병어조림을 내놓으니 집사람이 깜짝 놀랐다.

"김치찌개나 된장찌개도 아니고, 어떻게 남자가 병어조림을 다 만들었어요."

더더구나 모양이 너무 멋있고 맛있게 생겼다는 것이다. 아내는 밥 먹을 생각은 안 하고 핸드폰을 꺼내다가 병어조림을 여러 컷을 찍어 며느리에게, 딸에게, 아들에게 계속 전송을 했다. 먹어 보더니, "보기만 맛있는 게 아니라 정말 맛있다"고 아내는 감탄을 하며 맛있게 먹었다.

"야! 너희 아버지는 정말 대단하시다. 못 하는 게 없으시다."

"여보. 고마워요."

아내한테서 칭찬을 듣고 나니 그 뒤로 아내가 기브스를 풀 때까지 한 달 동안 밥하고 설거지하는 것이 전혀 힘들지 않았다. 여자들이 힘들게 부엌일을 해도 남편이나 가족들이 맛있게 먹어주고 또 잘 먹었다고 고마워하는 그 말 때문에 평생 동안 음식 만드는 일을 해도 힘들어하지 않는지도 모른다는 생각이 든다. 결국 아내의 팔 골절 사고는 불행의 씨앗이 아니라, 오히려 아내에게 인정받고 부부간 애정과 사랑이 두 배 세 배로 늘어나는 좋은 계기가 되었다.

◉ **실전 작품 평**

전체적으로 안정되고 이야기 연결이 순조롭다. 전문작가가 아니면서 이 정도의 글쓰기 능력을 갖췄다면 전문가로서 손색이 없다. 내공이 있다. 하나의 주제로 이야기를 끌고 가는 힘이 있다. 굳이 문제를 찾는다면 몇 가지를 지적한다. 하지만 이러한 것들은 글의 힘에 비하면 사소한 것이다.

  1. 글쓰기 전 과거형/현재형 중 어느 것으로 써야 할 것인가를 결정하고 써야 일관성이 있다.

  2. '기브스' 같은 외래어를 그대로 쓸 것인가 순화어로 고쳐 쓸 것인가 결정해야 한다. 기브스는 석고붕대나 부목으로 표시할 수 있다. '레시피'도 조리법 등으로 순화어를 사용하도록 한다.

  3. 하나의 이야기로 구성하되 필요하면 하나 더 넣을 수 있으나 가능하면 하나의

이야기로 구성한다.

4. 큰따옴표와 작은따옴표 내용을 구분하고 독립 문장으로 구성할 것인지 문장 속에 녹일 것인지 일관성이 있어야 한다.

5. 지시대명사 사용을 자제하는 것이 좋다.

6. 큰말 따옴표와 작은말 따옴표의 사용을 정확하게 사용하고, 독립된 연으로 사용하는 것이 일반적인데 혼용해서는 안 된다.

제 4 장

1

책과 글을 쓰는데
왠 핸드폰인가?

100만 원에 사서 3만 원짜리 전화통으로만 쓴다

핸드폰은 나이에 관계없이 누구나 최신 핸드폰을 쓴다. 그 값이 TV 한 대보다 더 비싼 100만 원대다. 나이 든 시니어들도 예외 없이 비싼 스마트폰을 쓰고 있는데 대개 아들딸들이 사주는 경우가 많기 때문이다. 그런데 시니어들은 거의 전화나 하고 카톡 정도의 기능만을 활용하다 보니 사실은 3만 원 정도의 전화기로만 쓴다.

이제는 핸드폰에 말로 하면 문서가 작성되고 핸드폰으로 사진을 찍기만 하면 문서가 작성되는 시대가 되었다. 이런 기술들은 2007년도에 핸드폰이 처음 소개되어 이 세상을 바꾸어 놓았듯이 책 글쓰기 세상을 완전히 바꾸어 놓았다. 그것도 공짜로 제공되는 각종 앱의 활용으로 가능하다. 책을 쓰고 글을 쓰는데 이러한 기술을 몸소 실천하고 보여준 분이 있다.

젊은이들에게 아이돌이 있다면 나이 든 분들에게 어른돌이 있다. 바로 강민구

판사이다. 강 판사가 2017년 1월 부산지방법원장을 떠나면서 강연한 '혁신의 길목에 선 우리의 자세'라는 제목의 고별강연이 유튜브에서 조회 수가 2018년 10월 말로 130만 건을 넘어섰다. 여러 언론에서도 이를 다뤘으며, 나이 든 시니어들은 물론 젊은이들에게 이르기까지 많은 시청을 했다. 심지어는 스님과 재가불자 사이에서도 화제가 되고 있다.

강연은 4차 산업혁명 시대에 어떻게 해야 디지털 문맹에서 벗어날 수 있는지를 쉽게 설명한 내용이다. 법조계의 'IT 전도사'라고 불리는 강 판사는 한국의 사법 정보화 수준을 세계 최상위권으로 끌어올린 주역이다. 그는 이 강연에서 인공지능과 로봇기술로 대변되는 기술혁신의 시기에 그것을 적극적으로 활용해 창의적인 일에 나서야 한다는 메시지를 전달했다. 특히 세계 곳곳에서 진행되는 최첨단 기계를 소개하는가 하면 스마트폰의 혁신적인 앱인 에버노트, 오피스 렌즈, 구글 포토, 네이버 파파고 등을 활용하면 적은 노력으로 엄청난 성과를 거둘 수 있음을 역설했다.

그러나 조회 수가 130만 건이라는 폭발적인 인기를 누리게 된 것은 내용도 좋았지만, 무엇보다도 가장 중요한 사실은 그가 IT 전문가도 아니요, 더구나 젊은 사람이 아니라 올해 환갑이라는 사실 때문이다. 화제가 된 마지막 강의를 일반적으로 쓰는 PC를 통해서가 아니라 핸드폰을 손바닥에 올려놓고 직접 조작해가며 강의한 것도 놀라운 사실이다. 이 책도 순전히 강민구 판사의 덕분에 나오게 되었다. 큰 행운이 아닐 수 없다.

우리 속담에는 '공짜라면 양잿물도 마신다.'는 말이 있다. 이런 공짜가 폭발적으로 몰려오고 있는데도 우리나라에서는 유일하게 손을 대지 않는 곳이 있다. 바로 클라우드 기술이다. 상세한 이야기는 뒤에서 자세히 하겠지만 이 분야는 후진국 중에도 후진국이다. 우리나라가 열세였던 전자분야에 고속망을 깔아 인터넷 보급률 세계 1위가 되고 인터넷 강국이 되었지만 유독 클라우드는 말레이시아 같은 국가에도 미치지 못하고 있다. 4차 산업의 핵은 초연결과 고 지능화다. 이 연결의 고속도로가 클라우드인데 이 고속도로가 차단되어 있는 것이다. 더구나 클라우드로 제공되는 웬만한 앱 기술이나 툴은 다 공짜다. 그런데도 아무도 이것을 활용하지 않고 있다. 전부 공짜인데도 말이다.

상기 앱들 이외에도 다음 클라우드는 50GB, 네이버 클라우드는 30GB 등 여러 가지 앱들이 클라우드 공간을 무상 제공하고 나아가 클라우드 저장 공간이 부족하다고 생각하는 경우는 핸드폰 자체에도 최근에 출시되는 핸드폰의 경우는 256GB, SD카드를 추가하면 그 이상을 저장할 수 있기 때문이다. 이동하면서 활용하기 위해 자신이 확보한 모든 데이터를 클라우드나 핸드폰 SD카드에 저장할 필요는 없기 때문에 저장공간이 부족하다는 걱정은 하지 않아도 된다. 대부분은 아직도 PC에 저장해도 된다. 물론 클라우드 제공자들이 유상으로 제공하는 일부 저장 공간을 추가한다고 해서 비용이 크게 들어가는 것은 아니지만 기왕에 기부행위를 하는 것이라면 다른 곳에 하는 것이 낫지 않을까?

핸드폰으로 책 쓰기로 시니어들의 고민 해방

나이가 들면 어디 신체적인 변화뿐이겠는가. 핸드폰 일정에 메모해 놓지 않으면 출장과 약속이 겹친다. 등산 가기로 한 날에 골프 약속도 해버려 산으로 가야 할지, 들로 가야 할지 곤란한 일이 생긴다. 변변찮은 기억력을 믿고 있기에는 늘 무리가 따른다. 사람 이름은 왜 그리도 생각이 나질 않을까? 길 가다가 마주친 얼굴 생김새는 훤히 떠오르는데 이름은 도무지 감감하다.

그래도 끝까지 생각해 내어야 치매 예방에 좋다고는 하는데 마음 같지 않다. 아침 출근길에 나왔다가 다시 현관문을 여는 일이나, 여행을 갔다가 물건 하나쯤 놓고 나오는 건 이제는 흔한 일상이라고 봐야 한다. 더구나 시니어들은 눈이 침침해지고 타이핑 속도는 점점 떨어진다. 그래서 시니어들이 책 쓰기에 도전했다가 포기하는 경우가 많고 엄두를 내지 못하는 경우가 대부분이다.

2015년까지만 해도 핸드폰으로 책을 쓴다고 하면 이상한 사람이 아닌가라는 말을 들었을 것이다. 그런데 이제는 그 말이 당연한 말처럼 들려야 하는 시대가 되었다. 이렇게 말할 수 있도록 만들어 준 것이 바로 클라우드와 모바일 기술을 책 글쓰기에 가능하도록 만들어 준 음성과 관련한 기술, 이미지 안에 들어있는 문자를 인식하는 기술과 번역과 관련한 기술들이다.

책 쓰기와 관련한 최근 기술의 큰 도약은 크게 음성인식 기술, 이미지 인식 기술과 문자를 읽어주는 기술 등 세 가지 기술의 상용화에 있었다고 할 수 있다. 물론 다른 여러 가지의 기술들이 융합하여 적용되었기 때문에 가능해진 것이기는 하다. 그런데 그것도 무료 제공하는 핸드폰 앱의 형태로 우리에게 나타났다.

첫째, 음성 인식 기술은 애초 1950년대부터 이미 개발이 시작되었고 PC를 위한 기술도 개발이 되었었다. PC에서의 기술은 개발은 되었으나 상업화에는 실패하였다. 그러나 핸드폰 관련하여서는 꾸준히 개발되어 2011년에 시리 Siri가 음성 인식 기술 상용화에 성공하여 애플 아이폰에 처음으로 탑재되면서 각 핸드폰 메이커에 적용되기 시작하였다.

둘째, 이미지에서 텍스트를 출력하는 이미지 인식 기술은 OCR Optical Character Recognition이라고 하는데 예를 들어 독자가 이미 PC에 저장하고 있는 PDF 파일을 편집할 수 있는 문서로 변환한다든지, 여행을 갔다가 빌딩에 붙어있는 안내문을 사진 찍어 두어 핸드폰에 저장해 놓았던 사진을 문서로 변환시키는 기술을 말한다.

셋째, 문자를 음성으로 읽어주는 기술은 TTS Text to Speech라고 부르는데 문서를 예쁜 디지털 여성 목소리(물론 남성 목소리로도)로 읽어 주는 기술을 말한다.

상기 대표적인 세 가지의 기술이 핸드폰으로 책 글쓰기를 가능하게 만들어 주는 대표적인 기술이다. 그런데 이런 기술들은 모두 클라우드 기술을 기반으로 발전되었다. 지금은 PC로 실행할 수 있는 기능보다 핸드폰으로 실행할 수 있는 기능이 더 많고 편리하게 되었다. 핸드폰이 PC보다 불편한 것은 단지 화면이 작아 읽기가 불편하다는 것과 자판이 너무 작아 타이핑하기가 불편하다는 것 이외에는 대부분 더 편리하고 기능도 더 다양하다. 그런데 클라우드 기술은 우리가 어디에 있든 언제든 상관없이 핸드폰이나 패드나 PC나 노트북 등 어떤 디바이스로도 필요한 때면 즉시 일할 수 있는 스마트워킹 Smart Working 환경을 가능하도록 해 준다.

책 쓰기에서 가장 시간이 오래 걸리고 중요한 것이 자료 수집이다. 그런데 상기와 같은 최신 기술을 모르는 사람들은 책을 읽다가 필요한 부분이 생기면 복사하여 스크랩해 놓던가 책 자체에 포스트잇을 붙여 놓아 나중에 필요할 때 찾아내어 PC에서 타이핑하는 방법 이외에는 방법이 없었다. 필요하다고 생각하는 자료들을 보관하는 방법도 문제였다. 그러나 지금은 필요한 부분은 어디에서, 언제 발견하였든 장소와 시점에 관계없이 언제든지 사진을 찍기만 하면 문서가 된다.

그리고 내가 별도로 관리하거나 또는 PC가 아니더라도 구글이나 네이버 등 클라우드 저장 공간에 저장해 놓으면 된다. 나중에 어떤 자료가 필요할 때 필요한 자료에 해당하는 키워드 몇 자만, 그것도 말로 하면 파일의 제목만이 아니라 그 파일의 내용까지 친절하게 찾아 들어가 키워드에 맞는 파일을 즉시 찾아 준다.

정보검색도 잘 활용하면 얼마든지 많은 자료를 구할 수 있다. 더구나 핸드폰에서는 말로 명령만 내리면 언제 어디서든 각종 검색엔진에 들어가 필요한 자료를 찾아 주기도 한다. 그 자료를 즉시 복사하여 내가 저장하고자 하는 형태로 클라우드에 저장해 놓을 수 있다. 어떤 좋은 아이디어가 생기든지, 혹은 자신의 경험을 아무 곳에서든 핸드폰에 대고 말로 하기만 하면 바로 문서로 작성해 준다. 과거에는 자서전을 쓰는 사람들은 책 쓰기 전문가에게 비싼 비용을 지불하면서 그들 앞에서 말로 하면 녹음해서 전문가들은 그 녹음된 것을 자기의 처소로 가져가서 들으면서 PC로 타이핑을 하는 수밖에 없었지만, 이제는 전문가의 도움도 필요 없이 내가 핸드폰에 대고 직접 말하기만 하면 그 말하는 것이 바로 문서가 된다.

그리고 어떤 동영상이든 이미지든 필요한 부분만을 복사하여 클라우드에 저장해 놓을 수 있다. 만약 책 쓰기를 할 때 자료수집이나 분석의 목적으로 설문 조사가 필요하면 내가 직접 핸드폰 앱을 활용하여 기존의 설문 조사 방법과는 비교도 안 되는 짧은 시간 내에 설문조사를 마칠 수 있다. 그리고 수집한 모든 문서는 산책을 할 때나, 산행할 때나 대중교통을 이용할 때나 해변에 있을 때도 예쁜 여성의 목소리로 들을 수 있고 또한 TV나 모니터, 또는 빔프로젝터가 있는 곳에서는 핸드폰의 작은 화면이 아니라 TV나 모니터, 또는 빔프로젝터로 그 문서를 보면서 들을 수도 있다.

외국 서적이나 자료에서 책 집필에 필요한 부분이 있다면 이제는 걱정할 필요가 없다. 필요한 부분을 사진을 찍거나 혹시 전자서적으로 읽을 수 있는 책자라면 그 문서를 그대로 번역기에 넣기만 하면 즉시 번역해 준다.

이제는 마지막 책 원고를 작성할 때 이외에는 타이핑할 일이 크게 없다. 원고를 작성할 때에도 타이핑하는 것보다 핸드폰에서 말로 해서 문서로 작성하는 것이 더 효율적이다. 이제까지 설명한 책 글쓰기 관련한 핸드폰에서의 기능은 대부분 PC 에서는 실행할 수 없거나 실행한다고 할지라도 매우 비효율적인 기능들이다. 그래서 핸드폰으로 책 글쓰기가 가능한 것이다.

어떤 핸드폰 앱들이 유용한가?

앞에서도 설명했듯이 책 글쓰기와 관련하여 이 세상을 가장 크게 바꾸어 놓은 기술은 음성인식 기술인데 이는 '지능형'이라는 수식어를 달고 진화했다. 애플이 2011년 '아이폰4S'에 지능형 음성인식 기술 시리를 탑재하고 이를 지능형 개인비서Personal Assistant라고 소개하면서 선을 보였다. 그 이후에 삼성전자 'S보이스' 등의 이름으로 이 개인비서 앱들은 계속 발전해 왔다. 최근 삼성은 S8 기종을 소개하면서 '빅스비'라는 S보이스의 발전된 모습을 소개했고, 네이버도 최근 클로바Clova라는 개인비서 앱을 소개하였다. 지능형 음성인식 기술 앱들이 자체의 기종에 특화되어 있지만, 네이버의 클로바는 기종과 관계없이 적용될 수 있도록 개발되었다. 이제까지는 사람의 음성을 인식하고 그 음성 명령을 수행하는 데 보다 초점이 맞추어졌었다면, 이제 앞으로는 핸드폰 사용자 개개인의 특성이나 행동 및 습관을 더욱 더 면밀하게 분석하고 그 결과를 지속해서 학습하고 기억함으로써 보다 나은 개인 비서 역할을 수행하도록 발전하게 될 것이다. 그래서 최근의 음성 인식 기술은 지능형이라는 말이 추가된 것이다.

외로운 사람들에 대한 친구로서의 개인비서 역할을 담당해 주는 아마존의 에코와 알렉사도 새로운 세계를 여는 주역 중 하나이다. 구글의 나우와 같은 앱은 사람의 음성과는 상관없이 사용자의 행동 패턴을 지속적으로 연구하여 예를 들어 사용자가 어떤 지하철 역에서 내리면 바로 다음에 연결되는 지하철이나 교통편의 도착 시간을 알려 주기도 한다. 앞으로 이와 같은 기술들은 책 글쓰기에도 단지 음성을 문서화해주고 문서를 읽어줄 뿐만 아니라 저자가 자료 수집하는 과거의 패턴을 기억하여 두었다가 새로운 자료가 나오면 미리 알려주는 서비스도 가능해질 것이다. 이제 나는 이와 같이 매우 빠르게 진화되는 발전의 방향을 기반으로 책 글쓰기에 도움이 되는 앱들을 소개하고자 한다.

이러한 음성인식 기술과 연계되어 책 글쓰기에 활용할 수 있는 무료 앱들은 무수하게 많이 개발되어 있다. 그러나 이 책자에서는 그중에서 그간 내가 10여 년에 걸쳐 활용해 본 결과 가장 대표적이고도 통합하여 활용하기에 효과적이라고 판단하는 앱들을 중심으로 소개하고자 했다. 따라서 각각의 기능에서는 이 책자에서 소개하는 기능보다 더 좋은 무료 앱이 있을 수도 있음을 양지해 주기 바란다.

이 책자에서 소개하고자 하는 주요 무료 핸드폰 앱들은 다음과 같다.

구글 드라이브	구글 문서	구글 지메일
구글 프레젠테이션	구글 번역	구글 행아웃
MS 오피스렌즈	MS 워드	MS 원드라이브

그림 4-1 책과 글쓰기에 직접 활용할 수 있는 앱들

책 쓰는 기간과 비용을 1/4로 대폭 줄일 수 있다

전문작가는 다르겠지만 일반인들은 책을 쓰기 위해서 자기가 하고 있는 무언가를 포기하는 용기가 없이는 불가능하다. 내가 20여 권의 책을 쓰면서 경험한 바도 비슷하다. 한 권이 끝날 때마다 다시는 또 시작하지 못할 것처럼 힘들다는 사실을 너무나 잘 안다. 또한 책을 쓰려면 경비가 수반된다. 이러한 경비는 두 가지로 나누어 보아야 한다. 하나는 책이 나오기까지의 직접 눈에 보이는 금전적 부담이고 또 하나는 직접적 금전은 수반하지 않더라도 여기에 투자한 시간과 노력의 간접적인 기회비용機會費用이다.

우선 금전적 비용을 들여다보자. 직접적으로 수반하는 금전적 비용은 책을 쓰는 사람에 따라 전혀 다르다. 출판사에서 출판 시 책을 내는 계약조건을 구분하면 ABC 세 부류가 있다. A형은 전문작가나 전문작가가 아니더라도 계약 시 계약금은 물론 일정한 인세를 받고 출판 계약을 하는 경우이다. B형은 전문적인 프로 수준은 아니지만, 책을 팔게 되면 출판사에 손해를 끼칠 정도의 수준이 아닌 경우다. 이 경우는 대개 선급 계약금은 없으며 팔리더라도 출판사의 기본 수익이 보장될 일정 부수까지는(예를 들어 5천 부) 인세를 면제받거나 일정 부수의 책으로 대신 지불하는 경우다. 따라서 서로 일정 부수까지는 수반하는 금전적인 거래는 없다. 문제는 C형의 자부담 형태다. 특히 책을 써보지 않은 사람들이 자서전을 낼 경우 여기에 해당한다. 더구나 나이 들 때까지 현업에서 열심히 뛰다가 이제 경제적 여유가 생기게 되면 한 권쯤의 책을 내고 싶은 경우는 주로 이러한 방식을 취하게 된다. 이러한 책을 본인이 쓰려면 상황에 따라 다르지만, 글재주가 없기도 하고 막상 혼자의 힘으로는 불가능하기 때문에 제삼자의 도움으로 출판을 할 수밖에 없게 된다.

이 경우에는 여러 가지 금전적 비용이 수반된다.

첫째 전문작가를 동원해야 하고 글을 대신 써주는 대필이 필수다.

둘째 출판사가 디자인비, 인쇄비, 직접인건비는 물론 출판에 따른 회사 마진까지도 부담해야 한다. 따라서 사람에 따라 매우 큰 편차가 있지만 작게는 천만 원에서 3천만 원 정도로 봐야 한다. 이때 가장 큰 부담이 전문작가 대필 비용이다. 구술한 것을 녹음하여 다시 받아쓰기를 하고 이것으로 글을 만들어야 하는 시간과 비용이 문제인데, 앞으로 상세 설명을 하겠지만 이러한 절차를 상당 부분 건너뛰거나 대폭 줄일 수 있다. 본인이 직접 핸드폰에 대고 말로 하면 핸드폰은 그 음성을 인식하여 바로 문자화 시켜 글로 만들어주기 때문이다.

핸드폰 앱 기술을 활용하면 이러한 노력을 과감하게 줄이는 것 이외에도 자료 수집부터 교정에 이르기까지 광범위하게 적용해서 기회비용을 대폭 줄일 수 있다. 이 책 초고를 쓰는데 걸린 시간은 믿기 어려울 정도로 짧았다. 이 책도 이러한 기술을 종합적으로 활용하여 세 사람이 완성한 최초의 책일 수도 있다.

정확한 산술적 계산은 어렵지만 아마도 과거 책 한 권을 기획하고 자료를 모아 독수리 타법으로 일일이 자판을 쳐서 책을 쓰고 원고를 보면서 교정을 여러 차례 했던 것과 비교해 본다면 1/4 미만으로 단축했다고 해도 과언이 아니다. 예를 들어 출판사에서 인쇄본으로 작업한 것을 교정할 때 일일히 출력하여 저자들에게 등기우편으로 보내고, 저자들은 인쇄물에 교정을 하여 다시 등기로 보내려면 공저의 경우 2~3주도 걸렸지만 구글 공유문서에서 바로 고치면 2~3일이면 수정작업을 마칠수 있다. 경비보다도 더욱 중요한 사실은 이러한 기술을 활용한다면 책을 전혀 써보지 않은 왕초보자들도 '나도 할 수 있다'는 자신감을 가질 수 있다는 게 더 큰 효과일지도 모른다.

시니어들의 복음 핸드폰으로 책과 글쓰기 강좌

"이번 교육은 시니어들에게 그야말로 복음과 같았습니다."

"금번 교육은 가성비와 옥탄가 높은 공부였습니다. 너무 고맙습니다."

"이번 교육은 시니어들에게 여명의 밝음을 주었는데 천만 시니어들이 다 들었으면 좋겠습니다."

'핸드폰으로 책과 글쓰기' 과정은 책을 출간한 후 2018년 11월까지 15차 교육과정을 진행하면서 수강생들이 보내준 일부의 소감들이다. 사실 이번 시니어들을 위한 핸드폰으로 책 글쓰기 과정은 2~3회로 끝날 것으로 생각했다. 왜냐하면 핸드폰으로 책이나 글을 쓴다는 사실을 아무도 믿어주지 않아 교육생 모집이 지속적으로 가능하지 않았기 때문이다.

그런데 예상하지 않았던 일이 벌어졌다. 교육을 받고 난 분들이 구전으로 과정을 추천해주기 시작한 것이다. 그야말로 '고객에 의한 고객 개발'인 셈이 되었다. '말로만 해도 글이, 찍기만 해도 글이 된다.'는 사실에 모두 놀라고 왕초보들도 책 쓰기에 도전할 수 있는 용기와 희망을 주는 계기가 되었기 때문이다.

"저는 70 평생에 이런 도움되는 감동의 교육은 처음입니다!"

5년 전 은퇴하신 모 대학 노교수의 교육 소감이다. 실제로 강의를 하다 보면 가장 어려운 상대가 교수님들이다. 그런데 이 과정에서 가장 열심히 들어준 분들은 65세로 교수에서 은퇴하신 분들이었다. 총장님들도 네 분이나 이수했다. 그동안 조교나 남들이 타이핑부터 번역까지 전부 도와주어 손과 발이 묶이고 보니 하고 싶은 일을 할 수 없었기 때문에 감회가 남달랐던 것 같다. 그다음으로는 대기업에서 퇴임한 사장과 임원들이다. 역시 이분들도 남들의 도움으로 모든 게 가능했었는데 막상 은퇴하고 나서 홀로서기에는 역부족이기 때문이었다.

또 하나의 성공 요인은 이 분야에 대한 경험과 전문성도 아주 중요했지만 강사가 나이가 있었다는 사실도 작용했다. 나보다도 한참 선배인 장동익 고문은 69학번이지만 주 강사다. 수강생들 한두 명 빼고는 거의 다 아래였기 때문에 시니어들도 '나도 할 수 있다'는 설득력과 자신감을 심어 주는데 크게 영향을 주었다. 이 과정은 앞으로도 책과 글쓰기를 희망하는 시니어들을 위해 계속 진행할 예정이다.

책과 글쓰기 강좌 모습
(연락처 : jska@unitel.co.kr / 02-587-0241)

2

핸드폰으로 책과 글쓰기
실천 10가지 노하우

1　핸드폰으로 자료 수집하기

말로 해서 책 글쓰기: 음성을 문자화

우선 우리나라에서 통용되고 있는 핸드폰의 종류는 무수히 많다. 따라서 핸드폰마다 조금씩 다른 기능들을 모두 다 별도로 설명할 수는 없다는 것을 이해해 주기 바란다. 따라서 이 책자에서는 대표적으로 우리나라에서 가장 많이 활용되고 있는 삼성 핸드폰을 중심으로 설명하려고 한다. 각 핸드폰의 종류마다 조금씩은 다르지만, 근본적으로는 같거나 비슷하기 때문에 실습하면서 대처하면 될 것으로 기대한다.

음성을 문자화하는 기술을 STT Speech to Text라고 한다. 음성을 문자화하기 위해 가장 먼저 해야 할 일이 자판에 마이크를 집어넣는 것이다. 최근에 나오는 핸드폰들은 이미 화면에 마이크가 나타나 있지만 1년 이상 지난 핸드폰에는 자판에 별도로 마이크를 설치해야 한다. 아이폰은 시리 기능을 사용하면 된다.

그림 4-2는 카톡에서 자판에 마이크를 설정하는 방법을 보여 준다. 핸드폰마다 조금씩 다르지만, 일반적으로 설정 표시나 그와 유사한 모양의 버튼을 2~3초 지그시 누르고 있으면 새 창이 나타나고 그 새 창에 있는 마이크를 선택하면 그때부터 마이크를 사용할 수 있게 된다. 일부 옛 핸드폰에서는 음성 문자화 기능을 활용하기 위해 매번 이 과정을 거쳐야 하는 핸드폰도 있다. 문자판에서 '마이크' 아이콘을 누르면 나오는 새로운 화면에서 핸드폰에 원하는 메시지를 말로 하면 그것이 문자화 된다. 그런데 만일 카톡의 경우 음성으로 작성한 문자가 원하는 문자가 아니라면 틀린 글자 뒷부분에 손가락을 살짝 댄 다음 떼면 커서가 나타나고 문자판의 지우기 아이콘을 눌러 지우고 나서 문자판을 이용해서 고쳐 준 다음 그 메시지를 전송해 주면 된다.

문자판에 마이크가 추가되는 순간부터 사용자는 핸드폰에서 음성으로 입력을 할 수 있게 되는 것이다. 음성 문자화 기능을 사용하는 순간 여러분들에게 새 세상이 열린다.

처음 음성 녹음을 시도하는 사람은 혹시 숙달되지 않아 틀리는 경우들이 자주 발생한다. 그러나 걱정할 필요 없다. 사용자들이 아나운서가 되려 하지 않더라도 이제는 문명의 이기를 사용하기 위해서는 훈련이 필요하다. 처음에 잘 안 된다고 해서 포기해 버리면 영영 새로운 기술을 따라잡을 수 없는 사람이 되고 말 것이다. 나이가 많은 사람도 이제는 절대 잘 못 한다고 해서 그 일을 잘하는 사람에게 시키지 말고 하룻밤을 새는 한이 있더라도 자신이 직접 시도해 보고 터득해야 쏜살같이 달려가는 신기술을 따라잡을 수 있다. 말을 정확하게 하는 연습을 하라. 그리고 어떤 문구가 음성 인식에서 잘 적용되지 않는지를 알게 되면 점차 헛수고하는 시간을 줄이게 될 것이다.

음성을 문자로 변환시킬 때 이야기를 하는 내용은 앞뒤의 내용을 참고하여 예를 들어 핸드폰에 대고 '어떠케 하면 되지'라고 이야기한 것을 앞뒤 문맥을 보아 '어떻게 하면 되지'라고 이해하는 것이다. 그러나 사람이나 물건의 이름의 경우는 앞뒤 문맥이 따로 없기 때문에 보통 때 이야기하는 것처럼 빨리 이야기해 버리면 잘 인식하지 못한다. 따라서 하나하나 또박또박 말해주어야 한다.

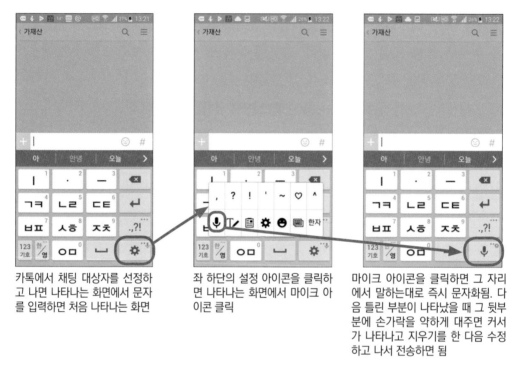

카톡에서 채팅 대상자를 선정하고 나면 나타나는 화면에서 문자를 입력하면 처음 나타나는 화면

좌 하단의 설정 아이콘을 클릭하면 나타나는 화면에서 마이크 아이콘 클릭

마이크 아이콘을 클릭하면 그 자리에서 말하는대로 즉시 문자화됨. 다음 틀린 부분이 나타났을 때 그 뒷부분에 손가락을 약하게 대주면 커서가 나타나고 지우기를 한 다음 수정하고 나서 전송하면 됨

그림 4-2 음성 문자화를 위해 자판에 마이크를 설치하는 법들

◉ 언제 어디서나 말이나 문자로 입력하는 즉시 클라우드에 저장

새로운 아이디어는 긴 시간 명상을 한 다음 마음을 정제하고 나서 얻어지는 것일까, 아니면 갑자기 어느 순간에 떠오르는 것일까? 당연히 어느 순간 갑자기 떠오르는 것이다. 그런데 문제는 생각날 때마다 적어놓을 방법이 마땅치 않았기 때문에 무언가 생각을 정리하려고 책상 앞에 앉으면 아무 생각도 나지 않는다는 점이다. 그런 것들이 자기 머리를 치는 순간 즉시 옮겨 놓지 않으면 대체로 잊어버리기 때문이다.

그러나 이제는 핸드폰만 있어도 언제 어디서나 일할 수 있는 스마트 환경의 시대이다. 한적한 길을 산책하거나, 산행하고 있거나, 지하철이나 버스를 타고 있거나, 해변에 있거나, 친구들과 식사를 함께 하고 있거나 TV 프로그램을 시청하던 중에 갑자기 책 글쓰기 원고를 작성하는 데 필요하다고 생각하는 부분이 발견되거나 생각날 때가 있다. 그런데 그 생각이나 발상이 원고 작성에 있어 없어서는 안 될 중요한 키가 되는 경우도 있다. 그런데 만일 그 즉시 옮겨 놓지 않아 자료를 획득할 기회를 놓친다면 이 얼마나 안타까운 일인가?

그러나 이제는 걱정할 필요가 없다.

갑자기 좋은 아이디어가 생각난 경우라면 생각나는 즉시 핸드폰에서 핸드폰 자체의 기본기능인 '노트'를 열어 카톡 메시지를 말로 입력하여 보내듯이 그 아이디어를 바로 말로 입력하여 적절한 제목을 단 다음 저장해 놓으면 된다. 나이 든 사람들은 특히 독수리 타법이 능치 않아 평상시 불가능에 가까웠던 일들이 이젠 너무나도 쉽게 활용할 수 있게 되었다.

아주 시끄러운 장소에서 말로 입력한 것이 아니라면 말을 하여 문자화 된 결과의 품질이 쓸 만하다. 제법 시끄러운 환경에서 말로 입력한 경우에도 문자화 된 결과물의 품질이 조금은 떨어진다고 하더라도 그 수준이 아주 능숙하지는 않지만, 우리말을 제법 잘하는 한 미국인이 우리와 대화할 때 느끼는 정도이기 때문에 나중에 그 입력된 문구를 열어 보면 좀 틀린 부분이 있다 할지라도 무슨 내용인지 다 이해할 수 있는 정도이다.

시끄러운 장소에서 입력하게 되는 경우 가장 좋은 방법은 결과물로 입력된 문자가 일부 잘못된 부분을 그 즉석에서 조금은 불편하더라도 엄지손가락을 이용하여 독수리 타법으로 고치는 방법이다. 그런데 중요한 시사점은 중요한 아이디어가 생각났을 때마다 즉시 기록해 두기 때문에 하나도 놓치지 않는다는 점이다. 이 점은 원고의 품질을 높이는 데 있어 매우 중요한 요소이다.

예전과 같이 책자를 기획하거나 자료를 수집하는 일이 매우 수월해졌을 뿐 아니라 그 수집된 자료를 정리하고 또 책자에 옮기기 위해 끊임없이 타이핑했던 피곤함에서 해방될 수 있다.

◉ 구글 앱 활용

STT를 가장 효과적으로 활용하는 방법은 관련되는 구글 앱들을 통합하여 활용하는 것이다. 구글 앱들을 활용하기 위해서는 우선 지메일 등록이 필요하다. 구글의 지메일은 사람들이 자기 관리를 위한 플랫폼으로 활용할 수 있는 애플리케이션이다. 따라서 독자가 지메일을 활용하지 않고 있다 하더라도 구글의 지메일 계정을 제일 먼저 등록해야 한다. 그런데 지메일을 현재 사용하고 있다거나 또는 지메일 계정을 가지고 있다면 새로 등록할 필요가 없다.

그림 4-3은 지메일 신규 등록하는 방법이다. 아직 지메일 계정을 가지고 있지 않은 사람은 따라서 실행하여 신규 등록을 하라. 지메일 신규 등록하는 방법은 그림 4-3을 따라서 그대로 실습하면 된다. 지메일을 등록하는 방법은 마이크로소프트 앱을 등록하는 것보다는 쉽다.

◉ 구글 문서 활용

실제 원고에서 필요한 긴 문장을 말로 문서로 작성할 때는 구글 문서를 사용한다.

그림 4-4는 새 구글 문서에서 음성으로 작성하는 방법을 보여 주는 사례인데 내가 책 글쓰기에 관련된 책 중에서 일부를 직접 읽어서 작성한 구글 문서이다. 이 사례에서도 보듯이 말로 작성하는 문서의 경우는 마침표 같은 부호는 표기되지 않는다. 영어도 한글로 표기된다. 그런데 부호 이외에는 고쳐야 할 부분이 한 군데밖에 없었다.

그림 4-4에서는 그렇게 문자화가 잘못된 부분을 문자판을 활용하여 수정하는 모습을 보여 주는 그림이다. 이처럼 말로 문서 작성하기는 기존에 작성이 된 문서나 사진을 찍어 만든 문서의 경우에도 추가해야 할 부분이 있다면 내용을 추가하고자 하는 위치에 손가락을 1초가량 살포시 댄 뒤 떼면 그 자리에 커서가 위치하게 된다. 그때 마이크를 켜고 말을 하게 되면 자동으로 문자화 되어 기존 문서에 그 내용이 추가된다. 이런 방법으로 수집된 자료의 앞부분에 자료의 중요성이라든지, 특이사항 같은 것들을 말로 추가로 설명해 놓으면 다음에 그 자료를 검색하는 데

1. 마지막 단계에서 앱이 시키는대로 계정을 새로 생성
2. 다른 앱들을 시작할 때 구글계정 등록이 가능한 것들은 모두 구글 계정을 클릭해 주기만 하면 등록됨

그림 4-3 지메일 신규 등록하는 방법

도움이 된다. 구글 드리이브의 검색 기능은 키워드를 입력하면 키워드를 포함하고 있는 제목뿐 아니라 모든 문서의 내용 전체를 훑어 검색해 주기 때문이다.

나는 새로운 강의 준비를 할 때 강의 원고는 주로 새 구글 문서를 활용하여 작성하는데 기존에 작성된 여러 관련 문서 중에서 필요한 부분을 복사해 오고 나머지 새로운 부분들은 말로 해서 작성한다. 따라서 타이핑할 일이 거의 없으며 대체로 2

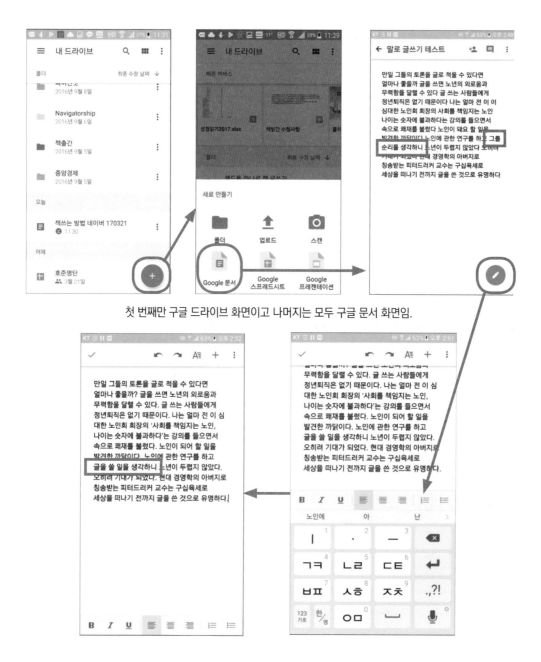

첫 번째만 구글 드라이브 화면이고 나머지는 모두 구글 문서 화면임.

그림 4-4 말로 문서 작성하고 틀린 부분 수정하는 방법

시간용 새로운 강의를 위한 강의 교안 준비를 위한 시간은 2~4시간 정도면 충분하다. 그렇게 작성한 구글 문서는 모두 선택하여 복사한 다음 앞으로 설명하게 될 토

크프리로 옮겨 토크프리가 읽어주는 것을 들으면서 잘못된 부분은 없는지 확인하면서 교정한다. 대체로 토크프리를 활용해서 한 번 정도만 듣고 나서 수정 보완하고 나면 강의 준비는 끝낼 수 있다. 이런 방식을 모를 때는 새로운 강의 준비에 정말 오랜 시간이 소요되었었다.

나는 앞에서 설명했던 간단한 노트를 작성할 때도 핸드폰의 자체 앱인 노트 기능을 활용하지 않고 나중에 효과적인 키워드 검색 등 여러 가지 장점을 활용하기 위해 구글 문서를 작성한다.

신문, 잡지, 책을 사진 찍어 문서화: 이미지를 문자화

신문 잡지나 관련되는 책자를 보다가 관심 있는 자료가 있을때 사진을 찍으면 바로 문서가 된다. 이 기술은 ITT Image to Text 기술이라고 한다. 이 기능을 제공하는 앱 중에서 가장 탁월한 앱이 마이크로소프트 오피스 렌즈이다. 오피스 렌즈를 사용하기 위해서는 마이크로소프트에 계정 등록을 해야 하는데 만일 미리 마이크로소프트에 계정 등록이 되어 있지 않은 경우라면 다음과 같은 순서로 먼저 마이크로소프트에 계정 등록을 해야 오피스 렌즈를 활용할 수 있다.

그런데 통상 이 등록과정을 실행할 때 참을성이 필요하다. 잘못 입력하게 되면 여러 번에 걸쳐 다시 실행해야 하기 때문이다. 특히 어떤 계정을 로그인할 때 사용하는 계정명을 잘 기억하지 못하거나 암호를 잊어버리는 경우가 많기 때문에 여러분들은 항시 계정마다 계정명과 암호명을 나만이 찾을 수 있는 제목을 단 메모에 모두 기록해 놓는 것이 향후를 위해 도움이 된다. 그렇지 않으면 그 계정을 다시 찾아 들어가기가 여간 까다로운 것이 아니다.

그리고 특히 새롭게 계정 등록을 하는 경우에는 대부분의 앱이 앱 제공사가 본인 확인을 하기 위해 이메일이나 메시지를 통해 본인 확인 코드를 보내 주는 것을 등록 화면에서 입력해 주어야 하는데 이때 꼭 알아두어야 하는 기법이 있다. 본인 확인 코드를 보냈다는 상대 앱 제공사의 내용이 화면에 뜨면, 핸드폰 화면 하단 중앙에 있는 스톱 버튼을 눌러서 일단 현재의 등록 화면을 나갔다가 이메일이나 메시지에서 보내 준 코드를 확인하여 그 코드를 기록해 둔다. 그다음 다시 등록 화면으로 돌아올 때 그 이메일이나 메시지를 끄지 않는다. 너무 오래된 핸드폰이 아니라면 대부분 핸드폰 하단의 왼쪽을 누르게 되면 자신이 최근 활용한 화면들이 나타나게 되는데, 그중에서 바로 전 화면인 앱 등록 화면을 선택하여 누르면 등록 화면이 다시 나타나게 되는 것을 기억하라. 통상은 이 방법을 모르면 등록하는 데 매우 애를 먹게 된다.

그림 4-5를 따라서 실습해 보기 바란다. 그리고 또 한 가지 팁은 영어 자판을 선택할 경우 하단부 좌측에 소문자와 대문자를 구분해서 입력할 수 있도록 하는 위 화살표가 나온다. 한 번 누르면 대문자가 되는 것은 모두 잘 아는데 그것을 두 번 누르면 대문자만 칠 수 있도록 되는 것은 잘 모른다. 일반적으로 아래 표에서도 나

오피스렌즈를 처음 사용하게 되는데 마이크로소프트에 이미 계정 등록이 되어 있지 않다면 새롭게 등록을 해야 하며 만일 이미 등록이 되어 있다면 등록된 메일 주소를 쳐 주기만 하면 시작할 수 있다.

등록이 되지 않은 사람은 새롭게 등록해야 하는데 서비스계약이라는 버튼을 누른다.

요구하는 대로 입력을 하면 등록한 이
메일 주소로 코드를 보내 준다.

등록한 이메일에서 코드번호를 복사해서 옆 화면에 코드를 붙여넣기 한 다음 '다
음' 버튼을 눌러 주면 암호를 설정하도록 지시가 나오고 암호를 설정해 주면 등록
이 마쳐지고 사용할 수 있게 된다.

그림 4-5 마이크로소프트 계정 등록 방법

타나 있듯이 본인 확인을 위해 문자를 입력하도록 하는 입력란에는 대부분 대문자만으로 입력하도록 하는 경우가 많다. 이때 그 화살표를 두 번 눌러 대문자만 입력하도록 조치하면 편리하다.

◉ 오피스 렌즈 활용법

오피스 렌즈는 각종 인쇄된 문서나 문자로 된 어떤 종류의 실내외 설치물도 사진을 찍으면 그 안에 들어 있는 내용을 문자화 시켜서 핸드폰용 마이크로소프트 워드, 엑셀, 또는 파워포인트로 변환시켜 준다. 그러나 실제 책과 글쓰기를 위한 내 경험에서는 엑셀이나 파워포인트의 경우 큰 실효성을 거두기가 어려웠지만, 워드의 경우는 막강한 힘을 발휘해 주었다. 그리고 앞으로 설명하게 될 마이크로소프트 원 드라이브라는 클라우드 저장 공간에는 이 모든 작업의 결과물들을 자동으로 저장해 준다.

그림 4-6을 따라 실습해 보자.

오피스 렌즈를 켜면 사진 촬영기가 나온다. 핸드폰을 촬영하기 위한 대상물을 향하게 되면 핸드폰 화면에 문자화하고자 하는 문서 내용이 모두 잘 포함되도록 위치시킨 다음 하단 중앙의 동그란 촬영 버튼을 누른다. 이때 빛의 정도가 매우 중요하기 때문에 어두운 곳에서는 플래시 기능을 활용하는 것이 좋다. 또는 빛이 일정하게 비추어지도록 조치해야 한다. 책을 촬영할 때는 책이 최대한 수평을 유지하도록 조치한 다음에 찍어야 한다. 책을 찍을 때는 처음에는 다른 사람의 도움을 빌려서 찍을 수도 있지만, 숙달이 되면 혼자서도 잘 처리할 수 있게 된다. 훈련이 좀 필요하다. 사진 찍을 때 책 가운데를 눌러 펴 주기 위해 손가락이 포함되는 것을 걱정하지 말라. 손가락을 문자로 인식하지는 않기 때문이다.

사진을 찍고 나서 핸드폰 화면 아래쪽에 보이는 저장 버튼을 누르면 저장 화면이 나오는데 이때 책 글쓰기를 하는 사람들은 워드를 활용하게 되기 때문에 워드와 원 드라이브를 선택하여 저장하라. 찍은 사진을 원 드라이브에도 저장해 놓으면 나중에 잘못되어 워드 문서가 삭제되는 경우 원드라이브에 들어가 다시 찾을 수 있기 때문이다.

제목 부위를 눌러 주면 그 제목을 달아 줄 수 있도록 커서가 생긴다. 그러면 원하는 제목을 입력할 수 있다. 이때에도 손가락으로 입력할 수도 있으나 우리가 앞에서 이미 배웠던 음성 입력방식 STTSpeech to Text으로 입력할 수도 있다. 음성 입력을 자꾸 활용해 보아야 생활화된다. 그리고 자주 틀려 보아야 더 잘 활용할 수 있게 된다. 처음에는 오히려 불편하더라도 자꾸 활용해야 한다. 제목을 달아 줄 때는 향후 검색이 쉽도록 가능한 한 자세한 내용의 제목을 달아주고 자료를 획득한 일자와 장소 같은 것을 넣어주면 좋다.

다음 화면은 문서화 된 리스트가 나오게 되는데 가장 위에 나타나는 것이 가장 최근에 문서화된 것이다. 그 문서를 눌러주면 대상물의 이미지가 문서화 된 문서가 나타나게 된다. 나는 오피스 렌즈를 활용한 문서 내용의 가장 윗부분에 필요한 경우 마이크 기능을 활용하여 말로 그 내용의 요약을 달아 주었다. 왜냐하면 그 문서가 구글 드라이브에 저장되고 다음에 구글 드라이브에서 키워드 검색을 할 때 적절한 키워드 일부만 입력해 주어도 문서의 제목뿐 아니라 문서의 내용 안에서도 같은 키워드가 있으면 원하는 문서를 찾아 주는 친절한 기능이 있기 때문이다.

또한 워드로 변환된 문서도 그림 4-6의 두 번째 그림처럼 나중에 책자를 실제 편집할 때 키워드 검색을 쉽게 하기 위해 변환된 워드 문서 내용 모두를 선택하여 구글 문서로 이동 저장해 준다.

오피스 렌즈의 더욱 중요한 기능은 이미 사진을 찍어 놓았거나 핸드폰, 또는 클라우드 저장 공간에 저장된 모든 스캔 된 문서들도 오피스 렌즈로 가져와서 문서화시켜 준다. 오피스 렌즈는 이미지를 문서화시키는 작업 시간이 좀 소요된다. 따라서 시간이 없을 경우는 대상 이미지를 그 즉시 핸드폰 카메라를 활용하여 사진 찍어 두면 된다.

그림 4-7은 오피스 렌즈에서 이미 핸드폰이나 클라우드 저장 공간에 있는 문자를 포함한 사진이나 스캔 된 문서를 문자화 시켜 주는 방법을 보여 준다. 아래 사례에서 알 수 있듯이 가져올 수 있는 사진이나 문서는 핸드폰이든 다른 클라우드 공간에 있든 모든 서류 중에서 선택할 수 있어 매우 유용한 자료 수집 기능이다. 내 핸드폰에 있는 어떤 종류의 이미지뿐 아니라 현재 내 핸드폰에는 없지만, PC나 노

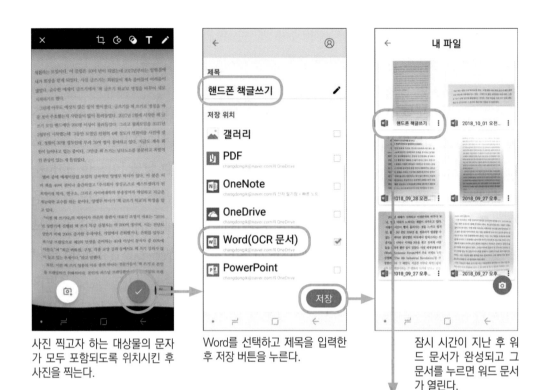

사진 찍고자 하는 대상물의 문자 가 모두 포함되도록 위치시킨 후 사진을 찍는다.

Word를 선택하고 제목을 입력한 후 저장 버튼을 누른다.

잠시 시간이 지난 후 워 드 문서가 완성되고 그 문서를 누르면 워드 문서 가 열린다.

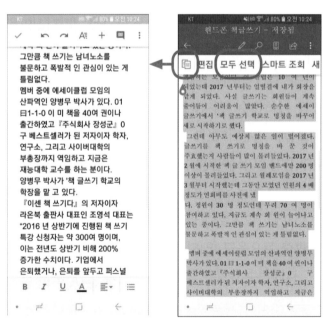

복사된 문서를 구글 문서에 저장 해 둔다.

워드 문서에서 한 단어 위에 약 2초가량 누르고 있으면 새로운 창이 나타나고 모두 선택과 복사를 선택하면 전문이 복사됨

그림 4-6 인쇄된 문서나 실내 외 설치물을 직접 사진 찍어 문자화

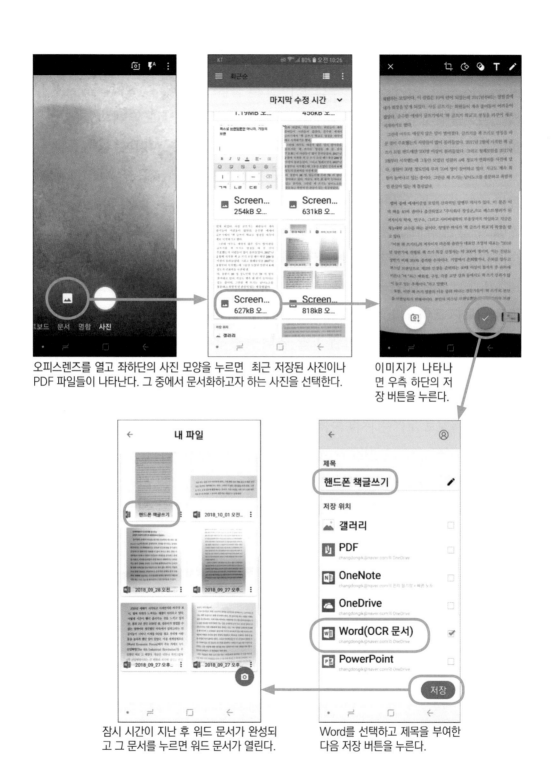

오피스렌즈를 열고 좌하단의 사진 모양을 누르면 최근 저장된 사진이나
PDF 파일들이 나타난다. 그 중에서 문서화하고자 하는 사진을 선택한다.

이미지가 나타나
면 우측 하단의 저
장 버튼을 누른다.

잠시 시간이 지난 후 워드 문서가 완성되
고 그 문서를 누르면 워드 문서가 열린다.

Word를 선택하고 제목을 부여한
다음 저장 버튼을 누른다.

그림 4-7 기존의 사진이나 스캔된 문서 문자화

트북에 들어 있는 이미지도 모두 문자화 할 수 있기 때문에 책 글쓰기에 없어서는 안 되는 중요한 기능이다. PC나 노트북에 있는 이미지를 핸드폰으로 가져오는 방법은 앞으로 설명하게 될 것이다.

다음 오피스 렌즈를 활용하여 핸드폰에 저장되어 있는 이미지를 가져와 문서화하는 과정을 그림 4-7을 따라 실습해 보자.

오피스 렌즈를 열고 화면 하단 좌측에 위치한 그림 모양을 누르면 최근에 핸드폰에 저장해 놓은 모든 이미지가 나타나는데 그중에서 필요한 이미지를 선택한다.

그다음은 그림 4-6에서 설명한 사진을 찍어 문서화하는 방법과 똑같다.

만일 책의 중간 부분(예를 들어 총 300쪽 분량의 책에서 100~200쪽)을 사진 찍는 경우는 찍히는 쪽 면이 평평하지 못하고 둥글게 찍히게 되므로 그 둥근 부분을 펴 주는 작업을 해 주어야 문자화를 제대로 할 수 있을 것이다. 둥글게 찍힌 문자는 인식도가 많이 떨어져 수정할 부분이 많기 때문에 주의를 기울여야 한다. 또한 이미지에 나타난 문자 중 일부만 필요한 경우 화면 상단 중앙에 위치한 4 각형 모양을 선택하면 문자화하고자 하는 부분을 선택할 수 있도록 해 준다. 이때 범위를 지정하고 또한 문자화하고자 하는 부분이 잘 펴질 수 있도록 4각 끝부분을 잘 조정해 주어야 문자 인식도가 높아져 거의 고칠 것이 없게 된다.

구글, 네이버, 다음 등 검색에서 찾은 자료 수집

내가 책자를 완성할 때 습관적으로 활용했던 방법의 하나는 집이나 사무실에서 네이버, 다음이나 구글 등 검색 엔진들을 활용하여 필요하다고 판단되는 자료를 찾아낸 후 그 자료들을 모두 복사하여 앞으로 설명하게 될 토크 프리에 각기 다른 문서로 붙여 넣기를 해 둔 다음에 집이나 사무실을 떠났다. 그리고 나서 이동 중에 그냥 듣거나 필요한 경우에는 이어폰을 끼고 앞으로 설명하게 될 TTSText to Speech 툴인 토크프리를 통해서 그 자료들을 들었다. 듣는 도중 책자에 추가하거나 참고

하면 좋겠다고 생각하는 문구들이 나오는 순간 토크프리를 정지한 다음, 만일 걷고 있을 때라면 구글 문서에 필요한 부분에 해당하는 시작 단어를 읽어준 다음 적절한 설명을 말로 추가해 주었다. 그리고 그 문서에는 예를 들어 '책 원고 필요자료_181005'라는 식으로 제목을 주었다. 제목에 들어있는 숫자는 일자를 말한다. 때에 따라 어디서 작성했는지가 중요한 경우 장소도 제목에 추가해 주었다.

이와 같은 방식으로 원고에 추가할 내용을 수집하고 나서 적절히 앉아 있을 만한 장소를 찾는 즉시 항시 가지고 다니는 가벼운 노트북에서 '책 원고 필요자료_181005'와 같은 구글 문서들을 열어 필요하다고 정리해 두었던 부분들을 복사하여 책 원고에 바로 적용하는 방식으로 책 원고를 완성해 나갔다. 예전과 같이 책자를 기획하거나 자료를 수집하는 일이 매우 수월해졌을 뿐 아니라 그 수집된 자료를 정리하고 또 책자에 옮기기 위해 끊임없이 타이핑했던 피곤함에서 해방될 수 있다.

◉ **효율적인 각종 자료 검색 기법**

내가 일반 자료를 검색할 때 검색 엔진들 중에서 주로 네이버, 다음과 구글을 활용하는데 그중에서도 구글을 더 많이 활용한다. 훨씬 더 풍부하고 정확한 품질의 자료를 제공해 주기 때문이다. 이 책자에서는 구글 검색에서의 두 가지의 활용방안을 제시해 주고자 한다.

첫째, 텍스트 검색 방법이다. 구글에서는 검색을 돕기 위해 다음과 같은 여러 가지의 방법을 제공해 주고 있는데 자신이 찾고자 하는 내용에 알맞게 활용하면 매우 효과적이다.

site 특별한 서버 혹은 도메인의 페이지에 대해서만 검색
intitle 문서 제목을 기준으로 검색
insubject 제목 라인을 검색
intext 모든 기사의 내용 안에서 검색
filetype 특정한 파일의 확장자를 검색

2017..2018 설정 기간을 우선으로 검색

+, -, " " 특정한 문자를 포함, 불포함, 온전한 문장

예를 들자면 Google 검색창에

기획 intext:전략 filetype:ppt

이라고 입력하면 '기획'이라는 주제로 내용 중에 '전략'이라는 말을 포함하는 파워포인트 슬라이드 형태의 자료들만을 검색하여 모두 보여 준다. 그런데 특이한 점은 그렇게 검색해낸 파워포인트를 내 것으로 수정해서 활용할 수 있다는 점이다. 물론 외부적으로 활용할 때는 지적재산권 문제를 신중하게 고려해야 한다.

둘째, 구글 알리미의 활용이다. 구글 검색에서 구글 알리미를 입력하면 구글 알리미로 들어갈 수 있는데 그림 4-8과 같은 방법으로 알리미에 자신이 정기적으로 메일을 통해 받고자 하는 내용을 저장해 두면 지정하는 메일 주소로 정기적으로 관련되는 모든 자료를 보내준다. 나의 경우는 알리미에 4차 산업혁명 관련, 워라밸 관련 및 구글 관련 키워드 16개를 알리미에 매일 알려주도록 입력해 놓았다. 물론

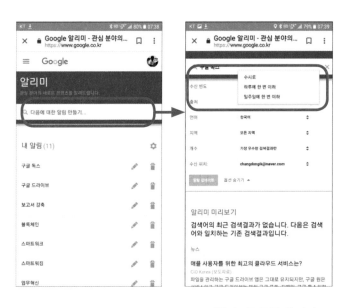

그림 4-8 구글 알리미

매일 메일을 받기 때문에 번거로울 경우 주 1회 이하로 지정하는 방법도 있다. 다만 자신이 주로 활용하는 메일 주소가 지메일 주소가 아닌 경우는 구글 드라이브에서 설정 기능을 활용하여 계정을 추가해 놓으면 구글 알리미 수신 위치에 추가한 주소도 함께 나타나게 되어 그 주소를 선택하면 된다.

　매일 받는 내용 중 의미 있는 내용은 즉시 모두 복사하여 새로운 구글 문서에 저장한다. 구글 드라이브 내에서 생성한 구글 문서는 구글 드라이브가 제공하는 15GB의 무료 공간에 계산되지 않기 때문에 무한대로 저장할 수 있을 뿐 아니라 어떤 자료가 필요한 때에는 키워드 검색에서 핸드폰 마이크에 대고 말로 키워드를 입력해 주기만 하면 각 문서의 내용까지도 훑어 자료를 찾아 주기 때문에 자료 검색 및 수집에 너무나 편리하다.

그림 4-9 메일에 정기적으로 추가되는 모습

수집한 외국어 자료 즉석 번역

최근 들어 가장 발전한 기술은 음성 인식 및 음성합성기술과 번역 기술인 것 같다. 번역의 정확도가 매우 높아졌다. 다만 일본의 경우 정부가 주도하여 기술, 법률, 건설 등 모든 전문 용어 사전들을 구글에 제공해 주어 구글이 그 모든 용어를 적용하여 번역기를 업그레이드한 반면 우리 한글의 경우는 지적재산권의 문제 등을 제기하며 하나도 제공하지 않아 전문용어가 많이 나오는 문서의 경우는 번역의 정확도가 매우 떨어진다. 그런 경우 할 수 없이 영어를 일단 일본어로 번역한 다음 우리 한국어로 번역하는 것이 더 나은 방법이다. 어쩔 수 없는 일이다. 일본어와 우리말은 같은 한자문화권이라 전문용어들이 비슷하게 적용되기 때문이다. 그러나 일반 문장들은 번역의 품질이 매우 높다. 구글은 총 104가지의 언어를 번역해 주는데 그중에서 53가지의 언어는 예쁜 여성의 목소리로 읽어주기까지 한다. 그리고 자기가 자주 활용해야 하는 언어의 경우는 그 음성 기능을 위한 데이터를 미리 다운로드해야 한다.

문서를 복사해서 옮기면 순식간에 번역

영어 번역. 스피커 아이콘을 누르면 읽어 준다.

중국어 번역

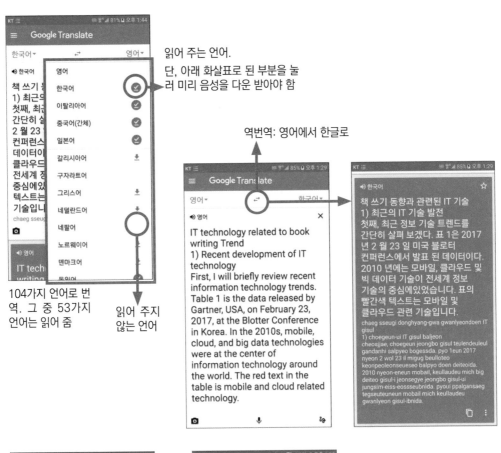

읽어 주는 언어.
단, 아래 화살표로 된 부분을 눌러 미리 음성을 다운 받아야 함

역번역: 영어에서 한글로

104가지 언어로 번역. 그 중 53가지 언어는 읽어 줌

읽어 주지 않는 언어

일본어 번역

음성을 듣고 번역한 결과는 말하기가 끝나는 동시에 상대 언어 읽어 줌.

그림 4-10 구글 번역 활용법

일단 한 번에 실행할 수 있는 번역 문장의 크기는 4,000단어까지인데 그 번역의 속도는 매우 빠르다. 그리고 일단 서류 번역이 끝나면 아래 그림 4-10에 나타난 것과 같이 스피커 아이콘을 누르면 읽어 준다. 번역된 자료의 분량이 많을 경우는 읽어주는 데까지 좀 시간이 걸리므로 약간의 참을성이 요구된다.

구글 번역기는 긴 문장의 번역에는 매우 뛰어난 성능을 가지고 있다. 그리고 공유 기능이 있어 이 책자에서 기능을 강조하는 토크프리에도 전송할 수 있다. 글자를 크게 보기 위해서는 전체 화면 기능을 활용할 수 있다. 구글 번역기는 오피스 렌즈처럼 사진을 찍으면 바로 문자화시켜 주고 그 문자화 된 것을 기초로 원하는 언어로 번역까지 마치게 해준다.

수집된 자료의 효율적인 관리

계속 수집된 자료를 쌓아 놓기만 하면 나중에 찾기가 어려울 것이다. 이제 여러분들은 구글 드라이브에 책 글쓰기와 관련된 자료를 계속 수집해나가면서 효과적인 관리를 위한 폴더를 구성해야 한다. 출판 기획서가 작성되고 나면 자료실을 어떻게 구성할 것인지에 대한 보다 구체적인 자료실 설계도를 그릴 수 있게 된다. 그 설계도에 따라 그림 4-11을 따라 구글 드라이브에서 폴더를 구축하는 방법을 배우도록 하자. 매우 쉽다.

이제 폴더가 작성되었다면 그동안 드라이브에 저장된 각종 문서를 새로 작성한 폴더에 이동시켜야 한다. 그림 4-12를 따라 실행해 보자. 이동하고자 하는 한 문서의 제목 위에 손가락을 얹어놓고 2초가량 지그시 누르면 그 문서가 선택되는데 그 다음 문서들의 경우는 지그시 누를 필요 없이 살짝 대기만 해도 지속해서 추가된다.

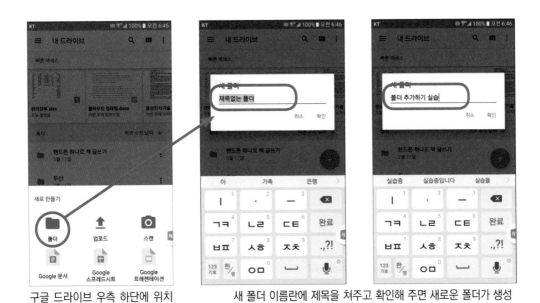

구글 드라이브 우측 하단에 위치
한 '+' 아이콘을 누르면 새로 만들
기가 나타나고 폴더를 선택한다.

새 폴더 이름란에 제목을 쳐주고 확인해 주면 새로운 폴더가 생성
되는데 그 폴더명의 우측에 위치한 점 3개 아이콘을 누르면 아래
첫번째 화면이 나오고 색상 변경을 눌러 원하는 색을 지정한다.

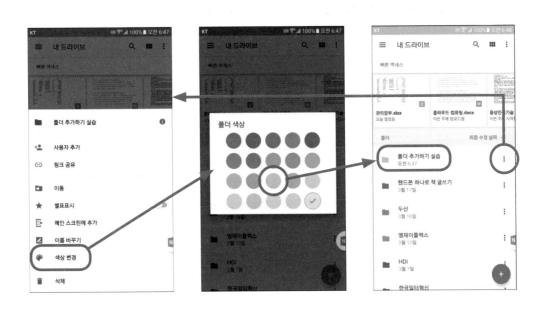

그림 4-11 구글 드라이브 폴더 생성하는 방법

이동하고자 원하는 모든 파일들을 선택한 다음 하단 우측의 점3개를 누르면
나타나는 새 화면에서 이동을 선택한다.

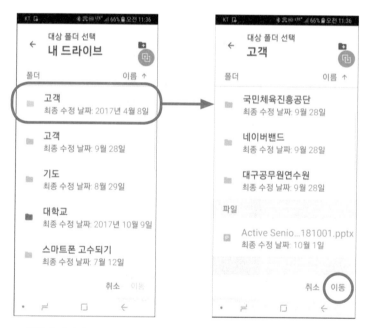

새롭게 나타나는 화면에서 원하는 폴더가 나타날 때까지 계속 눌러 주어 원
하는 폴더가 나타나면 이동이라는 아이콘을 눌러주면 된다.

그림 4-12 새로운 폴더에 파일 이동하는 법

신속하고 정확한 자료 검색

이제 많은 자료를 수집해 놓았다면 책자 원고 작성을 시작하기 위해서는 그 수많은 자료 중에서 책자의 내용에 적절한 자료를 검색해 내는 방법을 알아야 한다.

당신은 혹시 필요한 자료가 어디 있는지를 몰라 장시간 찾다가 결국 못 찾은 경험을 해 본일은 없는가? 대부분의 사람이 경험하는 일이다. 그러나 구글 드라이브는 활용하는 기법을 잘 알기만 하면 그런 일이 발생하지 않는다. 구글 드라이브에 아무리 많은 자료가 저장되어 있다 할지라도 검색란에 말로 필요한 키워드를 입력하는 즉시 빠른 시간 내에 문서의 제목만이 아니라 저장된 문서의 내용을 모두 훑어 같은 키워드를 포함한 제목이나 내용에 같은 키워드가 들어 가 있는 문서들을 모두 찾아준다.

다음 그림4-13은 구글 드라이브에서 자료를 검색하는 방법을 알려 준다.

이제 앞으로는 책자 원고를 작성할 때 필요한 수많은 자료를 과거와 같이 사진이나 스캔 된 형태로 저장하는 것이 아니라 앞에서 배웠던 여러 가지 기법을 활용하여 문자화해서 저장하게 될 것이기 때문에 필요한 자료를 즉시 찾아내게 될 것이며 필요한 부분을 복사해서 옮기기만 하면 직접 입력해야 하는 수고를 할 필요가 거의 없다. 그리고 출간을 도와주고 코칭하는 사람들도 피코칭 대상자와 인터뷰하면서 들은 긴 이야기들을 별도로 입력할 필요가 없다. 상대방이 말한 내용을 바로 음성 변환하여 문자화된 것들을 들으면서 잘못된 부분을 수정해 주기만 하면 된다. 그런데 이제는 그러한 코치도 필요 없다. 내가 직접 하면 된다.

작성하고자 하는 원고 내용에 도움이 되는 자료들을 복사해 옮겨 놓고 수정하거나 또는 추가해야 하는 부분들은 음성으로 입력하는 방식으로 완성해 나가면 된다. 음성으로 하는 것이 오히려 더 불편할 경우에만 직접 타이핑하여 입력하면 된다. 그리고 듣는 것과 읽는 것을 동시에 하면서 수정 작업을 하는 효과는 예전 방법대로 읽기만 하면서 수정 내지 교정 작업을 하는 것보다 최소한 4~5배 이상으로 생산성이 향상된다.

나는 구글 드라이브에 수십만 장의 자료들을 저장하여 활용하고 있다. 그런데 내가 2018년 6월 마지막 주 '스마트폰 고수되기' 세미나에 나의 친구 몇 명이 참여했는데 그중 한 명의 이름을 검색란에 말로 입력하여 그 이름을 담고 있는 문서들을 즉시 찾아 보여 주었다. 구글 드라이브에 저장된 수십만 장의 제목과 내용을 모두 훑어 그 이름이 들어간 파일을 즉시 전부 찾아주는 모습을 보여주었더니 참여한 모든 사람들이 '와우'하며 놀라 했던 경험이 있었다. 바로 그 친구의 이름이 들어가 있는 내 두 아들 혼사 시 축의금과 돌아가신 아버님 장례시 조의금 명단을 기록해 둔 구글 시트들이 즉시 나온 것이다.

1. 내 드라이브의 초기 화면 상단에 돋보기 모양의 아이콘을 누르면 가운데 화면처럼 검색 창이 뜸
2. 검색 창에 CPS (Cyber Physical System)이라고 치면 구글 드라이브 전체에 들어 있는 파일 제목 뿐 아니라 그 내용에 CPS라는 내용을 들어 있는 모든 파일들을 찾아준다.

그림 4-13 구글 드라이브에서 자료 검색하는 방법

핸드폰에서 작성한 자료 원고로 만들기

◉ 핸드폰에서 작업한 것을 PC에서 이어 작업하기

이제까지 여러분들은 핸드폰에서 구글 드라이브를 활용하여 구글 독스를 활용하는 법을 배웠다. 이제까지는 왕초보들도 문제없이 쉽게 이해하고 활용할 수 있다. 그런데 아무리 많은 작업을 핸드폰으로 해 놓았다 할지라도 책 글쓰기를 마무리하기 위해서는 역시 일부 타이핑과 편집이 필요하고 이런 작업을 위해서는 PC나 노트북을 활용하는 것이 훨씬 더 신속하고 편리한 방법이다.

그러나 독자 중에서는 PC를 전혀 활용해 보지 않은 사람들도 있기 때문에 그런 사람들은 이 부분은 넘어가고 우선 간편하게 활용할 수 있는 '3. 핸드폰으로 작성한 자료 수정 및 원고 교정'을 먼저 읽고 기법을 습득하기 바란다. 그런 다음 다시 여기로 돌아와 읽게 되면 보다 효과적일 것 같다. 다시 말해 PC 활용 부분은 중급 내지 고급 과정이라 할 수 있다.

핸드폰에서 작업한 것을 PC에서 이어 작업하기 위해서는 PC에 구글 크롬을 다운로드 하면 된다. 그림 4-14와 그림 4-15는 구글 크롬을 PC에 다운로드 하는 방법을 설명하고 있어 따라 해 보기 바란다.

1. 구글 크롬이 PC에 깔려 있지 않은 사람은 네이버나 다음의 검색창에 구글 크롬 다운로드라고 입력한 다음 아래와 같은 방식으로 구글 크롬을 다운로드 한다.

2. 구글 검색창에서 구글 드라이브라고 입력하면 바로 아래와 같은 화면이 나타나는데 그 화면의 가장 상단에 표기된 구글 드라이브 google.co.kr을 선택하고 나서 드라이브로 이동 버튼을 클릭하면 구글 드라이브 화면이 나타나고 그 이후부터는 구글 크롬을 열면 바로 구글 드라이브 화면을 얻게 될 것이다. 혹시나 PC에 따라서는 구글 크롬을 열 때 바로 구글 드라이브 화면이 나타나지 않는 경우도 있다. 그 경우는 이 2번의 과정을 다시 지속하거나 젊은이에게 물어서 해결하기 바란다.

그림 4-14 PC나 노트북에 구글 크롬을 다운로드하는 법

그림 4-15 구글 크롬에서 구글 드라이브 여는 법

◉ PC나 노트북에서 말로 구글 문서 작성

이동 중에는 물론 핸드폰으로 문서를 작성할 수밖에 없지만, PC나 노트북이 있는
집이나 사무실에서는 역시 PC나 노트북으로 문서 작성하는 것이 더 편리하고 또
한 CPU 등 처리 능력이 핸드폰보다 훨씬 뛰어나므로 더 효과적이다. 구글 문서의
PC 버전에서도 말로 하여 문서를 작성할 수 있다.

그림 4-16 구글 문서에서 음성으로 문서 작성하는 방법

노트북에는 마이크 기능이 이미 내장되어 있으므로 다른 부가장치 없이 그대로 이 기능을 사용할 수 있으나 PC에는 '단방향 마이크'를 사서 부착해야 한다. PC에서도 언제든지 핸드폰에서와 마찬가지로, 그러나 핸드폰보다는 더 빠른 속도로 말로 하여 문서를 작성할 수 있다. 인터넷 쇼핑에서 일반적으로 4만 원 정도에 구매할 수 있는 마이크도 있지만 십만 원 이상의 단방향 마이크를 구매하여 부착하면 음성 인식도를 더 높일 수도 있다.

그림 4-16은 구글 드라이브의 PC 버전에서 새 구글 문서 작성으로 들어가 음성으로 문서를 작성하는 방법을 설명해 준다.

◉ PC에 저장된 자료를 핸드폰에서 보는 방법

구글 크롬에서 구글 드라이브를 열 수 있게 되면 이전에 PC나 노트북에 보관해 두었던 많은 자료가 구글 드라이브로 이관되어야 할 것이다. 그러면 PC나 노트북이 위치한 집이나 사무실에서 뿐 아니라 어디에서 스마트 워킹할 수 있는 환경이 되는 것이다.

PC나 노트북의 구글 드라이브에서 PC나 노트북에 저장된 자료를 구글 드라이브로 옮길 수 있다. 그런데 구글 드라이브를 열 때는 인터넷 익스플로러로 열면 안되고 반드시 구글 크롬상에서 열어야 한다는 것을 잊지 말기 바란다.

첫째, PC에서 구글 드라이브로 옮기고자 원하는 파일이나 폴더를 클릭한 상태에서 구글 크롬 상에서 열려 있는 구글 드라이브의 원하는 폴더에다가 Drag&Drop 하여 끌어다 놓아 붙여넣기 하는 방법이 있다.

그런데 옮기고자 하는 파일이 하나이든 여럿이든 아래 표와 같이 PC의 탐색기를 활용하여 대상 파일들을 하나의 폴더(내 경우는 '구글로 옮길 자료'라는 별도의 폴더를 생성했다.)에 한꺼번에 모아서 그 폴더 자체를 구글 드라이브에 Drag&Drop 하는 방식으로 한꺼번에 옮기는 방법을 추천한다.

두 번째 방법은 그림 4-18과 같이 구글 드라이브에서 '내 드라이브' 버튼을 누르면 나타나는 새 화면에서 파일 업로드나 폴더 업로드를 활용하는 방법이다.

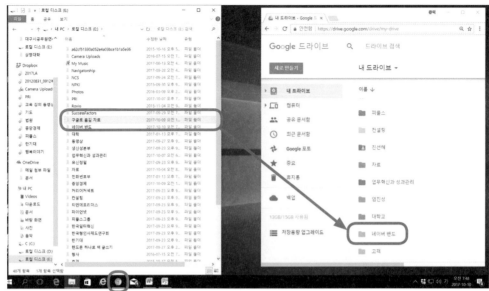

구글크롬

탐색기에서 구글로 옮길 자료 폴더를 선택하여 구글 드
라이브의 네이버 밴드라는 폴더로 끌어다 놓는 모습

그림 4-17 PC에서 필요한 자료들을 선택하고 Drag & Drop하여
구글 드라이브로 복사하는 방법

그림 4-18 구글 드라이브의 파일이나 폴더 업로드 버튼을 활용하는 방법

◉ 작성한 모든 자료 취합

이동 중에나 다른 사정에 의해 핸드폰으로 작업한 구글 독스 문서가 있다면 그 문서들은 저장하는 즉시 모두 구글 드라이브의 PC 버전에도 동기화된다. 따라서 집이나 사무실이나 또는 PC나 노트북을 활용할 수 있는 어떠한 장소에서든 PC나 노트북을 켜고 구글 크롬에 들어있는 구글 드라이브에 들어가면 그때까지 핸드폰이나 PC 및 노트북에서 작업한 모든 문서를 열어 볼 수 있다.

작성한 출판 기획안에 따라 필요한 파일들을 키워드 검색기법에 따라 찾아내고 그중에서 필요한 부분을 복사하여 최종 원고 구글 문서에 붙여넣기 하고 부족한 부분들을 채워주면 일단 원고 초안을 완성하게 되는 것이다. 고품질의 기획안을 작성하고 자료들 충실하게 잘 모아놓았다면 이 작업은 매우 신속하게 이루어질 수 있다.

여러분들은 혹시나 3~5시간 열심히 타이핑하고 나서 저장하지 않고 PC를 끄는 바람에 데이터가 모두 날아간 경험은 없는가? 또한 이미 작성된 문서를 업데이트하고는 별도의 버전 관리를 하지 않아 이전 내용을 다시 복구하지 못해 이전 문서를 재작업한 경험은 없는가? 특히 책자 원고 작성 시에 흔히 일어나는 일로 난감하기 짝이 없는 일이다.

구글 문서의 가장 강력한 기능이 이 두 가지를 모두 방지할 수 있다는 점이다. 구글 문서는 어디에서 작업했든 상관없이 변경 시 자동 저장이 된다. 그리고 저장되는 시점마다 무슨 내용이 누구에 의해 어떻게 고쳐졌는지 모두 추적할 수 있을 뿐 아니라 자동 저장 시마다 별도의 버전을 저장해 두어 이전의 필요한 원고로 복원할 수도 있다. 이 두 가지 강점과 제목뿐 아니라 내용까지 들어가 순식간에 검색해 준다는 점, 구글 문서로 저장하는 경우 무료로 제공되는 15GB와 상관없이 무한대로 저장할 수 있다는 4가지 점이 책 글쓰기에서 구글 앱들을 활용하는 가장 큰 이유이다.

독자들은 때에 따라 구글 문서를 마이크로소프트 워드로 변환시켜 작업해야 할 경우가 생길 수 있다. 이 경우 그림 4-19에서 보는 바와 같이 구글 문서를 열어 '파일' 메뉴에서 '다른 이름으로 다운로드'의 '마이크로소프트 워드'를 선택하여 저장하게 되면 그 파일로는 PC나 노트북에서 더 효과적으로 문서 수정 및 보완 작업을 수행할 수 있게 된다.

그림 4-19 구글 드라이브 내 구글 문서를 마이크로소프트 워드 문서로 변환하는 방법

사진으로 찍어서 이미지, 그림 및 도표 삽입

책자를 집필할 때는 이미지나 도표를 많이 활용하게 된다. 물론 다른 좋은 방법들이 많이 있겠지만 이 책자에서는 내가 효과적으로 활용할 수 있었던 방법들을 위주로 설명하고자 한다.

나는 책을 내기 위한 이미지나 표와 같은 것들은 마이크로소프트 파워포인트에서 주로 작업했다. 이번에 내가 책자 원고를 편집하면서도 구글 드라이브의 아이콘을 책자에 넣기 위해서 내 핸드폰에서 구글 드라이브가 위치한 화면을 스크린 숏 한 후 그것을 파워포인트 슬라이드에 붙여넣기 하고 파워포인트의 '서식' 메뉴에 있는 '자르기'를 클릭하면 내가 스크린숏 한 이미지 사각의 코너마다 각이 생겨나는데 그 사각의 한 코너에 내 커서를 옮겨 놓게 되면 커서의 모양도 각 모양이 된다. 바로 그 지점에 마우스 왼쪽을 클릭한 상태에서 자신이 원하는 지점까지 끌어다 놓고 나서 다시 대각선 맞은편 코너 사각에서 같은 작업을 시행하게 되면 구글 드라이브 아이콘만 희게 남고 지운 부분은 검게 표기된다. 그런 다음 검게 표기된 지운 이미지 바깥쪽 아무 지점에서나 클릭하게 되면 구글 드라이브 아이콘만이 남게 되어 이것을 활용하게 된다. 그림 4-20과 4-21은 이 책자 원고를 작성하기 위해 필요했던 모든 아이콘을 같은 방식으로 한 슬라이드에 모아 놓은 것이다.

필자는 필요한 이미지를 확보하기 위해 상기 파워포인트 활용 이외에도 oCam이라는 애플리케이션도 자주 활용하고 있다. 책자 원고를 작성하다 보면 수많은 이미지들을 활용하게 된다.

그림 4-22는 구글 이미지라는 애플리케이션에서 '클라우드 컴퓨팅'과 관련되는 이미지를 검색하면 나오는 이미지를 보여준다. 이와 같은 이미지는 저작권과 관련되는 이슈가 있을 수 있으므로 책자에 낼 때는 원본 이미지를 그대로 활용하지 말고 항시 그 이미지를 활용하여 보완한 다음에 적용할 것을 추천한다.

구글에서 이미지를 찾으면 위 화면을 찾을 수 있고 다음 원하는 회사
의 로고를 검색하면 아래 화면이 나온다. 아래 화면에서 원하는 로
고를 클릭하면 여러 가지의 로고가 나오는데 그 중 좋은 로고에서
마우스 우측 클릭하여 복사한 다음 파워포인트에 붙여넣기 한다.

그림 4-20 검색 엔진을 통해 필요한 이미지를 가져 오는 방법

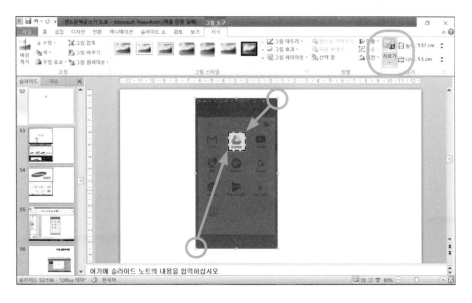

드라이브

파워포인트의 이미지의 일부만을 활용하고자 할 때

1. 대상이미지를 선택한 다음 '서식' 메뉴에서 '자르기'를 클릭한 다음,

2. 커서를 이미지의 우측 상단 코너에 맞춘 다음 마우스 우측 클릭하여 원하는 크기가 될 때까지 끌어간 다음 좌측 하단에서도 마찬가지 작업을 하면 좌측에 보는 작은 이미지를 새로 만들어낼 수 있다.

그림 4-21 복사해 온 이미지 중에서 필요한 부분만 활용하는 방법

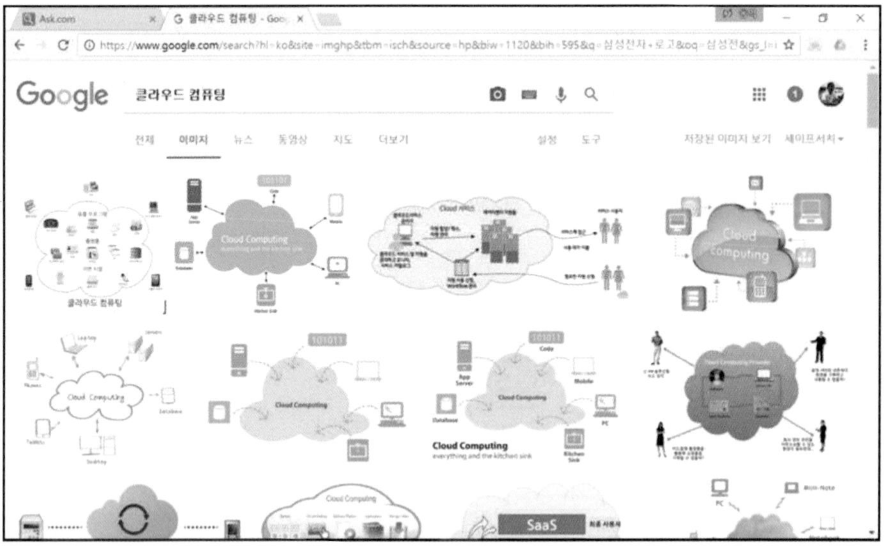

그림 4-22 이미지 검색하는 방법

3 핸드폰으로 작성한 자료 수정 및 원고 교정

작성된 글 이동 중에도 들어보고 수정

작성된 문서를 음성으로 읽어주는 기술을 TTSText to Speech라고 한다. 토크프리 TalkFREE(아이폰의 경우 ALOUD)는 71가지의 언어로 문서를 읽어 준다. 발음도 제법 정확하고 여성의 아름다운 목소리로 읽어 준다. 숫자나 기호 같은 것은 좀 이상하게 읽고 한글로 읽는데 영어 문장이 들어가면 듣기 거북하기는 하다. 특히 영어 약자를 사용하는 경우 알아듣기 어렵게 읽어 준다. 그러나 내 경험으로는 전혀 문제가 없다. 한국말이 아주 유창하지는 않지만 잘하는 외국 사람이 여러분들과 대화한다고 가정해 보자. 대체로 앞뒤 문맥으로 보아 잘하지 못하는 한국말이라도 다

알아들을 수 있는 것과 같은 이치이다. 그런데 이상하게도 중국어는 읽어 주는 리스트에서 빠져 있다. 이유를 알고 싶었지만 참았다.

읽는 것보다는 듣는 것의 효과가 훨씬 크다. 물론 들으면서 읽는 것의 효과는 듣기만 하는 것보다 훨씬 더 크다. 앞으로는 읽어주는 품질이 점점 더 좋아질 것이다. 음성인식, 상황인식, 딥러닝 기술은 빅데이터 분석과 함께 어우러져 더욱더 발전할 것이기 때문이다. 다행히 우리나라의 네이버나 다음카카오의 경우도 이 분야에서는 꽤 앞서 가고 있다. 토크프리의 강점은 읽어주는 속도를 조절할 수 있을 뿐 아니라 특히 좋은 점은 듣다가 중단하고 다시 듣게 되면 처음으로 다시 돌아가지 않고 바로 그다음 부분부터 읽어주기 때문에 짬짬이 들을 수 있어서 매우 유용하다.

그림 4-23을 통해 토크프리의 기능에 대해서 배워보자.

나는 토크프리의 이러한 기능으로 인해 오피스 렌즈로 작성한 자료나, 검색하다가 퍼 온 자료, 카카오톡이나 밴드, 페이스북 등 각종 SNS를 통해 얻게 된 자료, 강연을 듣다가 퍼온 자료 중에서 자료로서 확실하게 관리해야 할 자료들은 우선 구글 문서로 옮겨서 적절한 폴더에 저장한다. 그런데 그러한 자료 중에서도 당장 들어서 이해해야 할 내용이나 아니면 자료의 중요도에 따라 정리해 놓을 필요가 있는 자료인지의 여부를 판단하기 위한 목적으로 어딘가 앉아 있을 만한 자리가 있으면 즉시 복사하여 가장 먼저 토크프리로 옮겨 놓는다. 지나고 나면 잊어버리기 때문이다.

그리고 한적하게 걸을 때나 지하철에서나 벤치에서나 사무실에서나 집에서나 비행기에서나 해변에 놀러 가서나 여유가 될 때마다 토크프리로 듣는다. 그리고 수정해야 하거나, 노트해야 할 부분이 생기면 토크프리의 읽기를 중지하고 구글 문서의 새 글을 열어 그 수정해야 하거나, 노트해야 할 부분에 대해서 상세하게 말로 입력해 놓는다. 만일 대중교통 안에서라면 이어폰으로 들으면서 내 노트북을 펴서 바로 복사해 놓거나 고쳐야 할 필요가 있는 부분은 복사해 놓거나 고치거나 추가로 필요한 내용을 직접 입력해 놓는다. 대체로 1주일 정도 모아진 내용을 한 번씩 정리해서 자료실로 옮기거나 버리거나 또는 수정 부분을 수정해 놓는다.

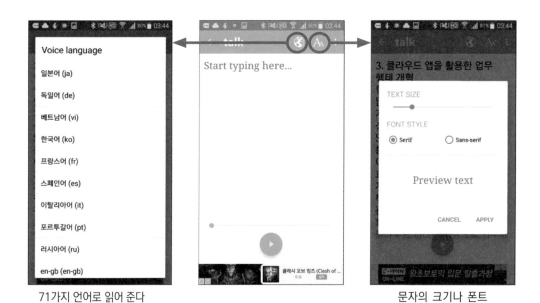

71가지 언어로 읽어 준다

문자의 크기나 폰트
종류 선택 화면

· 토크프리는 문서를 복사하여 붙여 놓으면 자동적으로 초기 화면으로 저장을 해 준다
· 음성크기나 높낮이나 속도를 조절하거나 삭제할 수 있다

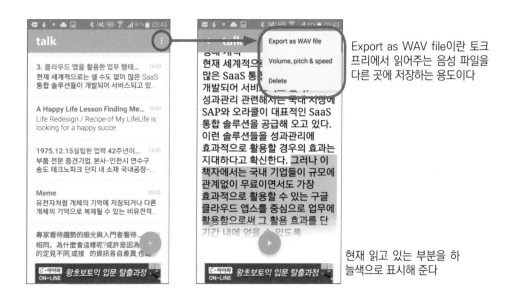

Export as WAV file이란 토크
프리에서 읽어주는 음성 파일을
다른 곳에 저장하는 용도이다

현재 읽고 있는 부분을 하
늘색으로 표시해 준다

그림 4-23 복사해 온 이미지 중에서 필요한 부분만 활용하는 방법

TV나 모니터를 보며 몇 배 효과적인 교정법

이제까지 설명된 것들을 기초로 볼 때 책 글쓰기와 관련하여 핸드폰으로 PC에서는 전혀 활용할 수 없는 수많은 기능을 더 효과적으로 활용할 수 있는데 아직은 약간의 불편함도 있다. 액정 화면의 크기와 문자를 입력할 필요가 있을 때 활용하게 되는 자판의 크기가 작다는 것이다. 물론 자판 크기의 문제는 요즈음 양손의 엄지손가락이 보이지 않을 정도로 빠르게 입력하고 있는 Y세대(1980년 초에서 2000년대 초 태어난 디지털 네이티브 세대)들에게는 그리 불편한 점이 아니지만 말이다. 그런데 이 점 역시 핸드폰에는 훨씬 더 효과가 높은 기능을 사용할 수 있도록 조치되어 있다. 바로 핸드폰의 화면을 미러링 하여 TV, 모니터나 빔프로젝터로 볼 수 있는 기능이다. 앞에서도 이미 설명했듯이 우리가 책을 읽는 것보다는 귀로 듣는 것의 효과가 더 좋고, 듣기만 하는 것보다는 읽으면서 듣는 것의 효과가 훨씬 더 좋다.

나는 300여 쪽의 책을 정독하는 것보다 잘 구성된 30분짜리 동영상을 보면서 듣는 것의 효과가 더 좋다는 논문을 읽은 적이 있다. 300여 쪽의 책을 정독하려면 최소한 5시간 이상 걸린다. 따라서 들으면서 읽는 것의 효과는 최소한 10배 이상이 된다는 말이다. 더구나 TV의 화면이 일반적으로 PC에서 사용하고 있는 모니터 화면의 크기보다 훨씬 크기 때문에 그 효과나 편안함이 얼마나 차이가 나는지는 실제로 경험해 보라.

스마트 TV를 가지고 있는 사람들은 핸드폰의 화면을 스마트 TV로 바로 미러링Mirroring하여 볼 수 있다. 물론 PC의 모니터에도 연결하여 미러링 해서 볼 수 있다. 요즈음 핸드폰에는 손가락으로 화면 상단으로부터 아래로 밀어 내리면 와이파이 켜기, 핸드폰 소리 조정, 현재 위치 설정, 블루투스 켜기 등의 아이콘들이 나타난다. 그중에는 Smart View 기능이 있다. 스마트 TV에서 Smart View 기능을 열어 놓은 다음 핸드폰의 Smart View 기능을 켜면 조금만 기다리면 핸드폰의 화면이 TV에 나타나게 된다. 그러면 핸드폰에서 자신이 조작하는 대로 핸드폰의 화면을 TV에서 시청할 수 있게 된다.

그런데 혹시나 자기가 보유하고 있는 TV가 스마트 TV가 아니라도 걱정할 필요 없다. 혹시 TV의 뒷면에서 HDMI 단자가 있는지를 찾아보라. 인터넷 TV나 케이블 TV를 구독하고 있는 사람들이라면 일반적으로 그 TV 뒷면에 이 단자가 하나 더 있다. 만일 TV 뒷면에 HDMI 단자가 있다면 '무선 MHL 동글'이라고 부르는 부품을 사서 그 HDMI 단자에 꽂으면 스마트 TV와 같은 기능을 그대로 활용할 수 있다.

나는 이 기능을 위해 인터넷 쇼핑몰을 통해 'COMS 핸드폰 무선 MHL 동글(ST045)'과 'CastIt 무선 MHL 동글'이라는 것을 구매해서 잘 사용하고 있다. 인터넷을 통해 3~6만 원 정도 주면 살 수 있다. 단지 스마트 TV가 없어 이런 동글을 사용하게 되면 동영상과 같이 데이터양이 큰 것들을 미러링 할 때는 아주 간혹 끊어짐 현상이 나오는 단점은 있다. 그러나 일반 문서와 같은 것은 10m까지의 거리 내에서 가동할 때는 문제 없다.

통상 스마트 TV는 일반 TV에 비해 훨씬 비싼데 굳이 이 기능을 활용하기 위해서 별도로 비싼 새 스마트 TV를 살 필요가 없다는 말이다. 요즈음 핸드폰에서는 인터넷 TV나 케이블 TV에 비교도 안 되는 정도의 다양한 동영상들을 서비스하고 있다. 특히 유튜브나 테드, 각종 영화는 모두 이와 같은 방법으로 TV로 시청할 수 있다.

이 동글은 내가 해외여행을 할 때 필수 준비물 중의 하나이다. 해외의 숙박지에서도 핸드폰에서 볼 수 있는 영상을 숙박지에서의 TV로 볼 수 있다는 즐거움이 그 여행의 즐거움을 배가시킬 수 있기 때문이다. 나는 그날 찍은 동영상이나 사진도 모두 TV에 연결해서 바로 본다. 한국에서의 뉴스도 바로 연결해서 본다. 내가 보고 싶은 연속극도 바로 본다.

이제는 여러분들이 앞으로는 정말 언제, 어디서나 핸드폰으로 내가 수집한 자료를 읽고 들을 수 있다는 것을 알게 되었을 것이다. 이제 여러분들은 '책 글쓰기에 관한 한 스마트 시대에 접어들었구나.' 하는 것을 이해하게 되었다. 나는 실제 최근에 이와 같은 방식으로 지난 1년 6개월 동안에 책 5권(1,000쪽가량의 영어 번역본 포함)의 원고를 탈고했다. 아직까지 책을 여러 권 냈던 저자 중에서도 이런 경험을 가지고 있는 저자는 거의 없을 것이다. 왕초보들도 이제는 이 책자에 소개된 방식을 잘 활용하고 생활화하면 단기간 내에 자신이 쓰고자 하는 책이나 글을 쓸 수 있다.

저자소개

가재산

jska@unitel.co.kr

25년 동안 삼성물산과 회장 비서실, 여러 계열사에 몸담으면서 경리, 관리에서부터 인사기획, 경영혁신 업무를 수행하였다. 삼성을 나온 이후 20여 년간 CEO, 임원, HR담당자 등을 대상으로 인사제도, 성과관리, 인재 육성 등과 관련한 강의와 중소기업을 중심으로 한 컨설팅과 세미나를 꾸준히 수행해오면서 인사조직 관련 코칭활동을 하고 있다.

현재 종합 HR솔루션 협동조합인 피플스그룹 대표이사로 재임 중이며, 서울과학종합대학원 겸임교수를 하면서 '책 글쓰기 학교' 회장을 맡아 글쓰기에 확산에 노력하고 있다. 20여 년간 수필과 칼럼을 300여 회 신문, 잡지에 기고하였고, CEO 잡지 편집위원과 시니어 잡지 '브라보 마이라이프' 동년기자로도 활동하고 있다.

지은 책으로 『한국형 팀제』, 『10년 후 무엇을 먹고 살 것인가』, 『중소기업, 인재가 희망이다』, 『셈본 인생경영』, 『삼성이 강한 진짜 이유』, 『삼성 HR WAY』, 공저로 『경영한류』, 『스마트 워라밸』 등 20여 권이 있다.

장동익

changdongik@naver.com

1993년에 설립하여 23년간 경영하던 주식회사 렉스켄을 통해 2004년도에 클라우드 기술과 솔루션을 국내에 처음으로 소개한 바 있다. 현재 피플스 그룹 상임고문으로 클라우드 관련 IT기술을 알리기 위해 활발한 활동을 하고 있다. 1993년까지 삼미그룹의 기획조정실 담당 상무이사를 역임했고, 지난 20여 년 간 인덕대학교, 서울과학기술대학교 및 단국대학교에서 겸임/초빙교수로 후학들에게 경영학, 경영정보학, 성과관리 및 클라우드 기술을 가르쳐 왔으며 기업들이 클라우드와 모바일 기술을 활용하여 단기간 내에 업무 혁신하는 방안을 널리 알리기 위해 열정적으로 뛰고 있다.

지금은 핸드폰에 대고 1시간 이상을 줄줄이 말로 하거나, 문서를 사진찍기만 해도 문서파일이 만들어 지고 또한 자동저장되어 몇 시간씩 타이핑한 것을 날리는 일이 없다. 핸드폰에 말로 명령하면 자료를 바로 찾아 준다. 핸드폰이 PC보다 더 똑똑해져서 핸드폰 하나로 책을 쓸 수 있다는 것을 책글쓰기 원하는 모든 사람에게 알리는 날을 간절히 원하는 사람이다.

공저로 『클라우드 기술 활용 스마트 업무혁신과 성과관리』, 『핸드폰 하나로 책과 글쓰기 도전』, 『스마트 워라밸』 있다.

신광철

onul57@hanmail.net

시인이자, 작가로 왕성하게 활동하면서 한국문화콘텐츠 연구소장으로 한국, 한국인, 한민족의 근원과 문화유산에 대해 연구하고 있다. 살아있음이 축제라고 주장하는 사람, 나무가 생애 전체를 온몸으로 일어서는 것을 경이라고 하고, 사람에게 영혼의 직립을 말한다. 신으로부터의 인간 독립을 주장하기도 한다.

한국인의 정신과 한옥, 한국문화 분야의 한국의 문화유산에 대한 저술을 했다. 한국인의 심성과 기질 그리고 한국문화의 인문학적 연구와 철학 그리고 한국적인 미학을 찾아내서 한국인의 근원에 접근하려 한다. 한국인의 경영도 한국인의 정신이 들어가야 완성된다고 주장한다. 현재 300여 회원이 가입되어 있는 책 글쓰기 주임교수로 있다.

『한옥마을』, 『한옥의 멋』, 『옛 길을 걷다』, 『한국의 세계문화유산』, 『극단의 한국인 극단의 창조성』, 『인문형 인간』외 저술활동 중이며 30여 권의 저서가 있다.

100세 시대 액티브 시니어들을 위한
왕초보 책과 글쓰기 도전

발행일 2019년 1월 3일

지은이 가재산, 장동익, 신광철
펴낸이 박승합
펴낸곳 노드미디어

총괄 박효서
편집 김은미
디자인 김은미

주소 서울시 용산구 한강대로 341 대한빌딩 206호
전화 02-754-1867
팩스 02-753-1867
이메일 nodemedia@daum.net
홈페이지 www.enodemedia.co.kr

등록번호 제302-2008-000043호

ISBN 978-89-8458-323-8
정가 20,000원